O Antigo Segredo
da Flor da Vida

DRUNVALO MELCHIZEDEK

O Antigo Segredo da Flor da Vida

VOLUME 1

Tradução
Henrique A. R. Monteiro

Revisão Técnica
Eloisa Zarzur Cury
Maria Luiza Abdalla Renzo

Editora
Pensamento
SÃO PAULO

Título original: *The Ancient Secret of the Flower of Life – vol. 1*.
Copyright © 1990, 1992, 1993, 1995, 1996, 1997, 1998 Clear Light Trust.
Copyright da edição brasileira © 2009 Editora Pensamento-Cultrix Ltda.
1ª edição 2009.
11ª reimpressão 2025.
Publicado originalmente em inglês por Light Technology Publishing.
Todos os direitos reservados. Nenhuma parte deste livro pode ser reproduzida ou usada de qualquer forma ou por qualquer meio, eletrônico ou mecânico, inclusive fotocópias, gravações ou sistema de armazenamento em banco de dados, sem permissão por escrito, exceto nos casos de trechos curtos citados em resenhas críticas ou artigos de revistas.

A Editora Pensamento não se responsabiliza por eventuais mudanças ocorridas nos endereços convencionais ou eletrônicos citados neste livro.

Revisão Técnica: Eloisa Zarzur Cury e Maria Luiza Abdalla Renzo, facilitadoras Flower of Life / A Flor da Vida, graduadas pela Flower of Life Research e por Drunvalo Melchizedek.
(site: www.flordavida.com.br / email: flordavida@uol.com.br)

Dados Internacionais de Catalogação na Publicação (CIP)
(Câmara Brasileira do Livro, SP, Brasil)

Melchizedek, Drunvalo
 O Antigo segredo da Flor da Vida, volume 1 / escrito e atualizado por Drunvalo Melchizedek ; tradução Henrique A. R. Monteiro ; revisão técnica Eloisa Zarzur Cury, Maria Luiza Abdalla Renzo. — São Paulo : Pensamento, 2009.

 Título original: The ancient secret of the flower of life. "Transcrição editada do seminário sobre a Flor da Vida apresentado ao vivo à mãe Terra de 1985 a 1994".

 ISBN 978-85-315-1579-8

 1. Consciência 2. Geometria 3. Meditação 4. Movimento da Nova Era 5. Teosofia I. Cury, Eloisa Zarzur. II. Renzo, Maria Luiza Abdalla. III. Título.

09-04325   CDD-299.934

Índices para catálogo sistemático:
1. Flor da vida : Teosofia : Religião 299.934

Direitos de tradução para o Brasil
adquiridos com exclusividade pela
EDITORA PENSAMENTO-CULTRIX LTDA.
Rua Dr. Mário Vicente, 368 — 04270-000 — São Paulo, SP
Fone: (11) 2066-9000
E-mail: atendimento@editorapensamento.com.br
http://www.editorapensamento.com.br
que se reserva a propriedade literária desta tradução.
Foi feito o depósito legal.

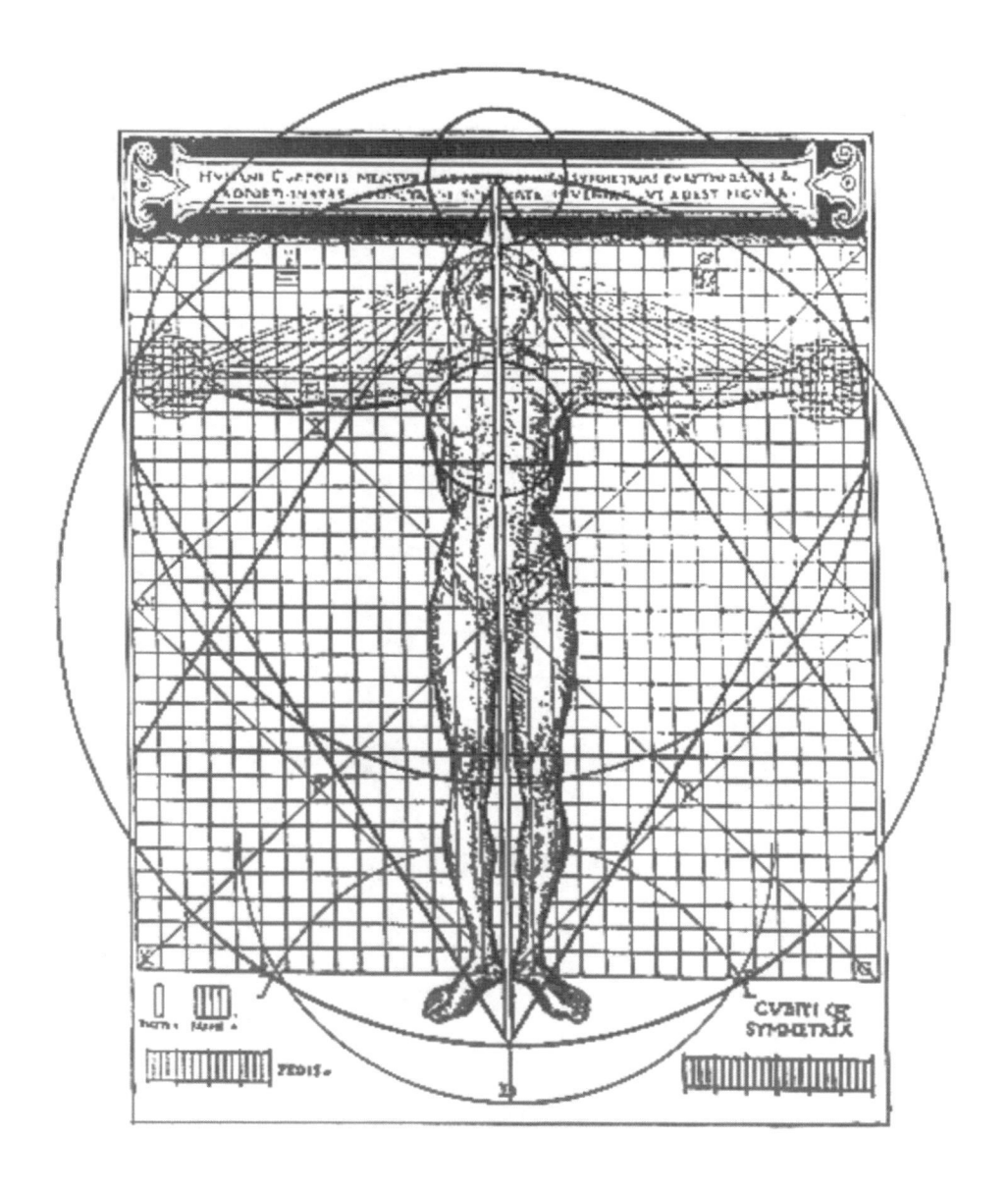

Cânone de Vitrúvio
Com as geometrias sagradas da Flor da Vida.

AGRADECIMENTOS

Existem muitos seres — centenas deles — que ajudaram a concluir esta obra. Não posso nomeá-los todos, mas sinto necessidade de agradecer a alguns deles.

Antes de mais nada, aos dois anjos que entraram na minha vida há muito tempo e que a têm guiado carinhosamente, sejam vocês os mais reverenciados. Thoth, o mestre ascensionado da Atlântida, do Egito e da Grécia, forneceu-me muitas das informações contidas neste livro. Minha família, minha esposa Claudette e os meus filhos, que são o maior amor e a fonte de inspiração da minha vida. Os duzentos facilitadores que ensinam este trabalho sobre a Flor da Vida em 33 países e que têm me dado o seu retorno, apoio e um carinho inestimáveis, contribuindo para manter-me forte. Os milhares de estudantes que me escreveram cartas carinhosas, contando como esta obra mudou a vida deles; isso tem me dado força para continuar. Livea Cherish, que pôs esta obra em livro a partir do formato de vídeo, e Margaret Pinyan, cujo elevado talento editorial permitiu que o livro seja lido fluentemente. Tim Stouse, que cuidou de cerca da metade da produção gráfica por computador, e Michael Tyree, que produziu a outra metade; eles tornaram possível compreender o que se está dizendo. E O'Ryin Swanson, o dono da Light Technology Publishing, que acreditou em mim para publicar esta obra.

A todos vocês outros, que são numerosos demais para nomear, agradeço de todo o meu coração, com os votos de que este livro realmente ajude as pessoas a compreenderem quem elas realmente são, de modo que juntos possamos criar um mundo mais amoroso — e talvez até mesmo um universo mais amoroso. Muito obrigado, meus caros.

PREFÁCIO

Um só Espírito.

Muito antes de existir a Suméria, antes de o Egito ter construído Saqqara, antes que florescesse o vale do Indo, o Espírito já vivia em corpos humanos, dançando em uma cultura elevada. A Esfinge conhece a verdade. Nós somos muito mais do que sabemos. Nós nos esquecemos.

A Flor da Vida foi e é conhecida por todas as formas de vida. Todos os seres vivos, não só aqui mas também em toda parte, sabiam que era ela o padrão da criação — o caminho de entrada, o caminho de saída. O Espírito nos criou à sua imagem. Vocês sabem que isso é verdade; está gravado no seu corpo, em todos os seus corpos.

Há muito tempo caímos de um estado de consciência muito elevado, e as lembranças só agora começam a despontar. O nascimento da nossa nova/antiga consciência aqui sobre a Terra nos mudará para sempre e nos devolverá a consciência de que só existe um único Espírito verdadeiro.

O que vocês estão prestes a ler é a jornada da minha vida através dessa realidade, como aprendi sobre o Grande Espírito e sobre os relacionamentos que cada um de nós tem com todas as formas de vida de todos os lugares. Eu vejo o Grande Espírito nos olhos de todos e sei que Ele/Ela está dentro de vocês. Vocês já guardam no fundo do seu ser todas as informações que vamos compartilhar aqui. Quando as lerem pela primeira vez, poderá parecer que se trata de algo de que nunca ouviram falar, mas não é verdade. São informações muito antigas. Vocês podem lembrar-se de coisas que estão lá no fundo do seu ser, e espero que este livro desperte essas lembranças para que se recordem de quem vocês são, por que vieram para cá e qual é o sentido de estar aqui na Terra.

Faço votos de que este livro se torne uma bênção na sua vida e lhes proporcione um novo despertar para si mesmos e para algo a seu respeito que é muito, muito antigo. Obrigado por participarem desta jornada comigo. Amo vocês profundamente, pois na verdade somos velhos amigos. Somos Um.

Drunvalo

SUMÁRIO

Nota ao Leitor 17
Introdução 19

UM   Recordando o Nosso Passado Antigo 23
Como a Queda da Atlântida Mudou a Nossa Realidade 23
O Mer-Ka-Ba 26
Regressando ao Nosso Estado Original 27
Uma Realidade Superior e Includente 28
Realidades dos Hemisférios Cerebrais Esquerdo e Direito 30
Até Onde Vamos com Essas Informações 31
Desafiando os Padrões de Crenças dos Nossos Pais 32

Reunindo as Anomalias 33
A Tribo Dogon, Sírius B e os Seres Golfinhos 33
Uma Viagem ao Peru e Mais Evidências Dogons 37
Decifrando o Código da Bíblia Hebraica 39
Um Poema Sânscrito e Pi 39
Qual é a Idade da Esfinge? 40
Edgar Cayce, a Esfinge e a Sala dos Registros 43
Apresentando Thoth 44

Minha História 46
O Começo em Berkeley 46
Abandonando Tudo pelo Canadá 47
Os Dois Anjos e Onde me Levaram 47
Alquimia e a Primeira Aparição de Thoth 49
Thoth, o Atlante 51
Thoth, Geometrias e a Flor da Vida 52

DOIS   O Segredo da Flor se Revela 57
Os Três Templos de Osíris em Abidos 57
Faixas de Tempo Entalhadas 58
O Templo de Seti I 59
O "Terceiro" Templo 59
A Geometria Sagrada e a Flor da Vida do "Segundo" Templo 60
Entalhes dos Coptas 64

A Igreja Inicial Muda o Simbolismo Cristão 64
A Flor da Vida: Geometria Sagrada.. 66
    A Semente da Vida.. 67
    A Conexão da Árvore da Vida 67
    A *Vesica Piscis* 68
    As Rodas Egípcias e a Viagem Dimensional.............................. 69
Dimensões, Harmonia e o Universo em Forma de Ondas.................. 71
    O Comprimento de Onda Determina a Dimensão..................... 72
    As Dimensões e a Escala Musical 73
    O Muro entre as Oitavas 75
    Mudando de Dimensão 76
A Estrela Tetraédrica 76
    Trindade na Dualidade: A Trindade Sagrada 78
    Uma Avalanche de Conhecimento 79
A Relação da Terra com o Cosmos 80
    Espirais no Espaço 81
    Nossa Conexão com Sírius... 82
    Os Braços Espirais de uma Galáxia, a Esfera Circundante e o
        Envoltório de Calor 84
    A Precessão dos Equinócios e Outras Oscilações...................... 85
    Yugas... 87
Visões Modernas sobre as Mudanças dos Polos 89
    Sedimentações de Ferro e Amostras do Núcleo 89
    Causadores das Mudanças dos Polos 90
    Mudanças no Fluxo Magnético 92
    Níveis de Consciência Harmônicos e Desarmônicos 94

TRÊS   O Lado Sombrio do Nosso Presente e Passado 97

Nossa Terra em Perigo.. 97
    Oceanos Agonizantes 99
    Ozônio.. 101
    A Era Glacial do Efeito Estufa 105
    Da Era do Gelo ao Aquecimento, uma Mudança Rápida 106
    Bombas Atômicas Subterrâneas e CFCs 107
    O Memorando de Strecker sobre a Aids 109
    Uma Perspectiva sobre os Problemas Terrestres....................... 111
A História do Mundo 112
    Sitchin e a Suméria 113
    Tiamat e Nibiru 116
    O Problema Atmosférico de Nibiru.. 117

A Rebelião dos Nephilim e a Origem da Nossa Raça 118
Eva Surgiu das Minas de Ouro? 119
A Versão de Thoth sobre a Origem da Nossa Raça............................ 119
Concebendo a Raça Humana: O Papel de Sírius 121
A Chegada de Enlil... 122
Mães Nephilim 123
Adão e Eva.. 124
O Surgimento da Lemúria 125
As Explorações da Lemúria em 1910.. 126
Ay e Tiya e o Início do Tantra.. 127
A Lemúria Afunda e Surge a Atlântida.. 128

QUATRO   A Evolução da Consciência Abortada e a Criação da Rede Crística.. 131

Como os Lemurianos Desenvolveram a Consciência Humana 131
A Estrutura do Cérebro Humano 131
A Tentativa de Gerar uma Nova Consciência na Atlântida 132
Os Filhos da Lemúria São Convocados... 133

A Evolução Abortada 135
Dois Vórtices Vazios Atraíram Raças Extraterrestres 135
Marte Depois da Rebelião de Lúcifer.. 135
Os Marcianos Violam a Consciência da Criança Humana e Tomam o Poder 137
Uma Mudança Secundária dos Polos e o Debate Subsequente 138
A Decisão Fatídica dos Marcianos 139
Fracasso da Tentativa do Mer-Ka-Ba Marciano................................ 140
Uma Herança Destrutiva: O Triângulo das Bermudas........................ 141

A Solução: Uma Rede de Consciência Crística............................. 142
Os Mestres Ascensionados Ajudam a Terra..................................... 142
Uma Rede Planetária 143
O Conceito do Centésimo Macaco.. 144
O Centésimo Humano... 145
A Descoberta da Rede pelo Governo e a Corrida pelo Controle 146
Como a Rede Foi Construída, e Onde 147
Lugares Sagrados... 148
A Plataforma de Pouso da Pirâmide e a Nave sob a Esfinge................ 149
A Vulnerabilidade deste Período e a Aparição da Heroína.................. 151
Esperando a Catástrofe Atlante 152
Os Três Dias e Meio do Vazio 154
Memória, Campos Magnéticos e Mer-Ka-Bas.................................. 154
O que Fez o Grupo de Thoth depois do Retorno da Luz 155

Lugares Sagrados na Rede 156
Os Cinco Níveis da Consciência Humana e as suas Diferenças
    Cromossômicas 158
Evidências no Egito para um Novo Olhar sobre a História................... 159
Gigantes na Terra... 160
Evolução Escalonada... 162
A Fraternidade Tat... 163
A Evolução Paralela na Suméria... 164
Segredos Bem Guardados no Egito, a Chave para uma Nova
    Interpretação da História... 165

CINCO   O Papel do Egito na Evolução da Consciência 169

Introdução a Alguns Conceitos Básicos.. 169
Instrumentos Egípcios e Símbolos da Ressurreição 169
A Diferença entre Morte, Ressurreição e Ascensão 170
Quando o Sol Nasceu no Oeste... 173
Osíris, o Primeiro Imortal 173
A Memória Holográfica Transpessoal do Primeiro Nível da
    Consciência 174
A Introdução da Escrita, Responsável pela Criação do Segundo Nível
    da Consciência 175
A Barreira do Politeísmo: Cromossomos e Neters............................. 176

O Resgate da Consciência Humana... 177
A Vida de Akhenaton: Um Clarão Refulgente de Luz 177
Criando os Corpos de Akhenaton, depois Nefertiti 178
O Novo Governo e o Deus Único... 179
O Reino da Verdade, que Retrata uma Genética Diferente................. 180
O Rei Tut — e Outros Crânios Alongados 186
Memória: A Chave da Imortalidade 186
O que Aconteceu Realmente com Akhenaton?................................. 188
A Escola de Mistérios de Akhenaton.. 189
A Fraternidade Essênia e Jesus, Maria e José 190
As Duas Escolas de Mistérios e as Imagens dos 48 Cromossomos 190

O Gênesis, a História da Criação 191
As Versões Egípcia e Cristã 191
Como Deus e as Escolas de Mistérios Fizeram 192
Primeiro Cria-se um Espaço... 193
Depois, Delimita-se Esse Espaço.. 194
Então, Gira-se a Forma para Criar uma Esfera 195
O Primeiro Movimento do Gênesis.. 196
A *Vesica Piscis*, pela qual a Luz é Criada... 197

O Segundo Movimento Cria a Estrela Tetraédrica	198
"Mova-se para o Recém-Criado" até o Término	199

SEIS   O Significado da Forma e da Estrutura 203

Desenvolvendo o Padrão do Gênesis 203
    O Toro, a Primeira Forma 203
    O Labirinto como um Movimento da Energia de Força Vital 205
    O Ovo da Vida, a Segunda Forma além do Gênesis 206
    A Terceira Rotação/Forma: o Fruto da Vida 207
    Combinando o Masculino e o Feminino para Criar o Cubo de Metatron, o Primeiro Sistema Informativo 209

Os Sólidos Platônicos 210
    Sua Origem: o Cubo de Metatron 211
    As Linhas que Faltavam 213
    Quase-Cristais 215
    Os Sólidos Platônicos e os Elementos 216
    O 72 Sagrado 218
    Usando Bombas e Compreendendo o Padrão Básico da Criação 220

Cristais 220
    Fixando o Nosso Aprendizado 220
    Nuvens de Elétrons e Moléculas 223
    As Seis Categorias de Cristais 226
    Truncando Poliedros 228
    O Cubo de Equilíbrio de Buckminster Fuller 230
    No Interior de uma Semente de Gergelim 231
    As 26 Formas 232
    A Tabela Periódica 233
    A Chave: o Cubo e a Esfera 234
    Os Cristais Estão Vivos! 235
    O Futuro Salto Evolutivo do Silício/Carbono 237

SETE   O Padrão de Medida do Universo: O Corpo Humano e as Suas Geometrias 241

A Geometria Interna do Corpo Humano 241
    No Princípio Era a Esfera, o Óvulo 242
    O Número Doze 243
    O Espermatozoide Torna-se uma Esfera 243
    A Primeira Célula Humana 244
    Formando um Tubo Central 245
    As Primeiras Quatro Células Formam um Tetraedro 246
    A Nossa Verdadeira Natureza Está nas Nossas Oito Células Originais 248

    A Estrela Tetraédrica/Cubo de 16 Células Torna-se uma Esfera
        Oca ou Toro 250
    A Progressão das Formas de Vida pelos Sólidos Platônicos 251
    Parto na Água e as Parteiras Golfinhos 251

As Geometrias que Circundam o Corpo 253
    A Chave Maçônica para a Quadratura do Círculo 254
    A Razão Phi 255
    Aplicando a Chave ao Cubo de Metatron 256
    Os Dois Círculos/Esferas Concêntricos 256
    Estudando o Cânone de Da Vinci 257
    As Razões Phi no Corpo Humano 258
    A Razão Phi em Todas as Estruturas Orgânicas Conhecidas 262
    Os Retângulos de Proporção Áurea e as Espirais ao Redor do Corpo 264
    Espirais Masculinas e Femininas 265

OITO   Reconciliando a Polaridade Binária de Fibonacci 269

A Sequência e a Espiral de Fibonacci 269
    A Solução da Vida para a Espiral Infinita de Proporção Áurea (Phi) 271
    Espirais na Natureza 273
    Espirais de Fibonacci ao Redor dos Seres Humanos 274
    A Rede Humana e a Tecnologia do Ponto Zero 275
    Espirais de Origem Masculina e Feminina 276
    O Sequenciamento Binário na Divisão Celular e nos Computadores 279
    Buscando a Forma por trás da Polaridade 281

A Solução num Gráfico Polar 281
    Um Livro de Matemática do Sexto Ano 281
    Espirais sobre um Gráfico Polar 282
    Os Triângulos de Keith Critchlow e o seu Significado Musical 284
    Espirais de Luz Branca e Preta 286
    Mapas do Hemisfério Cerebral Esquerdo e o seu Componente
        Emocional 287
    De Volta ao Fruto da Vida através do Segundo Sistema de Informação . 288

Palavras Finais 291

Fontes de Consulta 293

NOTA AO LEITOR

O Curso Flor da Vida foi apresentado internacionalmente por Drunvalo de 1985 a 1994. Este livro se baseia na transcrição da terceira versão oficial do Curso Flor da Vida em fitas de vídeo, o qual foi apresentado em Fairfield, Iowa (EUA) em outubro de 1993. Cada capítulo deste livro corresponde mais ou menos à numeração da fita de vídeo correspondente do curso. Entretanto, mudamos esse formato na transcrição quando necessário, para tornar a compreensão mais clara sempre que possível. Portanto, mudamos os parágrafos e as frases e ocasionalmente até mesmo partes inteiras para os lugares que consideramos ideais de modo que vocês, leitores, pudessem acompanhar os pensamentos com o máximo de facilidade.

Observem que acrescentamos **atualizações** ao longo de todo o livro, as quais aparecem em **negrito**. Essas atualizações normalmente começam em um novo parágrafo imediatamente em seguida das informações antigas. Considerando que foram apresentadas muitas informações no seminário, dividimos os assuntos em duas partes, cada uma das quais com o seu próprio sumário. O volume 2 será publicado pela Editora Pensamento-Cultrix posteriormente.

INTRODUÇÃO

Parte do meu propósito de publicar esta obra era ajudar as pessoas a tomarem consciência de determinados eventos que aconteceram neste planeta, ou estão acontecendo atualmente, ou estão prestes a acontecer, eventos que estão afetando radicalmente a nossa consciência e a maneira como vivemos hoje. Ao compreender a nossa situação atual, podemos nos tornar receptivos à possibilidade de uma consciência nova, uma humanidade nova que está surgindo sobre a Terra. Além disso, talvez o meu propósito mais importante seja inspirar vocês a lembrar-se de quem realmente são e dar-lhes coragem para trazer a sua aptidão natural para este mundo. Pois Deus deu a cada um de nós um talento exclusivo que, quando vivido *verdadeiramente,* transforma o mundo físico em um mundo de pura luz.

Também apresentarei evidências matemáticas e científicas para mostrar de que maneira viemos aqui, como seres espirituais em um mundo material, para convencer a nossa parte analítica do hemisfério cerebral esquerdo de que só existe uma consciência e um Deus, e que todos fazemos parte dessa Unidade. Isso é importante, pois contribui para equilibrar os dois lados do cérebro. Esse equilíbrio abre a glândula pineal e permite que o prana, a energia da força de vida, entre até a parte mais profunda do nosso corpo físico. Então e somente nesse momento se torna possível o corpo de luz chamado Mer-Ka-Ba.

Entretanto, compreendam que a comprovação de como aprendi originalmente essas informações não é em si mesma importante. As informações podem na maioria dos casos ser modificadas completamente para informações diferentes sem afetar o resultado. Além disso, cometi muitos erros porque sou humano agora. O que é mais interessante para mim é que toda vez que cometo um erro, ele me leva a uma compreensão mais profunda da Realidade e de uma verdade superior. Assim, eu lhes digo que, se encontrarem algum erro, observem mais atentamente. Se ficarem presos às informações por superestimar o seu valor, deixarão de captar o sentido da obra como um todo. O que acabei de dizer é da maior importância para a compreensão desta obra.

Também vou apresentar as minhas experiências pessoais, muitas das quais são, admito, espantosas para os padrões do mundo normal. Talvez elas não sejam assim tão espantosas pelos padrões do mundo antigo, mas vocês é que devem decidir se elas são verdadeiras ou se são apenas histórias — ou se até mesmo têm algum valor. Observem tudo de coração, pois o coração sempre conhece a verdade. Depois, pretendo compartilhar com vocês, até onde puder, no segundo volume, uma técnica respiratória que os ajudará a retornar ao estado de consciência imensamente superior, de onde todos viemos. Esse estado de consciência é a recordação da respiração ligada ao corpo de luz do Mer-Ka-Ba. Esse é um dos propósitos primordiais desta obra.

Agora, devo fazer um breve relato de como surgiu este livro. Vocês lerão sobre os anjos, portanto não vou começar por aí, mas pelos acontecimentos posteriores. Em 1985, os anjos pediram-me para começar a ensinar a meditação Mer-Ka-Ba. Aprendi essa técnica originalmente em 1971 e desde essa ocasião a praticava regularmente, mas não queria me tornar um professor. A minha vida estava tranquila e satisfatória. Basicamente, eu me sentia bem e não queria trabalhar muito. Os anjos disseram que, quando alguém recebe um conhecimento espiritual, deve compartilhá-lo. Disseram que assim era a lei da criação.

Sabendo que eles estavam certos, inaugurei o meu primeiro curso ao público no primeiro trimestre de 1985. Em 1991, os meus seminários eram muito procurados e viviam lotados, com centenas de pessoas na lista de espera. Eu não sabia como atingir a todos que queriam as informações que eu transmitia. Na verdade, eu não podia. Então, em 1992, tomei a decisão de produzir um vídeo de um dos meus seminários e lançá-lo ao mundo.

Em menos de um ano as vendas desse vídeo explodiam, mas havia um grande problema. A maioria das pessoas que assistiam ao vídeo não entendia realmente o que era apresentado, porque ele estava fora do contexto e do conteúdo da sua compreensão espiritual. Dei uma palestra a noventa pessoas no Estado de Washington, e todas elas haviam realmente assistido ao vídeo, mas nunca tinham participado de um dos meus seminários pessoalmente. Foi então que entendi que apenas cerca de 15 por cento das pessoas realmente sabiam como fazer a meditação usando apenas as instruções do vídeo. Não estava funcionando. As 85 por cento restantes estavam confusas e não sabiam direito como seguir as instruções dadas.

Imediatamente, tirei os vídeos do mercado. Isso, porém, não impediu que o vídeo continuasse a ser vendido. As pessoas queriam as informações, então começaram a copiar as fitas existentes e a dar, vender ou alugá-las a pessoas de todo o mundo. Em 1993, calculamos que havia aproximadamente 100 mil conjuntos desses vídeos em todo o mundo.

Depois, tomamos uma decisão. Decidimos que a única maneira pela qual poderíamos nos responsabilizar por aquelas informações seria colocar uma pessoa treinada na sala quando as pessoas estivessem assistindo aos vídeos. Treinada significava que a pessoa havia sido cuidadosamente instruída para conhecer e praticar o Mer-Ka-Ba. Essa pessoa poderia então ensinar oralmente as outras. Foi assim que nasceu o curso de facilitador da Flor da Vida. Atualmente existem mais de duzentos facilitadores treinados em pelo menos 33 países. E o método tem funcionado muito bem.

Agora as coisas começaram a mudar de novo. As pessoas estão começando a compreender a consciência superior e a sua importância e os seus conceitos. Chegou o momento de publicar este livro para o público em geral, que agora está pronto, conforme achamos. O livro tem a vantagem de permitir que as pessoas fiquem mais tempo analisando os detalhes das ilustrações e das fotos mais à vontade. E também apresenta informações atualizadas como as seguintes:

Atualização: Com certeza os tempos estão mudando! De acordo com a Dow Jones Company, Inc. na sua revista *American Demographics*, um estudo científico de dez anos revelou que uma cultura totalmente nova está surgindo nos Estados Unidos e no mundo ocidental neste momento. De acordo com a nossa experiência, acreditamos que se trate de uma nova cultura de âmbito mundial. É uma cultura que acredita profundamente em Deus, na família, nas crianças, no espírito, na Mãe Terra e em um ambiente saudável, na feminilidade, na honestidade, na meditação, na vida em outros planetas e na unidade de todas as formas de vida em toda parte. Os integrantes dessa nova cultura acreditam, de acordo com o estudo, que sejam poucos e dispersos. A pesquisa revelou, entretanto, para a completa surpresa de todos, que "eles" são *um em cada quatro adultos nos Estados Unidos — um montante impressionante de 44 milhões de adultos!* Algo imenso está acontecendo. Agora que os donos do dinheiro tomaram consciência desse novo mercado enorme, pode-se apostar que as coisas irão mudar. Tudo vai ser influenciado, desde o conteúdo dos filmes e da televisão até os alimentos que comemos e muito mais. Até mesmo a nossa interpretação da Realidade pode acabar mudando. Você não está só, e não vai demorar muito para que esse fato seja percebido por todo mundo.

Desde que os anjos começaram a aparecer para mim em 1971, tenho seguido a orientação deles. Isso ainda acontece hoje em dia. Foram os anjos que me deram a meditação do Mer-Ka-Ba e é a meditação que é importante aqui, não as informações apresentadas. As informações são usadas apenas para levar-nos a uma condição de clareza que nos permita entrar em um determinado estado de consciência.

Entendam que, quando recebi as informações científicas nos primeiros anos, de 1971 a meados de 1985, pensei que fossem para o meu crescimento pessoal. Quando lia um trabalho ou revista científica, eu os descartava em seguida, não percebendo que no futuro precisaria provar o que estava dizendo. Depois, consegui localizar a maioria dos artigos, mas não todos. Ainda assim, essas informações precisam circular. Vocês, leitores, o pediram com insistência. Portanto, sempre que puder vou documentar as minhas afirmações, mas algumas provas se perderam, pelo menos até o momento.

Além disso, parte das informações provém de fontes não científicas, tais como anjos e comunicações interdimensionais. Compreendemos que a "ciência pura" precise ser separada de uma fonte que é considerada mediúnica. Os cientistas são muito ciosos da sua credibilidade. Como uma observação à parte, gostaria de comentar que isso é semelhante a um homem dizer a uma mulher que os seus sentimentos não são válidos e que apenas a lógica é verdadeira e válida, que a lógica *deve* ser seguida. Naturalmente, ela conhece outro caminho; é o caminho da própria vida. Ela flui. Ela não tem a "lógica masculina", mas é igualmente verdadeira. Acredito em ambos, com equilíbrio.

Se vocês puderem conceber uma pessoa usando tanto a ciência quanto as habilidades mediúnicas juntas para explorar a Realidade, então vieram ao lugar certo. Sempre que possível, vou assinalar a diferença entre os dois tipos de fontes, para que não reste nenhuma dúvida a respeito. Isso significa que vocês devem mergulhar no seu íntimo para descobrir se as informações são verdadeiras em relação ao seu mundo. Se algo não parecer certo, então descartem e sigam em frente. Se parecer certo, então experimentem e sintam se é realmente verdadeiro. No entanto, a meu ver, a mente jamais conhecerá verdadeiramente a Realidade enquanto não a buscar com o coração. O masculino e o feminino se completam.

Ao ler este livro, vocês terão duas escolhas: seguir o lado esquerdo do cérebro, o seu lado masculino, fazendo anotações e observando atentamente a lógica de cada etapa, *ou* seguir o lado direito do cérebro, o seu lado feminino, simplesmente indo em frente sem pensar muito — sintam, observem como num filme, soltem-se, relaxem. De qualquer maneira, vai funcionar. A escolha é sua.

Finalmente, enquanto produzia este livro, precisei tomar outra decisão. As etapas finais da meditação, o Mer-Ka-Ba, deveriam ser divulgadas? Ainda acho que a melhor coisa é o contato direto com um professor. Você passaria para as etapas finais do budismo tibetano depois de ler um livro? O que foi decidido é que tudo será apresentado aqui até o momento do vídeo de 1993, com a precaução de que você entre cuidadosamente no Mer-Ka-Ba e ainda busque um facilitador da Flor da Vida. Essa informação será dada no final do segundo volume. Muita coisa se aprendeu depois e além desses textos, que pode somente ser apresentada e vivenciada oralmente e pessoalmente.

A razão pela qual estou dando todas as informações é que atualmente há pelo menos sete outros autores que reimprimiram esta obra de uma forma ou de outra. Alguns a seguiram ao pé da letra, alguns me parafrasearam e alguns usaram a minha obra e os desenhos sobre a geometria sagrada. Alguns pediram permissão e outros não. Mas o resultado final é que as informações circularam. Grande parte delas foi distorcida, e às vezes se trata de uma absoluta inverdade. Entendam, por favor, que não se trata de proteger-me, mas de ser responsável pela integridade da obra. Essas informações pertencem ao universo, não a mim. Só estou preocupado com a pureza das informações, e que vocês as entendam claramente.

As instruções exatas para a meditação encontram-se na Internet (www.floweroflife.org), mas é claro que não o conhecimento oculto. Esse é experimental. É preciso vivenciá-lo. Existem outras informações na Internet atribuídas a mim, mas que não são minhas. Também há informações sobre a Flor da Vida que simplesmente estão erradas ou desatualizadas. Quem sabe esta obra deixará claro o que permanece obscuro ou distorcido. Compreendo que aquelas pessoas agem de bom coração, em busca da verdade, mas nada substitui a minha responsabilidade em relação a vocês.

Portanto, para ser claro e manter a história correta, estou escrevendo este livro para todos os que desejem realmente conhecer e entender a verdade.

Em amor e serviço,
Drunvalo Melchizedek

UM

Recordando o Nosso Passado Antigo

Como a Queda da Atlântida Mudou a Nossa Realidade

Um pouco menos de 13 mil anos atrás, houve um incidente muito dramático na história do nosso planeta, o qual examinaremos nos mínimos detalhes em seguida, porque esse acontecimento do passado está influenciando a nossa vida atual em todos os sentidos. Tudo o que vivenciamos na nossa realidade atual, incluindo as diversas tecnologias que usamos, as guerras que eclodem, os alimentos que consumimos e até mesmo o modo como sentimos a nossa vida, é o resultado direto de uma determinada sequência de eventos que aconteceram durante o fim do período atlante. As consequências desses eventos remotos mudaram completamente o modo como vivemos e interpretamos a realidade.

Tudo está interligado! Há apenas uma Realidade e um Deus, mas existem muitas, muitas maneiras pelas quais a Realidade única pode ser interpretada. Na verdade, o número de maneiras de interpretar a Realidade é praticamente infinito. Existem determinadas realidades com as quais muitas pessoas concordam e essas realidades são chamadas níveis de consciência. Por razões que veremos, há realidades específicas com as quais números extremamente grandes de seres estão se preocupando, entre as quais se inclui essa que vocês e eu estamos vivenciando neste exato momento.

Houve uma época em que existimos sobre a Terra num nível muito elevado de consciência, que estava muito além de tudo o que podemos imaginar hoje em dia. Mal tínhamos capacidade para imaginar em que nível estávamos, porque quem éramos na época está muito diferente de quem somos hoje. Por causa dos eventos particulares

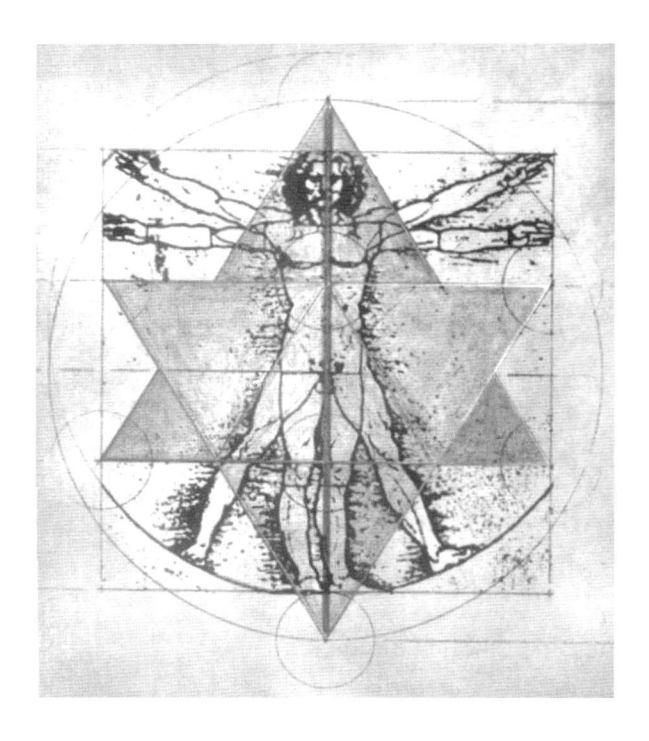

Ilustração 1-1. O campo da estrela tetraédrica que circunda cada um de nós.

que aconteceram entre 16 mil e 13 mil anos atrás, a humanidade caiu daquela posição muito elevada através de muitas dimensões e sons harmônicos, até mesmo aumentando de densidade, até chegarmos a esta posição particular, a que chamamos a terceira dimensão sobre o planeta Terra, o mundo moderno.

Quando caímos — e foi semelhante a uma queda —, entramos em uma espiral de consciência descontrolada precipitando-nos através das dimensões da consciência. Estávamos fora do controle, e isso foi muito parecido com uma queda através do espaço. Quando chegamos aqui na terceira dimensão, determinadas mudanças específicas aconteceram, tanto fisiologicamente quanto no modo como nos comportávamos na Realidade. A mudança mais importante foi na maneira como respirávamos o prana, ou a energia da força vital deste universo, conforme denominado pelos hindus. O prana é mais decisivo para a nossa sobrevivência do que o ar, os alimentos ou qualquer outra substância, e o modo pelo qual absorvemos essa energia no nosso corpo afeta *radicalmente* o modo como percebemos a Realidade.

No período atlante e antes dele, o modo como respirávamos o prana estava diretamente relacionado aos campos energéticos eletromagnéticos que circundam o nosso corpo. Todas as formas de energia do nosso campo são geométricas, e a única com que trabalhamos é a estrela tetraédrica, que consiste em dois tetraedros entrelaçados (Ilustração 1-1). Outra maneira de considerá-la é como uma estrela-de-davi tridimensional.

O vértice do tetraedro que aponta para cima termina à distância de uma mão acima da cabeça, e o vértice do tetraedro que aponta para baixo termina à distância de um palmo abaixo dos pés. Um tubo de ligação estende-se do vértice superior para o ponto inferior através dos principais centros de energia do corpo, ou chakras. Esse tubo, no *seu* corpo, tem o diâmetro do círculo que se forma ao unir seu polegar ao dedo médio da mesma mão. Ele se parece com um tubo de vidro fluorescente, com a diferença que tem uma estrutura cristalina nas extremidades, as quais se encaixam nos dois vértices da estrela tetraédrica.

Antes da queda da Atlântida, costumávamos puxar o prana simultaneamente de cima para baixo e de baixo para cima no tubo, e os dois fluxos de prana encontravam-se dentro de um dos nossos chakras. Especificamente como e onde o prana se encontra sempre foi um aspecto importante dessa ciência antiga, a qual hoje em dia ainda é estudada em todo o universo.

Outro ponto importante do corpo humano é a glândula pineal, localizada quase no centro da cabeça, a qual é um fator importantíssimo da consciência. Essa glândula degenerou em relação ao seu tamanho original, comparável a uma bola de pingue-pongue, até o seu tamanho atual, que é o de uma ervilha, porque há muito tempo nos esquecemos do modo como usá-la — e se não a usamos, a perdemos.

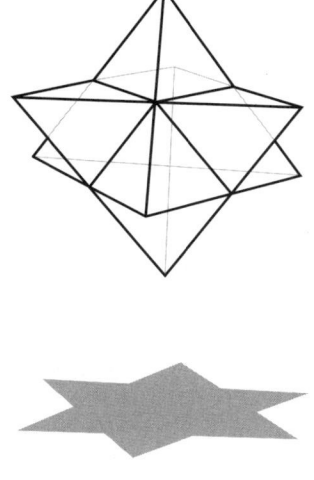

A energia prânica fluía através do centro da glândula pineal. Essa glândula, de acordo com Jacob Liberman, autor de *Light, the Medicine of the Future*, assemelha-se a um olho, e em alguns aspectos ela *é* literalmente um globo ocular. É redonda e tem uma abertura em uma das faces; nessa abertura se encontra a lente para focalizar a luz. Ela é oca e tem receptores coloridos internamente. O seu campo de visão básico — embora isso não tenha sido determinado cientificamente — é voltado para cima, na direção do céu. Assim como os nossos olhos conseguem ver a 90 graus lateralmente em relação à direção para a qual estão voltados, a glândula pineal também pode "ver" até 90 graus da direção que focaliza. Assim como não conseguimos enxergar a parte de trás da cabeça, a glândula pineal não pode olhar na direção da Terra.

Guardadas dentro da glândula pineal — mesmo estando ela tão encolhida — encontram-se todas as geometrias sagradas e o conhecimento sobre exatamente como foi criada a Realidade. Está tudo ali, em todas as pessoas. Mas esse conhecimento não nos é acessível atualmente porque perdemos as nossas lembranças durante a Queda, e sem as nossas lembranças começamos a respirar de modo diferente. Em vez de absorver o prana por meio da glândula pineal e fazê-lo circular para cima e para baixo pelo nosso tubo central, começamos a absorvê-lo pelo nariz e pela boca. Isso fez com que o prana se desviasse da glândula pineal, e por isso passamos a ver as coisas de maneira inteiramente diferente, por meio de uma interpretação diferente da Realidade Única (interpretação essa chamada de bem e mal ou consciência de polaridade). O resultado dessa consciência de polaridade nos faz pensar que estamos dentro de um corpo olhando para fora, de alguma forma separados do que está "lá fora". *Isso é pura ilusão.* Parece real, mas essa percepção de modo nenhum é verdadeira. Nada mais é do que a visão da realidade que adquirimos nesse estado em que caímos.

Por exemplo, nada há de errado com tudo o que acontece, pois Deus tem o controle da criação. Mas, de um ponto de vista, o ponto de vista da polaridade, observando o planeta e a maneira como ele evolui, não deveríamos ter caído aqui. Em uma curva normal de evolução, não deveríamos estar aqui. Algo nos aconteceu que não deveria ter acontecido. Passamos por uma mutação — tivemos um rompimento de cromossomos, pode-se dizer. Assim, a Terra tem estado em alerta vermelho há quase 13 mil anos, e muitos seres e níveis de consciência têm trabalhado juntos para entender como nos levar de volta para o caminho (DNA) onde nos encontrávamos antes.

A consequência dessa queda "por engano" da consciência e os esforços subsequentes para redirecionar-nos para o caminho certo é que sucedeu algo *realmente bom* — algo inesperado, algo inacreditável. Os seres de todo o universo que têm tentado nos auxiliar com o nosso problema iniciaram diversos experimentos conosco em um esforço para ajudar, alguns legalmente e outros sem licença. Um experimento em particular está resultando em uma conjuntura com a qual ninguém de nenhum lugar jamais sonhou que pudesse se tornar realidade, a não ser uma pessoa em uma única cultura de um passado muito distante.

O Mer-Ka-Ba

Existe outro fator importante no qual vamos enfocar nessa história. Há 13 mil anos éramos conscientes de algo sobre nós mesmos que desde aquela época esquecemos inteiramente: os campos de energia geométricos ao redor do nosso corpo podem ser ligados de uma determinada maneira, que também está ligada à nossa respiração. Esses campos costumavam girar a uma velocidade próxima à da luz ao redor do nosso corpo, mas a sua velocidade diminuiu, e pararam de girar depois da Queda. Quando esse campo torna a ligar-se e a girar, ele é chamado de Mer-Ka-Ba, e a sua utilidade nessa Realidade não tem paralelo. Ele nos proporciona uma consciência expandida de quem somos, conecta-nos com níveis superiores de consciência e restaura a memória das possibilidades infinitas do nosso ser.

Um Mer-Ka-Ba rotatório sadio mede de 15 a 20 metros de diâmetro, dependendo da nossa estatura. A rotação de um Mer-Ka-Ba pode ser exibida em um monitor de computador pelo uso de instrumentos adequados, e a sua aparência é idêntica ao envoltório infravermelho de calor da galáxia (Ilustração 1-2) — a mesma forma básica de um disco voador tradicional.

A palavra "Mer-Ka-Ba" é constituída de três palavras menores, Mer, Ka e Ba, as quais, como as estamos usando, provêm do Egito antigo. Ela é encontrada em outras culturas como *merkabah*, *merkaba* e *merkavah*. Existem diversas pronúncias, mas geralmente a pronunciamos como se as três sílabas fossem separadas, com tonicidade igual em cada uma delas. *Mer* refere-se a um determinado tipo de luz que só foi compreendido no Egito durante a Oitava Dinastia. Era considerado como dois campos contrarrotatórios de luz girando no mesmo espaço, que são gerados por determinados padrões de respiração. *Ka* refere-se ao espírito individual e *Ba* refere-se à interpretação

Ilustração 1-2. Fotografia infravermelha de uma galáxia, chamada de galáxia do Sombreiro, mostrando o seu envoltório de calor.

do espírito da sua realidade particular. Na *nossa* realidade particular, *Ba* é normalmente definido como o corpo ou realidade física. Em outras realidades onde os espíritos não têm corpo, ele se refere aos seus conceitos ou à interpretação da realidade que eles trazem consigo.

Portanto, o Mer-Ka-Ba é um campo de luz contrarrotatório que afeta o espírito e o corpo simultaneamente. É um veículo que pode levar o espírito *e o corpo* (ou a interpretação da realidade de alguém) de um mundo ou dimensão para outro. Na verdade, o Mer-Ka-Ba é muito mais do que isso, porque ele tanto pode *criar* a realidade quanto mover-se através de realidades. Para os nossos propósitos aqui, entretanto, vamos nos concentrar principalmente nesse aspecto de um veículo interdimensional (Mer-Ka-Vah significa *carruagem* em hebraico) que nos ajuda a regressar ao nosso estado de consciência superior original.

Regressando ao Nosso Estado Original

Para ser claro, regressar ao nosso estado original é um processo natural que pode ser fácil ou difícil de acordo com o nosso padrão de crenças. Contudo, simplesmente envolver-se com as relações técnicas do Mer-Ka-Ba, tais como corrigir o nosso padrão de respiração ou nos dar conta mentalmente das conexões infinitas com todos os padrões de vida, por exemplo, não é o bastante. No mínimo um outro fator é ainda mais importante que o próprio Mer-Ka-Ba, e esse é a compreensão, a percepção e a vivência do amor divino. Já que esse amor divino, algumas vezes mencionado como amor incondicional, é o fator principal que permite ao Mer-Ka-Ba tornar-se um campo vivo de luz. Sem o amor divino, o Mer-Ka-Ba não passa de uma máquina, e essa máquina tem limitações que nunca permitirão ao espírito que o criou regressar para casa e alcançar os níveis mais elevados de consciência — o lugar onde não existem níveis.

Devemos sentir e expressar o amor incondicional para ultrapassarmos uma determinada dimensão, e o mundo está se encaminhando depressa na direção daquele lugar superior. Estamos nos distanciando do lugar de separação onde nos vemos dentro do corpo olhando para fora. Essa visão será ultrapassada em pouco tempo, para ser substituída por uma visão diferente da realidade, com a qual teremos a sensação e o conhecimento da unidade absoluta com todas as formas de vida; e essa sensação irá se intensificando cada vez mais à medida que ascendermos através de cada nível na nossa jornada para casa.

Mais adiante veremos as maneiras especiais de abrir o coração — despertar para o amor incondicional de compaixão benevolente, de modo que vocês o experimentem por si mesmos. Se simplesmente forem capazes de permitir que isso aconteça, poderão descobrir coisas sobre si mesmos que não sabiam até então.

Prezados leitores: Existem procedimentos nos seminários que não podem ser reproduzidos nas fitas de vídeo ou neste livro, porque são totalmente experimentais. Eles são tão importantes quanto o conhecimento, porque sem eles o conhecimento nada vale. A única maneira de proporcionarmos essas experiências nesse caso é por meio da expressão oral num seminário ao vivo. Mas no futuro isso poderá mudar.

Uma Realidade Superior e Includente

Outro componente que vamos focalizar tem muitos nomes, mas em termos atuais costuma ser mencionado como eu superior. Na realidade do eu superior, nós literalmente existimos em outros mundos além deste. Existem tantas dimensões e mundos que isso quase ultrapassa a capacidade humana de concebê-lo. Esses níveis são muito específicos e matemáticos, e o espaço e os comprimentos de onda dentro e entre esses níveis são idênticos às relações entre as oitavas musicais e outros aspectos da vida. Mas, no momento, a sua consciência tridimensional provavelmente foi separada do seu aspecto superior, portanto vocês só estão conscientes do que se passa aqui na Terra. Isso não é o que acontece normalmente entre os seres que existem em um estado natural não caído. O normal é que os seres inicialmente se tornem conscientes de vários níveis de uma vez, como nos acordes musicais, até que finalmente, à medida que evoluem, tomem consciência de tudo o que acontece em toda parte de uma só vez. O exemplo apresentado a seguir é incomum, mas demonstra o que estamos comentando.

No momento, estou em comunicação com uma pessoa que está consciente de muitos níveis de uma só vez. Os cientistas que a estudam estão perplexos; eles não conseguem compreender como essa pessoa faz o que faz. Ela pode estar sentada em um cômodo e ainda assim afirmar que está vendo tudo do espaço. A NASA a investigou, pedindo a ela que "visse" um determinado satélite e transmitisse informações específicas que só poderiam ser conhecidas por alguém que realmente estivesse lá. Ela lhes forneceu a leitura dos instrumentos, o que estou certo parecia impossível segundo os cientistas. Ela disse que estava voando ao lado do satélite e simplesmente leu os números. O nome dela é Mary Ann Schinfield. Ela é oficialmente cega, embora seja capaz de caminhar por um aposento sem que ninguém acredite que não consegue ver. Como ela consegue fazer isso?

Pouco tempo atrás, ela me telefonou e, enquanto conversávamos, perguntou-me se gostaria de ver através dos olhos dela. É claro que eu disse sim. Em alguns instantes, o meu campo de visão se abriu e eu estava olhando para ou através do que se parecia com uma imensa tela de televisão que tomou conta do meu campo de visão. O que eu vi foi impressionante. Parecia que eu me deslocava rapidamente através do espaço sem um corpo. Podia ver estrelas, e naquele momento Mary Ann e eu, vendo através dos olhos dela, passamos ao lado de um cordão de cometas. Ela ia muito próxima de um deles.

Essa foi uma das mais reais experiências fora do corpo que jamais vivenciei. No perímetro daquela "tela de TV" viam-se cerca de doze ou catorze telas menores de TV, cada uma mostrando imagens extremamente rápidas. Uma delas, no canto superior direito, exibia imagens que se moviam com extrema rapidez como triângulos, lâmpadas, círculos, linhas onduladas, árvores, quadrados, etc. Foi por essa tela que ela soube que se encontrava no espaço imediato onde o seu corpo estava localizado. Ela podia "ver" através dessas imagens aparentemente desconexas. Havia outra tela no canto inferior esquerdo em que ela se comunicava com outras formas de vida extraterrestres que se encontravam dentro do nosso sistema solar.

Eis aí uma pessoa que se encontra em um corpo tridimensional na Terra, mas guarda toda a memória e a experiência de viver em outras dimensões. Esse modo de interromper a Realidade é incomum. As pessoas normalmente não veem telas internas de TV, mas na verdade existimos em muitos outros mundos, apesar de a maioria de nós não ter consciência disso.

No momento, vocês provavelmente existem em cinco ou mais níveis. Embora haja um intervalo entre esta dimensão e as outras, quando se conectam com o seu ser superior, vocês eliminam esse intervalo, e em seguida começam a tomar consciência dos níveis superiores e os níveis superiores começam a prestar mais atenção em vocês — a comunicação começa! Essa conexão com o eu superior é provavelmente a coisa mais importante que poderia acontecer na sua vida — mais importante do que compreender todas as informações que estou apresentando. Conectar-se com o eu superior é mais importante do que aprender a ativar o Mer-Ka-Ba, porque, se vocês se conectarem com o seu Eu, receberão informações absolutamente claras sobre como proceder passo a passo através de *todas* as realidades e como conduzir-se de volta ao lar na plena consciência de Deus. Quando vocês se conectam com o seu ser superior, o resto acontece automaticamente. Vocês ainda precisarão viver a sua vida, mas tudo o que fizerem os imbuirá de um grande poder e sabedoria nas suas ações, pensamentos e emoções.

Exatamente *como* conectar-se com o seu eu superior é o que muitas pessoas, inclusive eu mesmo, vêm tentando compreender. Muitas pessoas que de algum modo fizeram essa conexão geralmente não sabem como isso aconteceu. Neste curso, vou tentar explicar exatamente como conectar-se com o seu eu superior. Farei o melhor que puder.

Realidades dos Hemisférios Cerebrais Esquerdo e Direito

Existe mais um componente nesse quadro. Estou gastando talvez metade do nosso tempo com informações do hemisfério cerebral esquerdo, como formas geométricas e fatos, e todos os tipos de informações que para muitas pessoas espiritualizadas podem parecer absolutamente sem importância. Estou fazendo isso porque, quando caímos, nos dividimos em dois — na verdade, três, mas originalmente em dois — principais componentes, a que chamaremos de masculino e feminino. O hemisfério cerebral direito, que controla o lado esquerdo do nosso corpo, é o nosso componente feminino, embora não seja nem masculino nem feminino. É aí que vive o nosso aspecto psíquico e emocional. Esse componente *sabe* que existe apenas um Deus e que a unidade é tudo o que existe. Embora não possa explicá-lo de verdade, assim mesmo sabe a verdade. Portanto, não há muitos problemas com o componente feminino.

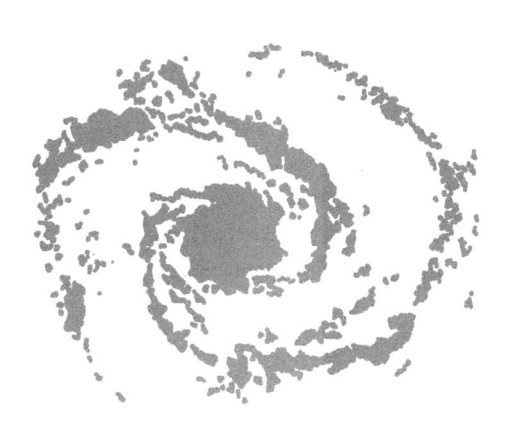

O problema é com o lado esquerdo do cérebro — o componente masculino. Devido ao modo como o cérebro masculino é orientado — uma imagem espelhada do feminino —, ele tem o seu componente lógico em evidência (mais dominante), ao passo que o feminino tem o seu componente lógico voltado para trás (menos dominante). O hemisfério cerebral esquerdo não vivencia a unidade quando considera a Realidade; tudo o que ele vê é divisão e separação. Por essa razão, o nosso aspecto masculino está em dificuldades aqui na Terra. Até mesmo os nossos mais importantes livros sagrados, como o Alcorão, a Bíblia hebraica e a Bíblia cristã dividiram tudo em lados opostos. O hemisfério cerebral esquerdo vivencia a existência de Deus, mas então também existe o diabo — talvez não tão forte quanto Deus, mas uma influência enorme. Assim, até mesmo Deus é visto em termos de dualidade, como um polo de forças opostas de escuridão e luz. (Isso não se aplica a todas as seitas dessas religiões. Algumas delas consideram que existe apenas um único Deus.)

Até que o hemisfério cerebral esquerdo seja capaz de ver a unidade presente em tudo, de saber que só existe verdadeiramente um espírito, uma força, uma consciência que perpassa absolutamente tudo o que existe — até que ele conheça essa unidade além de qualquer dúvida —, a mente vai permanecer separada de si mesma, da sua integridade e da plenitude do seu potencial. Até mesmo se houvesse a *mais ligeira* dúvida quanto à unidade, o aspecto do hemisfério cerebral esquerdo nos deteria, e não poderíamos mais caminhar sobre a água. Lembre-se, até mesmo Tomé caminhou sobre a água por um breve momento quando Jesus lhe pediu, mas uma minúscula célula no seu dedão disse: "Espere um minuto, não sou capaz disso", e Tomé afundou na água fria da realidade polarizada.

Até Onde Vamos com Essas Informações

Estou dedicando uma boa parte do nosso tempo para mostrar-lhes além de qualquer dúvida que existe apenas *uma imagem* em tudo. Existe uma e apenas uma imagem que criou tudo o que existe, e essa imagem é a mesma que formou o campo eletromagnético ao redor do seu corpo. A mesma geometria que existe no seu campo pode ser encontrado ao redor de tudo — planetas e galáxias, átomos e tudo mais. Vamos analisar essa imagem em mais detalhes.

Vamos também entrar na história da Terra, porque ela é muito importante para a nossa situação atual. Realmente, não podemos entender como chegamos até aqui se não conhecermos o processo que nos fez chegar até este ponto. Portanto, vamos passar uma extensão considerável de tempo falando sobre o que aconteceu muito tempo atrás; então, pouco a pouco vamos seguir em frente até chegarmos ao que está acontecendo hoje. Está tudo ligado. A mesma coisa no passado aconteceu com todos nós, e ainda está acontecendo — na verdade, nunca parou de acontecer.

Aqueles entre vocês que são predominantemente levados pelo hemisfério cerebral direito sentem-se inclinados a ignorar o material relativo ao hemisfério cerebral esquerdo, ainda assim é *da maior importância* que vocês se preocupem com ele. É pelo equilíbrio que recuperamos a saúde espiritual.

Quando o hemisfério cerebral esquerdo vê a unidade absoluta, ele começa a relaxar, e o corpo caloso (a faixa fibrosa que une os dois hemisférios) abre-se de uma nova maneira, permitindo uma integração entre os dois lados. Essa ligação entre o hemisfério cerebral esquerdo e o direito se alarga, inicia-se um fluxo, as informações passam de um lado para outro e os lados opostos do cérebro começam a se integrar e sincronizar entre si. Se vocês fizerem um exame de *biofeedback*, realmente poderão ver isso acontecer. Essa ação liga a glândula pineal de uma maneira diferente e possibilita que a sua meditação ative o corpo de luz do Mer-Ka-Ba. Então todo o processo de regeneração e recuperação dos seus níveis de consciência superiores anteriores poderão prosseguir. É um processo de crescimento.

Se vocês estiverem estudando alguma outra prática espiritual, não precisam interrompê-la para começar a trabalhar com o Mer-Ka-Ba — a menos, é claro, que o seu professor não queira uma mistura de tradições. Outras meditações que são baseadas na verdade podem ser extremamente úteis, uma vez que o Mer-Ka-Ba esteja girando, porque então resultados notáveis podem ocorrer com muita, muita rapidez. Vou me repetir apenas para que você entenda de uma vez por todas: o corpo de luz do Mer-Ka-Ba não contradiz nem impede nenhum outro tipo de meditação ou religião que se baseie na crença de que existe apenas um Deus.

Até aqui, falamos apenas sobre o ABC da espiritualidade. Esses são apenas os passos iniciais. Mas esses primeiros passos são os mais importantes que eu conheço.

O seu hemisfério cerebral esquerdo pode adorar todas essas informações e armazená-las em compartimentos primorosamente rotulados; isso é ótimo. Ou vocês podem simplesmente relaxar e ler este livro como um romance de aventuras, um exercício mental, uma fantasia. Não importa como leiam, o fato de *estar* lendo este livro é o que importa, e vocês receberão todas as informações que esperam receber.

No espírito da unidade, então, vamos embarcar nessa jornada de exploração juntos.

Desafiando os Padrões de Crenças dos Nossos Pais

Muitas ideias em que acreditamos hoje e "fatos" que nos ensinaram na escola são simplesmente inverídicos, e as pessoas agora estão começando a entender isso em todo o mundo. É claro que normalmente se acreditava que esses padrões fossem verdadeiros na época em que foram ensinados, mas então os conceitos e as ideias mudaram, e a geração seguinte aprendeu verdades diferentes.

Por exemplo, o conceito do átomo mudou radicalmente tantas vezes nos últimos noventa anos que nessa altura ninguém se prende a nenhum conceito. É usado um conceito, mas sabendo-se que pode estar errado.

Uma vez se pensou que o átomo fosse como uma melancia, e os elétrons como as sementes dentro da melancia. Na verdade, sabemos muito pouco sobre a Realidade que existe ao nosso redor. A física quântica tem mostrado que a pessoa que realiza o experimento influencia o resultado. Em outras palavras, a consciência pode mudar o resultado de um experimento, dependendo dos seus padrões de crenças.

Existem outros aspectos a nosso respeito que consideramos verdadeiros mas que não são verdadeiros de maneira nenhuma. Uma ideia que tem sido aceita há muito tempo é que somos o único planeta existente que contém formas de vida. No fundo do coração, sabemos que isso não é verdade, mas este planeta não admite essa verdade na época moderna, apesar das fortes evidências de avistamentos de Ovnis procedentes de todo o mundo continuamente por mais de cinquenta anos. Qualquer outro assunto além dos Ovnis teria sido admitido e aceito pelo mundo não fosse esse assunto tão ameaçador. Portanto, vamos considerar as evidências que sugerem que há uma consciência superior no universo, não só nas estrelas, mas também aqui mesmo na Terra.

Como uma nota marginal, sugiro que assistam a dois vídeos transmitidos pelo canal a cabo NBC Television, como um programa especial, apresentado por Charlton Heston: "The Mysterious Origins of Man" e "The Mystery of the Sphinx". Ambos são distribuídos pela BC Video, tel.: 800-846-9682 nos EUA.*

Reunindo as Anomalias

A Tribo Dogon, Sírius B e os Seres Golfinhos

Este desenho (Ilustração 1-3) é verdadeiramente notável. As informações que contém provêm de um livro sobre Sírius, *The Sirius Mystery*, de Robert Temple. Ele tinha, conforme fui informado, entre dez e doze assuntos diferentes entre os quais escolher, cada um levando à mesma conclusão, mas de um ponto de vista completamente diferente. Fico feliz que ele tenha escolhido o que escolheu, porque acontece de estar relacionado a outro aspecto sobre o qual falaremos em seguida.

Robert Temple foi uma das primeiras pessoas a revelar determinados fatos — embora eles fossem do conhecimento dos cientistas desde longa data — sobre uma tribo africana vizinha de Timbuktu chamada dogons. Essa tribo detém informações às quais seria simplesmente impossível ter acesso segundo quaisquer padrões, de acordo com a nossa visão do mundo atual. As suas informações invalidam tudo o que pensamos que sabemos sobre nós mesmos com relação a sermos os únicos no universo.

Vejam, os dogons têm uma caverna no território deles que se aprofunda pelo interior de uma montanha, e essa caverna está repleta de desenhos de mais de setecentos anos de idade. Uma pessoa em especial, o homem santo da tribo, permanece sentado à frente dessa caverna para protegê-la. Esse é o trabalho de toda a vida dele. Os integrantes da tribo lhe dão comida e cuidam dele, mas ninguém pode tocá-lo nem se aproximar dele. Quando ele morre, outro homem santo ocupa o seu lugar. Nessa caverna veem-se desenhos e algumas informações impressionantes. Vou comentar sobre duas dessas informações — e essas são apenas duas entre muitas.

Antes de mais nada, estamos nos referindo à estrela mais brilhante do céu (com uma magnitude aparente de -1,4) — Sí-

---

* www.bcvideo.com. (N.E.)

Ilustração 1-3. Desenho dogon de Nommo, o grande herói da cultura que trouxe a civilização para a Terra. Uma vez que nos desenhos são mostrados dois olhos, presume-se que sejam perspectivas planas, o que significa que a nadadeira da cauda é horizontal (como no golfinho) em vez de vertical, como acontece com os peixes. A superfície da água está claramente desenhada, indicando que o Nommo respira ar. Esse desenho foi publicado na revista australiana *Simply Living*.

rius, atualmente chamada de Sírius A. Se observarmos o Cinturão de Órion, aquelas três estrelas enfileiradas, e descermos pela linha em direção à nossa esquerda, veremos um estrela muito brilhante, que é a Sírius A. Se subirmos pela linha das estrelas a cerca de duas vezes a distância, veremos as Plêiades. As informações contidas na caverna dogon mostram especificamente outra estrela girando ao redor de Sírius. Os dogons referem-se muito especificamente a essa estrela. Eles dizem que ela é muito, muito antiga e muito pequena, e que é feita do que eles chamam de "a matéria mais pesada do universo" (o que está perto da verdade, mas não é totalmente correto). E eles dizem que são necessários "quase cinquenta anos" para que essa pequena estrela gire ao redor de Sírius. Esse assunto foi estudado em detalhes. Os astrônomos conseguiram confirmar a existência de Sírius B, uma estrela anã branca, em 1862, e só quinze ou vinte anos atrás foi que conseguiram confirmar as outras informações.

Agora, as estrelas são muito parecidas com as pessoas, conforme você começará a perceber. Elas estão vivas, e têm uma personalidade e muitas características, assim como nós. Num nível científico, elas têm estágios de crescimento. Começam como sóis de hidrogênio, assim como o nosso, em que dois átomos de hidrogênio se juntam em uma reação de fusão para formar hélio. Esse processo cria todas as formas de vida e a luz que existem no nosso planeta.

Posteriormente, quando a estrela amadurece, inicia-se outro processo de fusão — o processo do hélio — em que três átomos de hélio se unem para formar carbono. Esse processo de crescimento con-

Atualização: Não muito tempo atrás descobriu-se uma *magnetar* (de *magnet* + *star*, ou "estrela magnética"); trata-se de uma estrela de nêutrons com um movimento de rotação de cerca de duzentas vezes por segundo, o que gera um imenso campo magnético. Os cientistas detectaram, em 27 de agosto de 1998, o que classificaram como um abalo sísmico estelar. Os instrumentos captaram ondas de rádio de SGR 1900+14. A radiação sobrecarregou os detectores de raios gama de sete espaçonaves, fazendo com que duas parassem de funcionar, incluindo a nave Near Earth Asteroid Rendezvous (NEAR).

tinua através de vários estágios, seguindo por todo o caminho até chegar a um nível especial da tabela atômica, em cujo ponto a estrela atingiu a duração do seu período de vida. Ao fim da vida, até onde sabemos, basicamente a estrela pode fazer duas coisas. Novas informações sobre os pulsares e as *magnetars* proporcionam outras opções. Uma delas, ela pode explodir e tornar-se uma supernova, uma imensa nuvem de hidrogênio que se torna o útero de centenas de novas estrelas bebês. A outra, ela pode se expandir rapidamente no que é chamado de gigante vermelha, uma imensa explosão que engolfa todos os seus planetas — incinerando-os e destruindo o sistema como um todo, depois permanecendo expandida por um longo período. Então, lentamente ela entra em colapso e se torna uma minúscula estrela velha chamada de anã branca.

O que os cientistas descobriram girando ao redor de Sírius foi uma anã branca, que correspondia exatamente ao que afirmam os dogons. Então a ciência investigou para confirmar o seu peso, para ver se era realmente a "matéria mais pesada do universo". Os cálculos originais — feitos cerca de vinte anos atrás — determinaram que ela pesava cerca de 55 toneladas por centímetro cúbico. Certamente, isso a qualificaria como matéria pesada, mas a ciência sabe atualmente que essa foi uma estimativa extremamente cautelosa. A estimativa mais recente é de aproximadamente 92 mil toneladas por centímetro cúbico! Buracos negros à parte, certamente essa parece ser a matéria mais pesada do universo. Isso significa que, se tivéssemos um centímetro cúbico dessa anã branca, que atualmente é chamada Sírius B, ele pesaria cerca de 92 mil toneladas, o qual atravessaria qualquer coisa sobre o que fosse colocado. Ele iria direto para o centro da Terra e ficaria oscilando de um lado para o outro através do núcleo por um longo período de tempo até que o atrito acabasse por detê-lo no próprio centro.

Além disso, quando verificaram o padrão rotacional de Sírius B ao redor de Sírius A, que é maior, descobriram que é de 50,1 anos. Agora, isso absolutamente *não* poderia ser uma coincidência! É realmente muito próximo, factual demais. Ainda assim, como uma antiga tribo primitiva teria conhecimento de informações tão detalhadas sobre uma estrela que só poderia ser analisada no século XX?

Mas essa é apenas parte das informações deles. Eles também sabiam sobre todos os outros planetas do nosso sistema solar, incluindo Netuno, Plutão* e Urano, que só foram descobertos mais recentemente. Eles sabiam exatamente como eram esses planetas quando vistos *do espaço,* o que também só recentemente descobrimos. Eles também sabiam sobre os glóbulos brancos e vermelhos do sangue e tinham todos os tipos de informações fisiológicas sobre o corpo humano que só recentemente foram descobertas. Tudo isso em uma tribo "primitiva"!

Naturalmente, foi enviada uma equipe científica para indagar aos dogons como sabiam tanta coisa. Bem, esse foi provavelmente um grande erro da parte desses pesquisadores, porque se eles admitissem que os dogons realmente tivessem essas informações, então por princípio eles deviam admitir como as conseguiram. Quando perguntaram: "Como aprenderam essas coisas?", os dogons responderam que foi por

---

* Desde 2006, Plutão deixou de ser considerado planeta pela comunidade científica. (N.E.)

meio dos desenhos nas paredes da caverna. Esses desenhos mostram um disco voador — ele tem exatamente aquele formato conhecido — vindo do céu e pousando sobre três pernas; então ele mostra os seres da nave fazendo um grande buraco no chão, enchendo-o com água, saltando da nave para a água e saindo na beira da água. Esses seres se parecem muito com golfinhos; na verdade, talvez *fossem* golfinhos, mas não sabemos ao certo. Então eles começam a comunicar-se com os dogons. Eles lhes explicam de onde vieram e dão à tribo dogon todas essas informações.

Isso era o que os dogons diziam, enquanto os cientistas simplesmente os escutavam. Por fim, eles disseram: "Nãāooo, não ouvimos isso". Porque aquilo não se encaixava em nada do que eles pensavam que sabiam, eles simplesmente decidiram esconder as informações debaixo do tapete da sua mente. A maioria das pessoas, incluindo os cientistas, simplesmente não sabe o que fazer com esse tipo de fato. Há uma porção de informações desse tipo com as quais simplesmente não sabemos o que fazer. Uma vez que não conseguimos encontrar um meio de integrar essas informações incomuns ao que já pensamos que sabemos, simplesmente as afastamos de alguma forma — porque as teorias não funcionam, vocês sabem, se as mantivermos ocultas.

Eis outra coisa que os dogons sabiam. Este pequeno desenho se encontrava nas paredes (Ilustração 1-4), mas os cientistas não sabiam realmente o que significava... até que os computadores calcularam as órbitas de Sírius A e Sírius B. Conforme visto da Terra, esse padrão mostrado na caverna dogon é idêntico ao padrão feito por Sírius B movendo-se ao redor de Sírius A — em uma sequência temporal específica, que no caso vai desde o ano de 1912 ao ano de 1990. Os golfinhos, ou quem quer que sejam esses seres, deram esse diagrama atual ou padrão de tempo aos dogons no mínimo setecentos anos atrás!

À medida que isso se desdobrava na minha vida, eu descobri que tanto 1912 quanto 1990 foram anos muito importantes. Na verdade, o período entre esses dois anos foi provavelmente um dos mais importantes de todos da história da Terra. Explicarei melhor sobre isso à medida que prosseguirmos, mas resumindo, em 1912, começaram os

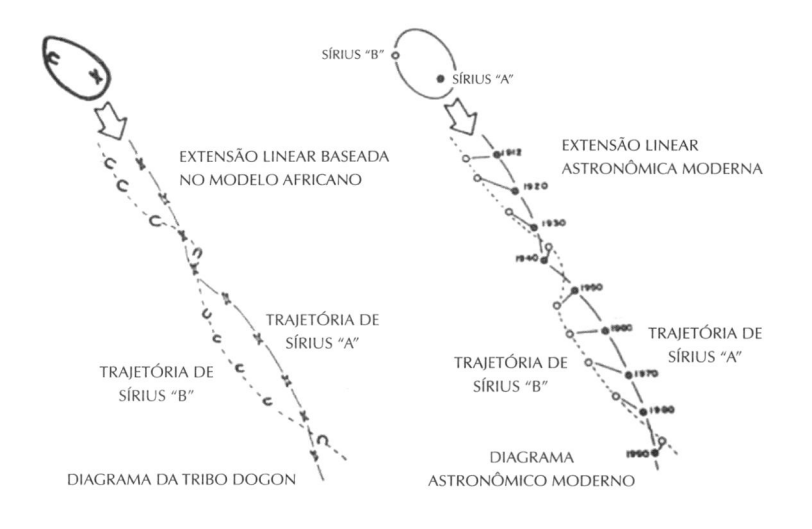

Ilustração 1-4. As duas extensões lineares, representando a revolução de Sírius B ao redor de Sírius A. O diagrama à esquerda baseia-se nos desenhos dogons; a projeção da direita foi calculada por Robert Temple.

experimentos com a viagem no tempo, assim como experimentos entre os Cinzentos extraterrestres e os seres humanos. (Explicarei mais adiante.) E 1990 foi o primeiro ano em que se completou a rede de ascensão para o nosso planeta. E muitos outros eventos aconteceram durante esse período. O fato de que os desenhos nas paredes dos dogons assinalassem esse período podia ser considerado claramente profético.

Uma Viagem ao Peru e Mais Evidências Dogons

A primeira vez que tive acesso a essas informações sobre os dogons foi em 1982 ou 1983. Encontrava-me entre um grupo de pessoas que estavam trabalhando com a tribo dogon, que estavam realmente visitando-os e comunicando-se com eles. Depois, em 1985, levei um grupo de pessoas ao Peru, incluindo um dos pesquisadores dos dogons. Hospedamo-nos em um hotel luxuoso em Cuzco, chamado San Agustin, com a intenção de percorrer no dia seguinte o Caminho Inca, uns 60 quilômetros pelo alto das montanhas. Sobe-se cerca de 4 mil metros, depois se desce para Machu Picchu cerca de 1,5 mil metros. É maravilhoso.

O nosso hotel era um palácio espanhol de adobe, escondido por trás de muros altos no centro da cidade. Hospedamo-nos aos pares para obter tarifas mais baratas. Eu fiquei com o pesquisador dos dogons, e ele comentava constantemente comigo sobre o que estavam aprendendo, incluindo muito mais coisas do que discutimos aqui. Deram-nos um apartamento com o número 23. Ele se emocionou muito e exclamou: "Apartamento 23! — um número muito auspicioso!" Da África, onde vivem os dogons, a estrela Sírius desaparece abaixo do horizonte e fica fora de vista por uns dois meses; depois reaparece na manhã de 23 de julho, quando se eleva por cerca de um minuto antes do Sol. Aparece com um brilho vermelho-rubi, logo acima do horizonte, quase exatamente a leste. Sessenta segundos depois o Sol aparece. Só então é possível ver Sírius por um momento, e depois ela desaparece. Esse fenômeno é chamado elevação helicoidal de Sírius, que era um momento muito importante para a maior parte do mundo antigo, não só para os dogons e para o Egito.

Esse é o momento em que Sírius, o Sol e a Terra estão em uma linha reta no espaço. No Egito, quase todos os templos alinhavam-se nessa direção, incluindo o olhar da Esfinge. Muitos dos templos tinham um orifício na parede em algum lugar; então, havia outro orifício em outra parede, depois em outra parede e em outra, chegando até uma câmara interior minúscula. Nessa câmara, havia algo como um cubo ou retângulo de granito de Proporção Áurea colocado no meio do aposento, com uma pequena marca sobre ele. No momento da elevação helicoidal de Sírius, uma luz vermelho-rubi banha o altar por alguns poucos segundos, o que dava início ao seu ano-novo e o primeiro dia do antigo calendário Sótico do Egito.

Bem, estávamos no Peru, chegando ao nosso apartamento e comentando sobre o número 23. Entramos no apartamento e deixamos a nossa bagagem; em seguida, ambos olhamos para as camas, e nas colchas que as cobriam vimos a seguinte imagem (Ilustração 1-5).

Ficamos ali parados assombrados, olhando para aquela imagem por cerca de cinco minutos antes de conseguirmos falar, porque o nosso cérebro funcionava de maneira descontrolada, tentando entender como aquilo podia ser possível.

Se olharem de novo para a imagem dos seres que saíram do disco voador, elas pareciam muito semelhantes. Estavam metade dentro e metade fora da água — mamíferos que respiram ar — e as suas nadadeiras traseiras eram horizontais, não verticais como nos peixes. As únicas criaturas do mar com tais nadadeiras são os cetáceos como os golfinhos e as baleias.

Mas a imagem dos dogons é da África... e ali estávamos no Peru, olhando para um mamífero muito semelhante. Isso simplesmente não se ajustava. Então perguntamos ao pessoal do hotel: "O que vocês sabem sobre esse emblema?" Eles não sabiam muita coisa. A maioria deles descendia de espanhóis e não eram muito ligados às lendas dos índios. Não conheciam as antigas histórias da criação, portanto não faziam ideia do que significasse. Eis a imagem da insígnia completa (Ilustração 1-6).

Ilustração 1-5. Logotipo da colcha da cama do hotel de Cuzco.

Para tentar descobrir mais, alugamos um carro e saímos pela cidade indagando a outras pessoas. Finalmente, fomos parar no lago Titicaca, conversando com alguns índios uros. A certa altura, perguntei: "O que sabem sobre isso?" Eles responderam: "Ah, isso...", e me contaram uma história que me pareceu muito semelhante à que os dogons haviam contado! Eis a história da criação deles: Um disco voador veio do céu e pousou no lago Titicaca, sobre a ilha do Sol. Criaturas com uma aparência de golfinhos saltaram na água, aproximaram-se das pessoas, contaram-lhes de onde vinham e, de início, começaram uma relação bem próxima com os povos pré-incaicos. Foi essa conexão com o Povo do Céu, de acordo com a história, que deu início ao império inca.

Eu fiquei ali parado, boquiaberto. Posteriormente, a revista australiana *Simply Living* publicou uma série de artigos sobre o assunto. Quando as pessoas começaram a investigar, descobriram que culturas de todo o mundo têm histórias semelhantes. Existem *doze culturas diferentes* só no Mediterrâneo que contam uma história semelhante.

Voltaremos aos golfinhos várias vezes neste livro, porque parece que desempenharam um papel de suma importância no desabrochar da consciência deste planeta.

Ilustração 1-6. Logotipo do Hotel San Agustin, Cuzco.

Um Poema Sânscrito e Pi

Vamos agora considerar algo totalmente diferente que indica que os seres antigos deste mundo eram talvez mais evoluídos do que acreditamos que tenham sido. A Ilustração 1-7 é uma transliteração de um poema sânscrito. Ele apareceu em um artigo publicado na revista *Clarion Call*, no início da década de 1980, acredito eu. A tradução é dada logo abaixo da transliteração sânscrita.

> gopi bhagya madhuvrata
> srngiśo dadhi sandhiga
> khala jîvita khātava
> gala hālā rasandhara
>
> "Ó Senhor [Krishna], untado com o iogurte da adoração das ordenhadoras, Ó salvador dos caídos, Ó mestre de Shiva, por favor proteja-me."

Ilustração 1-7. Da revista *Clarion Call*: "A Matemática e a Dimensão Espiritual", de David Osborn.

Ao longo de muitos anos, os pesquisadores descobriram que cada um desses sons sânscritos corresponde a um valor numérico. Demorou muito tempo para eu entender isso. A Ilustração 1-8 mostra todos os diversos sons que são possíveis em sânscrito. Cada som tem um valor numérico de zero a nove, e algumas sílabas têm dois valores numéricos. Por exemplo, *ka*, um som primário, traduz-se por *espírito* e corresponde tanto a zero quanto a um, dependendo do uso que é feito, presumo.

ka				=	0
ka	ta	pa	ya	=	1
kha	töha	pha	ra	=	2
ga	da	ba	la	=	3
gha	dha	bha	va	=	4
gna	na	ma	sa	=	5
ca	ta	śa		=	6
cha	tha	sa		=	7
ja	da	ha		=	8
jha	dha			=	9

pi/10 = 0,3141592653589793238462643383279

Ilustração 1-8. Todos os sons em sânscrito, com os seus valores numéricos.

Decifrando o Código da Bíblia Hebraica

Atualização: Existe um livro intitulado *The Bible Code**, de Michael Drosnin. Esse livro, acredito eu, terá uma influência tremenda sobre a consciência e contribuirá grandemente para a ruptura do sentido de separação de Deus.

O dr. Eli Rips, um matemático israelense, descobriu que existe um sofisticado código de computador na Bíblia hebraica. Ele foi verificado pelas universidades de Yale e de Harvard, e até mesmo pelo Pentágono, todos os quais comprovaram a sua veracidade. Essa é uma descoberta científica, não simplesmente a fantasia de alguém. O que descobriram é que (provavelmente) todas as pessoas e eventos que acontecem no tempo e no espaço estavam escritos na Bíblia milhares de anos atrás, o que mostra claramente que o futuro é conhecido. Informações detalhadas como a data e o local em que *vocês* nasceram e a data e o lugar em que *vocês* vão morrer (no futuro), assim como os feitos mais importantes da sua vida, já estão escritos na Bíblia. Isso pode parecer absurdo, mas é verdade. As probabilidades foram calculadas como sendo de no mínimo uma em um milhão. Leia o livro por si mesmo. Seria esse o "livro secreto" que a Bíblia diz estar oculto e que não seria aberto até o "fim dos tempos"? De acordo com o calendário maia, estamos entrando no "fim dos tempos".

---

* *O Código da Bíblia*, publicado pela Editora Cultrix, SP, 1997.

Quando os pesquisadores tomaram esses diferentes valores sonoros e os aplicaram a esse poema em especial, apareceu um número matemático que é extremamente significativo: 0,3141592653589... continuando até 32 dígitos. Esse número é o valor exato de *pi* dividido por dez com 32 casas decimais! Ninguém jamais descobriu como calcular o ponto decimal, e é por isso que esse é *pi* sobre dez. Movendo o ponto decimal uma casa para a direita, resulta 3,1415 etc., o diâmetro de um círculo dividido pela sua circunferência. Bem, pode ser que eles soubessem sobre o diâmetro de um círculo dividido pela sua circunferência, mas na compreensão que a nossa cultura tem dos povos antigos, não há possibilidade de que eles pudessem ter feito esse cálculo com tamanha precisão. Ainda assim, eis aí uma evidência inegável.

Há muitos e muitos desses poemas e muitos e muitos outros textos em sânscrito. Não sei até onde se chegou na decifração de todos eles, mas acho que depois de tudo dito e feito, será algo notável.

Como eles conseguiram fazer isso? Quem eram aquelas pessoas realmente? É possível que a nossa compreensão delas não seja exatamente correta? Pode ser que fossem um pouco mais avançados do que pensamos? Definitivamente, esse poema sugere isso.

Qual é a Idade da Esfinge?

O que comentaremos a seguir é também provavelmente uma das descobertas mais importantes do planeta em todos os tempos. Está acontecendo exatamente agora, neste momento. Entretanto, começou cerca de quarenta anos atrás, com R. A. Schwaller de Lubicz, um famoso arqueólogo egípcio autodidata que escreveu muitos livros. Ele e a enteada, Lucie Lamy, demonstraram uma compreensão profunda da geometria sagrada e da cultura egípcia.

Ilustração 1-9. A Esfinge com andaimes.

Ao observar a Esfinge, Schwaller de Lubicz interessou-se especialmente pela tremenda deterioração da sua superfície. Próximo à parte de trás da Esfinge observam-se padrões de desgaste que chegam a quase 4 metros de profundidade a partir da superfície, e esse tipo de padrão de desgaste é totalmente diferente dos padrões sobre outras construções do Egito (Ilustração 1-9). Os padrões de desgaste em outras edificações, supostamente construídas no mesmo período, mostram uma textura resultante da ação da areia e do vento, o que é coerente se as construções têm, conforme se acredita, cerca de 4 mil anos de idade. Mas os padrões de desgaste da Esfinge parecem ter sido suavizados pela água. De acordo com o pensamento corrente, a Esfinge, a Grande Pirâmide e outras edificações correlatas foram construídas aproximadamente 4,5 mil anos atrás, durante a Quarta Dinastia, sob Quéops.

Quando essa discrepância foi proposta aos arqueólogos egípcios, eles se recusaram a dar atenção. E essa situação perdurou por cerca de quarenta anos. Então um homem chamado John Anthony West interessou-se pelo assunto. Ele escreveu muitos livros sobre o Egito, incluindo *Serpent in the Sky** e um excelente guia de referência sobre o Egito. Quando ouviu falar sobre a discussão em torno da Esfinge, foi fazer as suas próprias observações no local. Assim, verificou que o desgaste era inacreditavelmente excessivo e que parecia ter sido causado por algo como água. Também descobriu, a exemplo de Schwaller de Lubicz, que não poderia contar com os arqueólogos reconhecidos para discutir as suas ideias sobre a Esfinge.

Há um motivo para essa negação, acredito eu. Por favor, entendam, não estou tentando desacreditar uma religião importante. Estou meramente relatando fatos. Vejam, existem cerca de 5 mil arqueólogos egípcios no mundo, e todos eles concordam muito bem uns com os outros sobre vários aspectos. Esse acordo se tornou uma tradição. Eles fazem poucas alterações, mas não demais (nem muito rapidamente), e a maioria concorda sobre a idade das pirâmides. Todos esses arqueólogos são muçulmanos, com poucas exceções, e o seu livro sagrado é o Alcorão. O Alcorão, na sua interpretação tradicional, afirma que a criação começou por volta de 6 mil anos atrás. Assim, se um muçulmano afirmasse que uma construção tem 8 mil anos de idade, ele estaria contestando a sua bíblia. Eles não podem fazer isso, simplesmente não podem, portanto nem sequer falam sobre o assunto, jamais o discutirão.

Se alguém disser que alguma coisa tem mais de 6 mil anos de idade, eles não concordarão. Eles farão qualquer coisa para proteger a própria crença, assegurando-se de que ninguém saiba sobre quaisquer objetos fabricados pelo homem que possam ter

---

* *A Serpente Cósmica*, publicado pela Editora Pensamento, SP, 2009.

mais do que 6 mil anos de idade. Por exemplo, eles cercaram as pirâmides da Primeira Dinastia, que são mais antigas do que Saqqara, e construíram fortificações militares ao redor e dentro dos muros de modo que ninguém possa ter acesso a elas. Por quê? Porque elas são mais antigas ou próximas de 6 mil anos. Então, John Anthony West saiu do mundo da arqueologia egípcia e contratou um geólogo norte-americano chamado Robert Schoch, que fez uma análise por computador que resultou em um ponto de vista científico totalmente diferente. E eis que, além de qualquer dúvida, a Esfinge apresenta *realmente* padrões de desgaste causados pela água — e em um deserto que tem no mínimo 7 mil anos de existência, isso indica uma idade bem acima de 6 mil anos.

Além de tudo, os computadores calcularam que seriam necessários pelo menos mil anos de chuvas torrenciais contínuas caindo sobre a Esfinge — ininterruptamente, 24 horas por dia — para causar esse tipo de deterioração. Isso significa que a Esfinge precisa ter no mínimo 8 mil anos de idade. Considerando que é improvável a ocorrência de uma chuva ininterrupta por mil anos, eles calculam que ela teria pelo menos de 10 mil a 15 mil anos de idade, se não for ainda mais velha. Quando essa evidência chegar ao conhecimento do mundo, será uma das revelações mais espetaculares do planeta em muitos e muitos anos. Ela terá uma consequência maior sobre a visão que o mundo tem de si mesmo do que provavelmente qualquer outra descoberta. Essa evidência não chegou ainda às escolas nem ao conhecimento do público em geral, embora já tenha circulado por todo o planeta. Ela foi considerada e verificada, foi motivo de reflexões e questionamentos, e no fim a maioria dos cientistas concordou que não pode ser posta em dúvida.

Assim, considera-se hoje que a Esfinge tenha no mínimo 10 mil anos, talvez 15 mil ou muito mais, e esse conhecimento já está mudando toda a visão de mundo das pessoas que estão na linha de frente da arqueologia. Vejam, julgando por tudo o que atualmente pensamos que sabemos, o mais antigo povo civilizado do mundo foram os sumérios, e eles remontam a aproximadamente 3800 a.C. Antes disso, o conhecimento convencional diz que não existia nada além de bárbaros peludos — nenhuma civilização em lugar nenhum sobre todo o planeta. Mas hoje conhecemos algo fabricado pelo homem e civilizado que tem de 10 mil a 15 mil anos de idade. Isso muda tudo!

No passado, quando se descobria algo novo assim que causasse uma influência sobre a perspectiva do mundo, eram necessários cerca de cem anos para que a informação chegasse ao conhecimento público, de modo que uma pessoa mediana pudesse dizer: "Ah, sim, isso é verdade!" Mas dessa vez acontecerá muito mais rápido por causa da televisão, dos computadores, da Internet e da maneira como são as coisas hoje em dia. Atualmente, os círculos científicos, pela primeira vez em todos os tempos, estão realmente começando a considerar as palavras de Platão sob um novo ângulo, quando ele falou sobre outra cultura, outro continente, de um passado obscuro, chamado Atlântida.

A Esfinge é a maior escultura do planeta. Ela *não* foi feita por bárbaros peludos, mas por uma cultura muito sofisticada. E *não* foi feita por ninguém que conhecemos atualmente sobre a Terra. Do ponto de vista científico, essa é a primeira evidência concreta a ser aceita sobre a verdadeira idade da civilização. Existem inúmeras outras evidências, mas as pessoas simplesmente continuam a escondê-las da vista. Essa informação sobre a Esfinge provocou uma ruptura na nossa visão de mundo. Isso aconteceu por volta de 1990, e a ruptura atualmente está se alargando. Hoje aceitamos a evidência de que absolutamente *deve* ter existido uma cultura altamente civilizada sobre a Terra pelo menos 10 mil anos atrás. Assim, podem ver como isso está mudando completamente a nossa visão de quem pensamos que somos.

Edgar Cayce, a Esfinge e a Sala dos Registros

Considero extremamente interessante que a Esfinge esteja causando essa mudança, especialmente na visão do que a ARE (Association for Research and Enlightenment) tem afirmado. A ARE, uma fundação constituída em torno dos ensinamentos do "Profeta Adormecido", Edgar Cayce, afirma que a Esfinge contém a entrada para a Sala dos Registros. A Sala dos Registros é uma suposta câmara subterrânea que conteria provas materiais de antigas civilizações superiores da Terra.

Cayce é um profeta muito interessante. Ele fez cerca de 14 mil predições durante a vida e, em 1970, 12 mil dessas predições se confirmaram, e 2 mil ainda permanecem no futuro. E em todas essas predições, ele cometeu apenas um único erro insignificante. Em um total de 12 mil predições, isso é incrível. Quase é possível perdoá-lo pelo único erro: ele recebeu uma carta de um homem da França pedindo-lhe que fizesse uma predição sobre o seu estado de saúde, mas Cayce erroneamente fez uma predição sobre o estado de saúde do irmão gêmeo do consulente. Esse foi o único erro que ele cometeu. Todas as outras predições se realizaram exatamente como Cayce previra — até 1972. Entretanto, depois de 1972 começaram a se suceder os erros, e vou explicar o porquê dessa data. (Aqueles que pensam que a predição de Cayce de que a Atlântida subiria à superfície antes de 1970 *não* se realizou, verifiquem a edição de janeiro de 1970 da revista *Life*. Algumas ilhas *realmente* apareceram na superfície na área onde Cayce disse que a Atlântida se localizava; algumas afundaram novamente e algumas continuam acima da superfície da água atualmente.)

De acordo com Cayce, a pata direita da Esfinge guarda a abertura para a Sala de Registros. Tanto Thoth quanto Cayce afirmaram que existem objetos materiais escondidos em um aposento subterrâneo próximo à Esfinge que provam sem sombra de dúvida que houve culturas avançadas no planeta muito tempo antes de nós. Thoth afirma que esses objetos provam a existência dessas culturas avançadas em um passado que remonta a 5,5 milhões de anos. Em comparação, o nosso nível de cultura não passa do de uma criança em face dessas culturas antigas.

Na verdade, de acordo com Thoth, a civilização sobre este planeta estende-se até *500 milhões de anos atrás,* e a nossa primeira cultura original veio das estrelas. No entanto, algo colossal aconteceu há 5,5 milhões de anos, que afetou os Registros Akáshicos. Não consigo entender como isso pode ter chegado a acontecer, pelo que entendo que são os Registros Akáshicos. De acordo com o que sei, tudo o que acontece,

Ilustração 1-10. Hieróglifos de Thoth.

acontece sempre do modo vibracional. Portanto, não entendo como os Registros Akáshicos podem ser eliminados; ainda assim é o que me disseram que aconteceu.

Apresentando Thoth

Quem é Thoth? O que vocês veem nesta ilustração (Ilustração 1-10) são hieróglifos egípcios. Tudo o que se vê na imagem são hieróglifos, não simplesmente as imagens no alto. "Hieróglifo" significa *escrita sagrada*. Esses hieróglifos estão desenhados sobre papiro, que se acredita ter sido o primeiro tipo de papel do mundo. A pessoa retratada aqui é um homem de nome Thoth, pronunciado com um *o* longo. (Algumas pessoas dizem *Thaut*, mas ele o pronuncia Thōth.) Os hieróglifos mostram sua cabeça como a de uma íbis, ave aquática de bico longo e recurvo. Assim, sempre que vir esse homem de ombros largos e uma estranha cabeça de ave, é um hieróglifo retratando esse ser em especial, Thoth. Ele segura canas de papiro porque foi a pessoa que introduziu a escrita no mundo. A introdução da escrita foi um acontecimento profundamente importante, provavelmente o ato mais influente que jamais aconteceu sobre este planeta

Ilustração 1-11. Íbis no Zoológico de Albuquerque.

neste ciclo. Ela produziu mais mudanças na nossa evolução e consciência do que qualquer outro ato isolado na nossa história conhecida.

Thoth também segura na mão esquerda algo que é conhecido como *ankh,* que é o símbolo da vida eterna. A *ankh* é um símbolo extremamente importante nesta obra, simplesmente porque foi um dos símbolos principais na época egípcia. Existe um campo de energia eletromagnética em volta dos nossos corpos com a forma de uma *ankh*. Recordar isso, de acordo com a perspectiva egípcia, é o início do nosso regresso à vida eterna e à verdadeira liberdade, portanto a *ankh* é uma chave fundamental.

Todas essas informações são uma introdução. Vou saltar de uma parte a outra, tratando de assuntos distintos que aparentemente não estão relacionados; mas depois, pouco a pouco, à medida que progredirmos, vou reuni-los todos em uma imagem coerente.

Na minha segunda viagem ao Egito, fui a todos os lugares em busca dessa avezinha chamada íbis. Supostamente, elas viviam entre os juncos, então

Ilustração 1-12. Por ser considerado o inventor da escrita, Thoth é sempre representado com um rolo de papiro e um pincel. Cópia de uma escultura na parede.

Ilustração 1-13. Thoth escrevendo (imagem à direita), um entalhe de parede original.

procurei entre os juncos com a minha câmera. Continuei à procura de uma durante todo o tempo que permaneci lá. Procurei de um extremo a outro do Egito, mas nunca encontrei uma única íbis. Precisei esperar até a minha volta, quando consegui fazer essa fotografia no Zoológico de Albuquerque (Ilustração 1-11). Elas se parecem com cegonhas de pés curtos com plumas brilhantes cor-de-rosa.

Aqui está Thoth escrevendo (Ilustração 1-12). Essa é uma cópia feita de uma parede, e a fotografia seguinte (Ilustração 1-13) é uma escultura real na parede. Aqui ele aparece ajoelhado, segurando o pincel e escrevendo. Esse é um ato revolucionário que nunca fora praticado neste ciclo. De acordo com a versão convencional da história, esse ato aconteceu no Egito durante a época de Saqqara, mas eu tenho as minhas dúvidas. Pessoalmente, acredito que aconteceu cerca de quinhentos anos antes. Saqqara foi construída durante a Primeira Dinastia, aproximadamente em 3300 a.C. Quando falarmos sobre as pirâmides serem mais velhas do que Saqqara, compreenderão o motivo pelo qual acredito nisso.

Minha História

O Começo em Berkeley

Alguns de vocês podem não admitir a possibilidade da comunicação com seres de outros níveis dimensionais, mas foi isso o que aconteceu na minha vida. Não é algo que pedi, simplesmente aconteceu. Como acabou ocorrendo, eu tive comunicações quase diárias nos níveis interdimensionais durante vários anos com esse homem chamado Thoth. Agora que compreendo mais, a minha relação pessoal com Thoth realmente começou quando eu frequentava a faculdade em Berkeley.

Estudei física, com opção secundária em matemática, até quando faltava pouco para receber o diploma. Precisava apenas de mais um trimestre para formar-me. Então decidi que não queria o diploma, porque descobrira algo sobre os físicos que me afastou da ideia de dedicar-me a uma ciência que eu acreditava não ser ciência de forma alguma. Atualmente, tudo isso está mudando. Esse assunto em si daria um livro, mas a razão disso está relacionada à mesma coisa que eu disse sobre os arqueólogos. Os físicos, assim como os arqueólogos, dão as costas para a verdade se ela representar uma mudança muito radical e veloz. Talvez, na verdade, isso faça parte da natureza humana. Então, passei para o outro lado do meu cérebro e me formei em belas-artes. Os meus professores acharam que eu estava maluco. "Quer desistir de um diploma em física?", indagavam. Mas eu não precisava dele, não o queria. Então, para me formar, precisei passar por mais dois anos estudando belas-artes e história da arte.

Hoje, a mudança de curso faz sentido, porque, quando estudamos os textos antigos, descobrimos que os antigos consideravam arte, ciência e religião como coisas entrelaçadas, interligadas. Então, o curso em que resolvi entrar era adequado para o que estou fazendo agora.

Abandonando Tudo pelo Canadá

Recebi o meu diploma em 1970. Depois de enfrentar a Guerra do Vietnã e ver o que estava acontecendo no meu país na época, acabei declarando: "Não aguento mais isso! Para mim, chega! Não sei por quanto tempo mais vou viver ou o que vai acontecer, mas simplesmente quero ser feliz e fazer o que sempre quis fazer". Decidi desistir de tudo e ir morar nas montanhas como sempre quis. Assim, saí dos Estados Unidos e fui para o Canadá, sem saber que haveria milhares de contestadores da Guerra do Vietnã imitando o meu gesto um ano depois. Casei-me com uma mulher chamada Renée e nós dois fomos para o meio do nada e encontramos uma casinha em Kootenay Lake. Estávamos a uma grande distância de tudo. Era preciso caminhar uns 7 quilômetros da estrada mais próxima para chegar à minha casa, portanto estávamos realmente isolados.

Comecei a viver a minha vida exatamente como sempre quis. Sempre quis ver se conseguiria viver sem nada, então precisaria experimentar. Senti-me um tanto receoso a princípio, mas depois que o tempo passa, as coisas vão ficando mais fáceis, e em pouco tempo me tornei um adepto da vida natural. Vivia uma vida plena e maravilhosa praticamente sem nenhum dinheiro. Depois de um certo tempo, percebi: Ei, isso é muito mais fácil do que ter um emprego na cidade! Precisava dar duro por apenas umas três horas por dia, depois tinha o resto do dia de folga. Era ótimo. Podia ouvir música, correr e me divertir. E foi exatamente isso o que eu fiz. Me diverti. Ouvia música durante umas dez horas por dia, com uma porção de amigos que vinham de quilômetros ao redor. A nossa casa era bastante apreciada por todos. Sabíamos nos divertir. Fazendo isso, o que é muito importante para a minha compreensão atual, descobri algo sobre mim mesmo. A partir dessa experiência — "o regresso à minha criança interior", que é como classifico aqueles dias — foi que a minha criança interior foi libertada, e nessa libertação, aconteceu uma coisa comigo que foi o catalisador que me trouxe à vida que tenho hoje em dia.

Os Dois Anjos e Onde me Levaram

Estando em Vancouver, no Canadá, decidimos que queríamos aprender sobre meditação, então começamos a estudar com um professor hindu que morava na região. A minha esposa e eu levávamos muito a sério a vontade de compreender do que se tratava a meditação. Tínhamos confeccionado túnicas de seda branca com capuz para demonstrar respeito. Então um dia, depois de praticar a meditação por cerca de quatro ou cinco meses, dois anjos altos de mais de 3 metros de altura apareceram na nossa sala! Eles estavam bem ali — um era verde e o outro, púrpura. Podíamos ver através do seu corpo transparente, mas eles definitivamente estavam ali. Não esperávamos que isso acontecesse, nem havíamos pedido aquilo. Apenas seguíamos as instruções que o nosso professor hindu nos dera. Também não acredito que ele tenha entendido, uma vez que não parava de fazer inúmeras perguntas. Daquele momento em diante, a minha vida nunca mais foi a mesma. Não chegava nem perto do que havia sido.

As primeiras palavras que os anjos disseram foram: "Nós somos vocês". Não fiz a menor ideia do que estavam querendo dizer. Respondi: "Vocês são eu?" Então, pacientemente, eles começaram a ensinar-me diversas coisas sobre mim mesmo e o mundo, e sobre a natureza da consciência. Finalmente, o meu coração se abriu inteiramente para eles. Eu sentia por eles um amor imenso, o que mudou totalmente a minha vida. Ao longo de um período de muitos anos, eles me levaram a cerca de setenta professores diferentes. Eles realmente me davam, durante a meditação, o endereço e o número de telefone do professor que eu deveria procurar. Eles me diziam ou para telefonar primeiro ou simplesmente aparecer na casa deles. Então eu obedecia — e era *sempre* a pessoa certa! Então eu era instruído para permanecer com aquela pessoa por um determinado período. Às vezes, bem no meio de um ensinamento, os anjos diziam: "Tudo bem, você já aprendeu. Vá embora".

Lembro-me de quando eles me enviaram ao Ram Dass. Eu fiquei rondando a casa dele por cerca de três dias, imaginando o que estaria fazendo ali; então um dia fui dar-lhe um tapinha no ombro para dizer alguma coisa e recebi uma descarga que praticamente me atirou ao chão. Os anjos disseram: "Pronto. Você pode ir agora". Eu respondi: "Tudo bem". Ram Dass e eu nos tornamos amigos, mas o que quer que eu deveria aprender com ele não passou daquele único segundo.

Os ensinamentos de Neem Karoli Baba, professor de Ram Dass, são muito importantes para mim. Ele acreditava que "a melhor forma de ver Deus é em todas as formas". Também tive acesso à obra de Yogananda e o admirei. Posteriormente, conversaremos sobre Sri Yukteswar e parte da obra dele. Tive contato com praticamente todas as religiões mais importantes. Resisti a envolver-me com os sikhs porque não acredito que seja necessária a preparação militar, mas estudei e pratiquei quase todas as demais — islamismo, judaísmo, cristianismo, taoismo, sufismo, hinduísmo, budismo tibetano. Estudei profundamente o taoismo e o sufismo — passei onze anos com o sufismo. Entretanto, depois de todo esse estudo, os professores mais importantes para mim foram os índios americanos. Foram os índios que abriram o caminho para que acontecesse todo o meu crescimento espiritual. Eles foram uma influência muito fecunda na minha vida. Mas essa é uma outra história, algumas das quais contarei no momento certo.

Todas as religiões do mundo falam da mesma Realidade. Elas usam palavras diferentes, conceitos e ideias diferentes, mas na verdade existe apenas uma Realidade, e existe apenas um Espírito que atravessa todas as formas de vida. Pode haver técnicas diferentes para chegar a diferentes estados de consciência, mas existe apenas o que é real, e quando chegar lá você saberá. Não importa como queira chamá-lo — você pode dar-lhe nomes diferentes — é tudo a mesma coisa.

Alquimia e a Primeira Aparição de Thoth

A certa altura os anjos me levaram até um canadense que era alquimista e que, entre outras coisas, estava realmente convertendo mercúrio em ouro (embora também possa ser feito a partir do chumbo, mas é mais difícil). Estudei alquimia durante dois anos com ele e observei esse processo com os meus próprios olhos. Ele tinha uma esfera de vidro de quase meio metro de diâmetro cheia com um líquido, no qual boiavam algumas bolhas de mercúrio. Essas bolhas passavam por uma série de mudanças de cores fluorescentes, subiam para o topo e se transformavam em bolinhas de ouro sólido, depois mergulhavam para o fundo. Então ele recolhia essas bolinhas de ouro para usar no seu trabalho espiritual. Ele possuía uma casinha de aparência bastante comum em Burnaby, na Colúmbia Britânica, em uma rua também sem nenhum aspecto excepcional. Ao passar de carro pela rua, a casa dele não se distinguia de nenhuma das outras. Mas *embaixo* da casa escondia-se o laboratório. Ele gastara milhões de dólares do seu ouro para cavar embaixo da casa e construir um imenso complexo cheio de equipamentos eletrônicos de todos os tipos para dar continuidade à sua obra. Ele não tinha a menor preocupação com dinheiro. E é claro que o propósito da alquimia não é produzir ouro ou dinheiro, mas *entender o processo* de como o mercúrio ou o chumbo se transformam em ouro.

> Atualização: À luz das novas descobertas em torno do ouro em pó branco (monoatômico) descoberto por David Hudson, pode ser que haja uma correspondência material com o ouro assim como com uma entidade espiritual.

É o processo que é interessante. Porque o processo de passar do mercúrio para o ouro é idêntico ao processo pelo qual passa um ser humano ao seguir do seu nível de consciência para a consciência crística; existe uma correlação exata. Na verdade, para estudar *tudo* sobre a alquimia, seria preciso estudar todas as reações químicas existentes, porque cada reação tem um aspecto *experimental* correspondente a alguma coisa na vida. É a velha expressão "assim em cima, como embaixo". (A propósito, Thoth é o homem que originalmente pronunciou essas palavras, quando era conhecido como Hermes, na Grécia.)

A certa altura eu estava sentado em frente a esse mestre alquimista, e fazíamos um determinado tipo de meditação de olhos abertos em que prendíamos a respiração e respirávamos de determinada maneira. Ele estava sentado a mais ou menos 1 metro de mim e vínhamos fazendo essa meditação por talvez uma hora ou duas, um bom período de tempo. Então alguma coisa aconteceu — alguma coisa que eu nunca tinha visto antes, jamais! Ele meio que ficou nebuloso e então desapareceu bem diante dos meus olhos! Ele simplesmente sumiu. Nunca vou me esquecer disso. Fiquei ali sentado por um instante, sem saber o que fazer. Então, hesitantemente, estendi a mão e procurei apalpá-lo no lugar onde se encontrara antes. Não havia ninguém ali. Pensei, Uau! Estava completamente atordoado. Aquilo "me deu um branco" (como diríamos nas décadas 1960 e 1970), sem dúvida nenhuma. Não sabia o que fazer, portanto simplesmente continuei ali sentado. Então, pouco depois, uma pessoa diferente apareceu na minha frente, alguém completa e absolutamente diferente! Não passava nem mesmo perto dele. O meu mestre alquimista tinha uns 35 anos e aquele sujeito devia ter uns 60 ou 70, e era bem mais baixo — 1,70 metro mais ou menos.

Era um sujeito franzino, e parecia egípcio. Tinha a pele escura e o cabelo era meio comprido, puxado para trás. Trazia o rosto bem barbeado a não ser por uma barbicha espessa que lhe crescia no queixo, com uns 15 centímetros de comprimento e atada em cinco pontos. Estava vestido com uma vestimenta de algodão pardo simples, com mangas e calças compridas, e permanecia sentado de pernas cruzadas me encarando. Depois que passou o choque inicial, fiquei olhando nos olhos dessa pessoa. Neles, vi algo que nunca vira antes a não ser nos olhos dos bebês. Quando olha nos olhos de um bebê, você sabe como são calmos, pois não acontece nada, não há julgamentos, nada. Você simplesmente mergulha naqueles olhos e eles mergulham nos seus. Bem, era assim ao olhar para aquele homem. Só via aqueles grandes olhos de bebê naquele corpo velho. Não havia nada acontecendo com ele. Tive uma ligação instantânea com aquela pessoa, não havia barreiras. Ele tocou o meu coração como ninguém o fizera antes.

Ele me fez uma pergunta. Disse que estavam faltando três átomos no universo e queria saber se eu sabia onde eles estavam. Não fiz a menor ideia do que ele queria dizer, então respondi: "Bem, não". Então ele me proporcionou uma experiência, que não vou descrever, que me mandou de volta para a época do início da criação e trouxe-me de volta outra vez para o presente. Foi uma experiência fora do corpo muito interessante. Quando regressei, compreendi o que ele queria dizer com os três átomos ausentes — pelo menos pensei que compreendia. Então comentei: "Bem, acho que o que você quis dizer é o seguinte", e continuei dizendo a ele o que pensava que fosse. Quando terminei, ele simplesmente sorriu, inclinou-se para mim e desapareceu. Pouco tempo depois o meu mestre alquimista reapareceu. O meu mestre não sabia da mudança que acontecera. Tudo o que acontecera parecia ser apenas uma vivência minha.

Saí dali totalmente preocupado com a experiência. Na época, os anjos me faziam trabalhar com quatro outros professores, então eu ia de um para outro, e depois para o outro, e a minha vida era realmente muito ocupada. Mas não conseguia pensar em mais nada a não ser naquele homenzinho que aparecera para mim. Não lhe perguntei quem ele era, e ele não reapareceu. O tempo passou e finalmente a experiência foi caindo no esquecimento. Mas eu sempre me perguntava: quem era aquele sujeito? Por que ele me fizera pensar naqueles três átomos e o que tudo aquilo significava? Sentia vontade de vê-lo outra vez, porque ele era a pessoa mais pura que já vira na vida — em toda a minha vida. Doze anos depois, descobri quem ele era. Era Thoth. Em

1º de novembro de 1984, ele reapareceu na minha vida... e me ensinou muita coisa. Mas, novamente, essa história também fica para depois.

Thoth, o Atlante

Esse homem, Thoth do Egito, está presente praticamente no começo da Atlântida. Ele descobriu, 52 mil anos atrás, como permanecer consciente num corpo continuamente sem morrer, e assim permaneceu no seu corpo original desde aquela ocasião — até 1991, quando adotou um novo modo de ser muito além da nossa compreensão. Ele viveu por quase todo o período da Atlântida e até mesmo tornou-se rei dos atlantes por um período de 16 mil anos. Durante esses anos ele se chamava Chiquetet Arlich Vomalites. Seu nome era na verdade Arlich Vomalites, e Chiquetet era um título que significava "o buscador da sabedoria", porque ele realmente queria *ser* o que a sabedoria era. Depois que a Atlântida afundou (vamos comentar sobre esse assunto em maiores detalhes mais adiante), Arlich Vomalites e outros seres adiantados precisaram esperar por cerca de 6 mil anos antes de poder começar a restabelecer a civilização.

Quando o Egito começou a nascer, ele tomou a iniciativa e passou a chamar-se Thoth, mantendo o nome durante todo o período do Egito. Quando o Egito chegou ao fim, foi Thoth quem deu início à seguinte cultura mais importante, que foi a Grécia. Os nossos livros de história afirmam que Pitágoras era o pai da Grécia e que foi por meio da escola pitagórica que a Grécia se desenvolveu, e foi a partir da Grécia que surgiu a nossa civilização atual. Pitágoras afirma nos seus escritos que Thoth levou-o pela mão, conduziu-o para baixo da Grande Pirâmide e ensinou-lhe a geometria e a natureza da Realidade. Depois que a Grécia nasceu a partir de Pitágoras, Thoth entrou naquela cultura com o mesmo corpo que tinha durante a época da Atlântida e passou a chamar-se Hermes. Assim está escrito, Arlich Vomalites, Thoth e Hermes são a mesma pessoa. A história é verdadeira? Leiam *A Tábua de Esmeralda,* escrito 2 mil anos atrás por Hermes.

Desde aquela época, ele teve muitos outros nomes, mas eu ainda o chamo Thoth. Ele retornou à minha vida em 1984 e trabalhou comigo simplesmente durante todos os dias até 1991. Ele vinha e passava talvez quatro a oito horas por dia ensinando-me sobre muitas coisas. É daí que vem esse grande conjunto de informações que estou apresentando a vocês, embora esteja relacionado também com outras informações e tenha sido incrementado por muitos outros mestres.

A história do mundo, em especial, foi contribuição dele. Veja, enquanto esteve no Egito, onde era chamado o Escriba, ele tomava nota de tudo o que acontecia. Ele era a pessoa perfeita para isso, certo? Estava constantemente atento, pois como escriba simplesmente sentava-se e observava a vida passar. Era uma boa testemunha imparcial, uma vez que essa era uma parte importante da sua compreensão da sabedoria. Raramente falava ou agia a não ser quando sabia que era em sentido divino. Finalmente, Thoth descobriu como deixar a Terra. Iria a outro planeta onde houvesse vida e simplesmente se sentaria lá e observaria. Nunca interferiria, nunca diria uma só palavra.

Permaneceria em silêncio absoluto e simplesmente observaria — só para ver como eles viviam a vida, para obter sabedoria, para compreender — por talvez uma centena de anos em cada planeta. Então iria para outro lugar e observaria.

No total, Thoth esteve fora da Terra por cerca de 2 mil anos para estudar outras formas de vida. Mas ele se considera uma pessoa da Terra. É claro que todos viemos de algum outro lugar em um determinado ponto do jogo da vida, porque a Terra não é assim tão velha. Ela tem apenas 5 bilhões de anos de idade, e o espírito é eterno, sempre foi e sempre será. *Vocês* sempre foram e sempre serão. O espírito não morre, e qualquer outra interpretação é simplesmente uma ilusão. Mas Thoth se considera daqui porque foi aqui que ele deu o primeiro passo que o levou à imortalidade.

Esta é a esposa de Thoth, Shesat (Ilustração 1-14). Ela é uma pessoa das mais extraordinárias — em alguns sentidos pelo menos ela é tão extraordinária quanto Thoth, se não mais. Ela foi a primeira pessoa a trazer-me conscientemente para a Terra, o que aconteceu, aproximadamente, em 1500 a.C. Eu não estava fisicamente aqui, mas tinha feito uma ligação consciente entre as dimensões. Ela se comunicou comigo por causa de problemas que os egípcios estavam tendo no país que, do ponto de vista dela, acabariam por afetar o mundo inteiro e com consequências para a humanidade. Trabalhamos muito próximos um do outro. Ainda tenho um amor profundo por ela e uma ligação muito intensa, embora ela não esteja mais aqui. Nem Thoth. Em 1991, juntos eles deixaram toda esta oitava de universos e passaram para um tipo completamente diferente de experiência de vida. As suas ações são importantes para nós, conforme vocês verão.

Ilustração 1-14. Shesat, a esposa de Thoth.

Em 1984, Thoth voltou à minha vida, doze anos depois da minha primeira experiência com ele enquanto meditava com o meu mestre de alquimia. A primeira coisa que ele fez foi levar-me para uma iniciação no Egito. Ele me fez viajar por todo o Egito, realizar cerimônias e receber iniciações em determinados templos. Pediu-me para entrar em um determinado espaço embaixo da Grande Pirâmide, repetir frases longas no idioma original atlante e ingressar em um estado de consciência em que o meu corpo tornouse apenas luz. Contarei essa história quando chegar o momento, prometo.

Thoth, Geometrias e a Flor da Vida

Depois de uns três ou quatro meses do meu regresso do Egito, Thoth apareceu e me disse: "Quero ver as geometrias que os anjos lhe deram". Os anjos haviam me dado informações básicas ou geometrias sobre como a realidade está relacionada ao espírito, e os anjos tinham me ensinado a meditação que vou lhes apresentar. Essa meditação foi uma das primeiras coisas que Thoth quis de mim. Essa era a troca: eu recebia todas as lembranças dele e ele recebia a meditação. Ele queria a meditação porque era muito mais fácil do que o método que estava usando. O seu modo de permanecer vivo por 52 mil anos era muito extenuante — era como suspender-se por um fio. Era necessário passar duas horas todos os dias em meditação ou morreria. Ele precisava passar uma hora com a cabeça para o norte e os pés para o sul, em uma meditação muito específica; então precisava passar outra hora na posição inversa, fazendo uma meditação diferente. Então a cada cinquenta anos, para manter o corpo regenerado, ele precisava entrar no que é chamado os Salões de Amenti e sentar-se por dez anos mais ou menos diante da Flor da Vida. (Essa é uma chama de consciência pura que reside profundamente no ventre da Terra e da qual o nível de consciência da humanidade é completamente dependente para a sua própria existência. Mais adiante falarei mais sobre o assunto.)

Thoth estava muito interessado nessa nova meditação porque o que lhe tomava duas horas para ser feito toma apenas seis respirações com a meditação Mer-Ka-Ba. É rápido, eficiente e muito mais exato; e o seu potencial é muito maior, uma vez que leva a uma modalidade de consciência permanente. Assim, Thoth começou a transmitir-me quantidades enormes do que sabia. Quando ele aparecia no meu quarto, não falava com as palavras como fazemos aqui. Ele falava usando uma combinação de telepatia com imagens holográficas. Os pensamentos dele para mim eram holográficos, imagino que vocês diriam. Mas havia muito mais em jogo do que isso. Se ele queria descrever algo para mim, eu sentiria o sabor, a textura, o aroma, os sonhos e as imagens dos pensamentos dele.

Ele disse que queria ver o que os anjos me ensinaram em termos de geometria, assim eu passei para ele telepaticamente, através de uma pequena bola de luz, de terceiro olho para terceiro olho. Então ele observou a coisa toda, e uns cinco segundos depois disse que estavam faltando para mim muitos níveis de informações interconectadas. Assim, por muitas horas a cada dia, eu me sentava, fazendo desenhos e entendendo o que seria tudo aquilo que atualmente chamamos de geometria sagrada.

Na época, eu não tinha palavras para descrever esse modo de ver. Não sabia o que era, e no início não fazia ideia do que realmente significava. E não conhecia ninguém que soubesse a respeito a não ser no passado. Pensava que eu fosse a única pessoa no mundo. Mas quanto mais ia me envolvendo, mais fui percebendo que isso existe desde sempre e está em toda parte, em toda a história da Terra e em todo o universo. Ele me ensinou nesse sentido por um longo período. Finalmente, chegamos a um desenho simples (Ilustra-

Ilustração 1-15. A Flor da Vida.

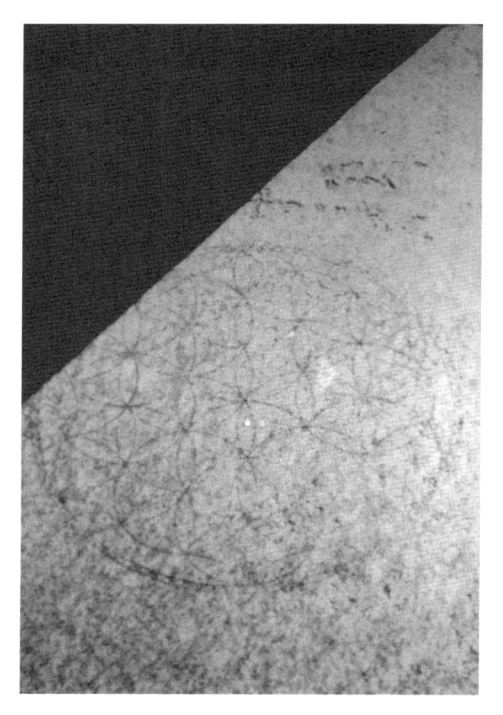

Ilustração 1-16. A Flor da Vida em uma parede em Abidos, fotografada por Katrina Raphaell.

ção 1-15), que ele disse que continha tudo — todo o conhecimento, tanto masculino quanto feminino, sem exceções.

Sei que essa é uma afirmação alarmante para fazer assim tão cedo neste texto, mas esse desenho, de acordo com Thoth, contém nas suas proporções cada aspecto particular da vida que existe. Ele contém todas as fórmulas matemáticas, todas as leis da física, todas as harmonias musicais, todas as formas de vida biológicas até chegar ao seu próprio corpo. Ele contém cada átomo, cada nível dimensional, absolutamente tudo o que existe nos universos em forma de onda. (Explicarei dentro de instantes sobre os universos em forma de onda.) Depois que ele me ensinou, entendi a afirmação acima; mas simplesmente apresentar assim essa afirmação exatamente agora parece inacreditável. Se Deus quiser, vou provar o que estou dizendo. Obviamente, não posso provar que esse desenho contém cada um dos aspectos da criação, porque existem coisas demais para fazer isso em um livro. Mas posso mostrar a vocês provas suficientes de modo que vocês serão capazes de ver que podem aplicar essa forma para tudo.

Thoth então me disse que eu encontraria essa imagem da Flor da Vida no Egito. Houve duas ocasiões em que eu duvidei dele em todos os anos que trabalhei com ele, e essa foi uma delas. A minha pequena mente insistia: "Não é possível!", porque na época eu tinha lido quase todos os livros que havia sobre o Egito e nunca vira essa forma em nenhum lugar. Mentalmente, repassei tudo o que me lembrava de ter visto. Não, pensei, aquele símbolo não se encontra em lugar nenhum do Egito. Mas ele disse que eu encontraria, e então partiu. Eu nem sabia por onde começar a procurar.

Cerca de duas semanas depois, encontrei a minha amiga Katrina Raphaell, que escreveu, creio, três livros sobre cristais*. Ela acabara de voltar do Egito e encontrava-se em um supermercado em Taos, Novo México, quando eu entrei. Ela estava junto ao balcão de revelação de fotografias e acabara de receber as fotos da sua última viagem ao Egito. Tinha uma pilha de uns 25 centímetros de fotografias sobre o balcão e começava a separar 36 fotos de cada vez e empilhá-las. Começamos a conversar e a certa altura ela me disse: "Ah, a propósito, o meu anjo da guarda me disse que eu devia lhe dar

---

* *A Cura pelos Cristais, Propriedades Curativas dos Cristais e das Pedras Preciosas* e *Transmissões Cristalinas*, todos publicados pela Editora Pensamento.

uma fotografia quando o encontrasse". Respondi: "Sei, e qual seria?" Ela disse: "Não sei". Ela pegou a pilha de fotos e escondeu-a atrás das costas, puxando de lá uma foto ao acaso e estendeu-a para mim, dizendo: "Esta é a que eu deveria lhe dar".

No entanto, Katrina não fazia ideia do trabalho que eu vinha fazendo, apesar de sermos amigos havia uns dois anos, porque eu não conversava com muitas pessoas na época sobre o meu trabalho — e sem dúvida nenhuma não tinha contado nada a ela. A fotografia que ela escolheu foi esta — a Flor da Vida numa parede do Egito (Ilustração 1-16)!

Essa parede em especial é provavelmente uma das mais antigas do Egito, de um templo de quase 6 mil anos de idade, um dos templos mais antigos do planeta. Quando vi a Flor da Vida na fotografia, não consegui dizer outra coisa a não ser exclamar: "Uaaaaau!" Katrina quis logo saber: "O que *é* essa coisa, afinal?" Tudo o que pude dizer foi: "Você não vai entender, mas uaaaau!"

DOIS

O Segredo da Flor se Revela

Os Três Templos de Osíris em Abidos

Este templo fica em Abidos (Ilustração 2-1). Foi construído por Seti, o Primeiro, e dedicado a Osíris. Atrás dele fica outro templo muito antigo chamado Templo de Osíris, onde o entalhe da Flor da Vida na parede foi encontrado por Katrina Raphaell. Existe ainda um terceiro templo, também dedicado a Osíris e também chamado de Templo de Osíris. A Ilustração 2-2 mostra como é a sua planta.

Evidentemente, quando escavaram a montanha para construir o templo de Seti I, com pleno conhecimento de que o terceiro templo de Osíris estava lá, encontraram o segundo e mais antigo templo de Osíris entre os dois. Seti I mudou a planta do templo mais novo para a forma de L, para evitar destruir o templo mais antigo. É o único templo em forma de L em todo o Egito, o que reforça essa ideia.

Algumas pessoas dizem que foi Seti I quem construiu o templo mais velho também. Entretanto, o mais velho tem um projeto de construção completamente diferente e tem blocos de pedra muito maiores. A maioria

Ilustração 2-1. Templo de Seti, o Primeiro. Essa vista é da pequena projeção que está no final do lado direito da construção em forma de L da Ilustração 2-2.

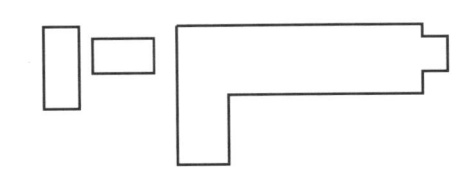

Ilustração 2-2. Planta dos três templos de Osíris adjacentes em Abidos.

57

dos arqueólogos egípcios concorda que esse é um templo muito mais antigo. Ele também é menos alto que o templo de Seti, o que dá crédito à sua antiguidade. Quando Seti I começou a construção do seu novo templo, o segundo parecia-se com uma colina. O terceiro templo, a construção retangular mais longa ao fundo, é dedicado a Osíris, e é um dos templos mais antigos do Egito. Seti I estava construindo o seu templo nesse lugar porque o outro (o terceiro) templo estava muito velho e ele queria dedicar um novo templo a Osíris. Vamos observar o templo de Seti I, depois o terceiro e por fim o segundo e mais antigo.

Faixas de Tempo Entalhadas

Em anos recentes, os arqueólogos descobriram algo muito interessante sobre os entalhes nas paredes dos templos egípcios. Os turistas usualmente observam um grande vandalismo praticado nas paredes, das quais uma porção de hieróglifos, especialmente os dos imortais, foram desbastados

Ilustração 2-3. Frente do templo de Seti I em Abidos. Esta é a vista do comprimento da fachada do templo da Ilustração 2-1.

e destruídos. O que podem não observar é que o desbaste aconteceu em uma faixa horizontal específica, aproximadamente do nível dos olhos até de 3 a 5 metros de altura. Não se observa nenhum desbaste acima ou abaixo disso. Nem eu mesmo me dei conta disso quando estive lá; simplesmente não me toquei. Um grande número de arqueólogos egípcios também não reparou nisso durante centenas de anos, até que finalmente alguém comentou: "Ei, a destruição é sempre nessa área específica". Depois de perceber isso, eles começaram a entender que havia uma diferença entre a área abaixo da destruição e a que ficava acima.

Eles finalmente descobriram que há faixas de tempo sobre as paredes. A faixa à altura aproximada dos olhos até o nível do piso representa o passado; a faixa desde a altura dos olhos até cerca de 5 metros mais ou menos representa o presente (a época em que o templo foi construído); e acima disso (esses templos às vezes chegam a ter 13 metros de altura ou mais) falam sobre o que ocorrerá no futuro.

Os arqueólogos compreenderam então que as únicas pessoas que poderiam ter entendido essa relação e realmente desbastado os hieróglifos seriam os sacerdotes do templo. Os sacerdotes eram os únicos que teriam conhecimento de que estavam desbastando unicamente o presente. Um vândalo comum não teria sido tão cuidadoso ao escolher apenas a faixa representando o presente. Além do mais, os destruidores não levavam consigo uma marreta; eles realmente desbastaram determinadas coisas muito cuidadosamente. Foram necessários todos esses séculos para descobrir isso.

O Templo de Seti I

Esta é a frente do templo de Seti I em Abidos (Ilustração 2-3). Essa é uma pequena parte de um templo realmente enorme.

Conheço hoje pelo menos duas provas de que os egípcios eram capazes de ver o futuro. Tenho uma foto de uma delas: bem no alto de uma das vigas dessa parte do primeiro templo de Abidos há algo em que, quando nunca se viu antes, é difícil de acreditar, mas está lá. Vou fotografar a outra na próxima vez que viajar ao Egito, porque sei exatamente onde ela está.

Considero que essas duas fotografias são uma prova irrefutável, além de qualquer dúvida, de que eles eram capazes de prever o futuro. *Como* eles faziam isso eu não sei; depende de cada um descobrir. Mas o fato é que: eles o faziam. No final lhes mostrarei a foto que prova isso.

O "Terceiro" Templo

Este é o terceiro templo dos três — um templo comprido e aberto (Ilustração 2-4). Este templo foi considerado o local mais sagrado de todo o Egito pelos antigos reis e faraós, porque eles acreditavam que fora ali que Osíris ressuscitara e se tornara imortal. O rei Zoser, que construiu o magnífico complexo funerário em Saqqara com a sua famosa pirâmide escalonada, supostamente para o seu enterro, não foi enterrado ali. Em vez disso, ele foi enterrado neste pequeno e despretensioso templo nos fundos.

Não permitiam a entrada de ninguém nesse terceiro templo. Mas eu não podia conformar-me em apenas olhá-lo de cima. Não havia ninguém por perto que eu pudesse ver, então desci pela parede até um pátio. Consegui perambular uns cinco minutos por ali antes que os egípcios começassem a gritar comigo para sair. Pensei que iriam me prender, mas não o fizeram. Os hieróglifos ali são extraordinários — nada como

Ilustração 2-4. O "terceiro" templo de Osíris em Abidos. A parte alta dos muros fica ao nível do piso.

Ilustração 2-5. O segundo templo (médio) em Abidos. Os juncos crescem na água que cobre o piso. A seta à direita indica a parede onde está inscrita a Flor da Vida.

se pode ver em qualquer outra parte. A simplicidade e a perfeição dos desenhos são notáveis.

A Geometria Sagrada e a Flor da Vida do "Segundo" Templo

Este é o segundo templo dos três (Ilustração 2-5), que é mais baixo do que os outros dois. Estava embaixo da terra antes que o escavassem. (A rampa, vista na borda à direita, foi construída para permitir o acesso a partir do nível do piso.) Fotografei esta imagem a partir do terceiro templo, olhando para o templo de Seti I, cuja parede de trás pode ser vista ao fundo. O segundo templo é onde foram encontrados os desenhos da Flor da Vida da fotografia de Katrina.

Só é permitido entrar em um lugar no segundo templo, que por acaso foi o lugar perfeito. Atualmente, o segundo templo está quase todo cheio de água porque o Nilo subiu, porém, quando ele foi originalmente encontrado, estava aberto e seco.

Eis aqui duas vistas internas (Ilustração 2-6) da parte central do templo antes de ter sido coberta pela água. Existem três áreas distintas: 1) os degraus que partem de baixo para o centro do templo, onde se encontra uma pedra parecida com um altar; 2) a pedra semelhante a um altar propriamente dita; e 3) os degraus que levam de volta para baixo do outro lado do altar, o que não pode ser visto aqui. Vocês verão esses três níveis representados nas três fases da religião de Osíris. Também podem ver os dois conjuntos de degraus na planta do "segundo" templo de Osíris na página seguinte (Ilustração 2-7).

Lucie Lamy mostra aqui como devia ser a planta original do templo. Os dois pentágonos rebatidos mostram a geometria sagrada que estava oculta na planta. Agora, preciso lhes apresentar alguns conhecimentos sobre essa geometria.

A forma mostrada em A (Ilustração 2-8) é um icosaedro. A superfície de um icosaedro é composta de triângulos equiláteros dispostos em formas pentagonais de cinco lados, mostrados em B, as quais são chamadas capas icosaédricas na geometria sagrada. Aqui os triângulos são equiláteros. Se tirarmos as capas icosaédricas do icosaedro e as encaixarmos sobre cada superfície de um dodecaedro (doze pentágonos unidos conforme mostrado em C), a forma resultante acaba sendo o dodecaedro estelado D, das proporções específicas da rede de consciência crística ao redor da Terra. Sem essa rede não haveria uma nova consciência surgindo sobre o planeta. Vocês entenderão antes do fim desta obra.

Duas dessas capas icosaédricas unidas são como um par de conchas, conforme indicado em E. Essas capas são a chave, uma vez que demonstram a geometria usada na rede de consciência crística. E é isso, acho eu, que elas representam na geometria e na planta desse templo antigo. Considero muito adequado que tenham usado pentágonos rebatidos na planta de um templo dedicado a Osíris e à ressurreição. A ressurreição e a ascensão levam à consciência crística.

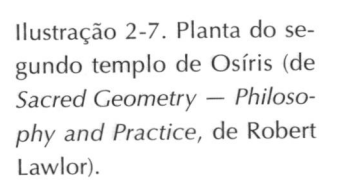

Ilustração 2-6. Degraus no interior do segundo templo, antes de ficarem parcialmente encobertos pela água. (Do livro *Sacred Geometry — Philosophy and Practice*, de Robert Lawlor.)

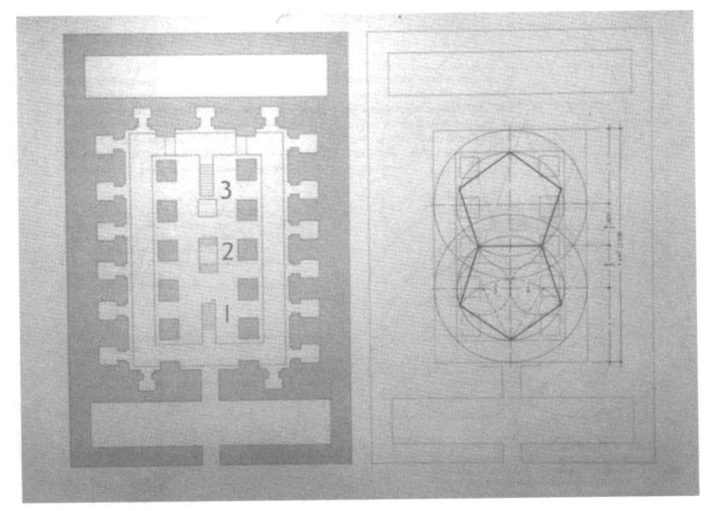

Ilustração 2-7. Planta do segundo templo de Osíris (de *Sacred Geometry — Philosophy and Practice*, de Robert Lawlor).

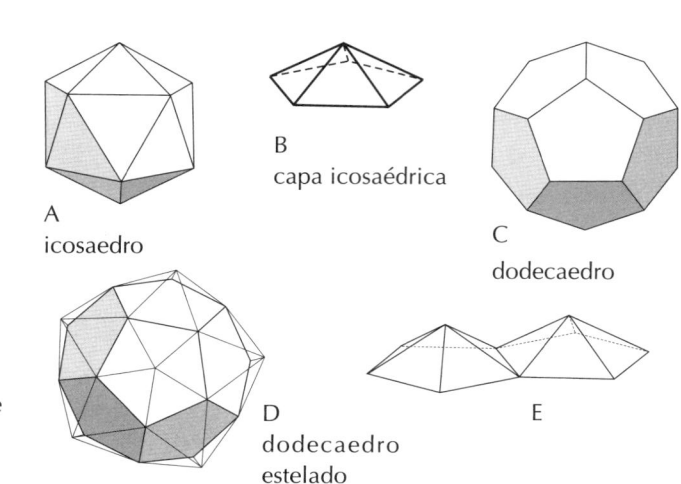

Ilustração 2-8. Formas. D é a rede de consciência crística.

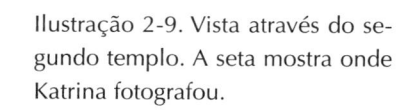

A icosaedro

B capa icosaédrica

C dodecaedro

D dodecaedro estelado

E

Ilustração 2-9. Vista através do segundo templo. A seta mostra onde Katrina fotografou.

Ilustração 2-10. A mesma Flor da Vida que se vê na fotografia de Katrina (Ilustração 1-16).

Ilustração 2-11. Semente da Vida à esquerda. Essa é a mesma parede de pedra mostrada acima, mas um pouco mais à esquerda.

A Ilustração 2-9 está na parte de baixo do segundo templo. A seta indica o lugar onde Katrina inadvertidamente fotografou a Flor da Vida. Eis a mesma fotografia feita com a minha câmara (Ilustração 2-10). A minha fotografia saiu melhor do que a dela, e vocês podem ver na sombra que existe outro desenho da Flor da Vida sobre a mesma pedra, lado a lado. À esquerda desses dois desenhos da Flor da Vida, na mesma pedra, veem-se outras imagens relacionadas. As pedras que foram usadas na construção desse templo, incluindo a que aparece nestas fotografias, são enormes. Eu diria que pesam no mínimo 70 a 100 toneladas. Isso faz perguntar como aqueles bárbaros peludos conseguiam mover pedras de centenas de toneladas de um lugar para outro.

Existem muitos padrões parecidos nas paredes. O da esquerda nesta fotografia (Ilustração 2-11) é chamado de Semente da Vida, o qual sai diretamente do desenho da Flor da Vida, conforme é mostrado na Ilustração 2-12.

Ilustração 2-12. Semente da Vida no meio da Flor da Vida.

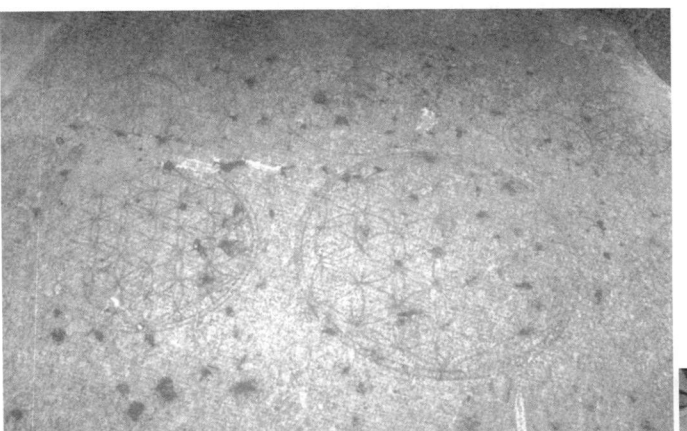

Ilustração 2-13. Flores da Vida, com outros componentes no alto.

Ilustração 2-14. Signo copta.

Havia água embaixo dessa parede, portanto não consegui chegar até lá. Mas fiquei imaginando o que poderia haver do outro lado da pedra, então me inclinei em torno dela, coloquei a câmara no automático e bati a fotografia para ver o que sairia. Isso foi o que consegui (Ilustração 2-13). Mal se pode ver algo com clareza nesta fotografia, mas ela mostra muitos dos componentes que são aspectos do que vamos estudar aqui.

Dava uma sensação incrível olhar para esses desenhos, porque eles eram muito familiares para mim, e eu sabia o que significavam. E ali estavam eles, dispostos sobre uma parede egípcia de milhares de anos de idade. Os desenhos eram antigos, ainda assim eu sabia exatamente o que eles representavam.

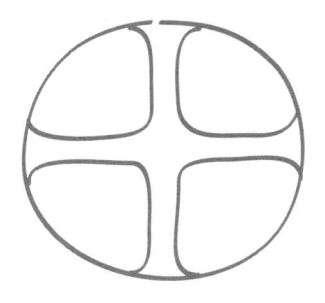

Entalhes dos Coptas

Esta segunda série de fotografias mostra uma parede do segundo templo fotografada de longa distância com uma lente de 80 milímetros. Sobre essa parede há um desenho, que mal se pode ver nesta fotografia (Ilustração 2-14), embora pudéssemos vê-lo claramente quando estivemos lá. Ele se parece com o que é mostrado na Ilustração 2-15.

Ilustração 2-15. Símbolo copta.

É um símbolo do cristianismo, mas teve origem entre um grupo de egípcios chamados coptas, que viveram na época em que o império egípcio estava em decadência. Posteriormente, eles se tornaram os primeiros cristãos de verdade, se incluirmos dois outros grupos egípcios a quem estavam ligados — os essênios e os druidas. Talvez vocês pensem que esses dois outros grupos não tinham raízes egípcias, mas acreditamos que tiveram.

Este é um símbolo copta, e quando o vi, entendi que provavelmente foram os coptas que fizeram esses desenhos relativos à Flor da Vida, não os construtores originais. Os coptas vieram muito depois, mas provavelmente sabiam que esse era um lugar dedicado à ressurreição e usaram-no para o mesmo propósito. A construção deveria ter vários milhares de anos de idade quando eles fizeram esses desenhos. Neste caso, os desenhos não devem ser anteriores a 500 a.C., que é quando os coptas surgiram.

Este é o verdadeiro símbolo copta, uma cruz e o círculo (Ilustração 2-16), às vezes encontrado dentro de um triângulo.

Este é outro, no qual vemos a cruz e o círculo, embora esteja muito desgastado (Ilustração 2-17). No alto, vocês podem ver os seis laços centrais da Flor da Vida. Nos desenhos egípcios, sempre que vemos uma esfera sobre uma cabeça, significa que o foco é o que está dentro da esfera. É no que eles estão pensando ou qual era o propósito naquele momento.

A Ilustração 2-18 é outra maneira como esse símbolo é usado às vezes — quatro arcos entrecruzados com um círculo exterior ao seu redor.

Considero esta fotografia muito interessante (Ilustração 2-19). Vejam o peixe respirando ar. Isso foi feito *antes* de Cristo. É copta. Apresenta treze pequenos entalhes, ou escamas, se quiserem chamar assim, e está respirando ar. Vimos um peixe respirando ar antes, entre os dogons e no Peru. Agora, eis que ele está no Egito — e também é visto em outros lugares ao redor do mundo.

A Igreja Inicial Muda o Simbolismo Cristão

Se voltarem ao passado e estudarem com afinco alguns dos textos antigos, descobrirão que houve uma grande mudança na religião cristã por volta de duzentos anos depois

Ilustração 2-16. Desenho copta nº 1.

Ilustração 2-17. Desenho copta nº 2.

Ilustração 2-18. Outro desenho copta.

65

da morte de Cristo. Na verdade, ele não foi muito conhecido por cerca de duzentos anos, quando a Igreja Ortodoxa Grega, que era a igreja mais influente da época, introduziu muitas mudanças na religião cristã. Foram descartadas muitas crenças, acrescentadas outras, e muitas coisas foram mudadas para atender às suas necessidades. Uma das coisas que mudaram foi um símbolo importante. Regressando ao tempo de Cristo, considerando tudo o que fomos capazes de ler, Cristo não era conhecido como o peixe, mas como o golfinho. Foi mudado de golfinho para peixe durante a censura dos gregos ortodoxos. Hoje em dia, Jesus é mencionado como o peixe, e até mesmo os cristãos modernos usam o peixe para representar o cristianismo. O que isso significa exatamente, eu não sei. Só posso especular quando falamos sobre golfinhos. Além disso, a Igreja Ortodoxa Grega também removeu da Bíblia todas as referências à reencarnação, o que até então era plenamente aceito como parte da religião cristã.

Ilustração 2-19. Peixe respirando ar.

A Flor da Vida: Geometria Sagrada

Esta imagem da Flor da Vida (Ilustração 2-20) não é encontrada apenas no Egito, mas em todo o mundo. Vou mostrar a vocês as fotografias dela no mundo todo no volume 2. Ela é encontrada na Irlanda, Turquia, Inglaterra, Israel, Egito, China, Tibete, Grécia e Japão — é encontrada em toda parte.

Quase em todos os lugares do mundo ela tem o mesmo nome, que é a Flor da Vida, muito embora em outros lugares do cosmos receba outros nomes. Dois dos principais nomes seriam traduzidos como a Língua do Silêncio e a Língua da Luz. Ela é a fonte de todas as línguas. É a língua primordial do universo, pura forma e proporção.

Ela é chamada de flor, não só porque se parece com uma flor, mas também porque representa o ciclo de uma árvore frutífera. A árvore frutífera produz uma pequena flor, que passa por uma metamorfose e se converte

Ilustração 2-20. A Flor da Vida.

em fruto — uma cereja ou uma maçã ou outra. O fruto guarda dentro de si a semente, que cai no chão, depois se desenvolve em outra árvore. Assim há um ciclo da árvore para fruto, para semente e de volta à árvore outra vez, nessas cinco etapas. Esse é um milagre absoluto. Mas, vocês sabem, isso acontece diante do nosso nariz. É tão normal que simplesmente o aceitamos e não pensamos muito a respeito dele. As cinco etapas milagrosas, simples, desse ciclo da vida na verdade seguem paralelamente às geometrias da vida, que continuaremos a ver ao longo de toda esta obra.

Atualização: Encontramos a imagem da Flor da Vida em outros dezoito lugares, incluindo Suécia, Lapônia, Islândia e em Yucatán.

A Semente da Vida

Conforme eu mostrava anteriormente (Ilustração 2-12), no meio da Flor da Vida encontram-se sete círculos interligados; se vocês os tirarem e desenharem um círculo ao redor deles, criarão a imagem chamada a Semente da Vida (Ilustração 2-21).

Ilustração 2-21. Semente da Vida, extraída da Flor.

A Conexão da Árvore da Vida

Outra imagem nesse desenho, com a qual vocês provavelmente estão mais familiarizados, é chamada a Árvore da Vida (Ilustração 2-22). Muitas pessoas pensam que a Árvore da Vida originou-se dos judeus ou hebreus, mas não foi. A cabala não deu origem à Árvore da Vida, e existe prova disso. A Árvore da Vida não pertence a nenhuma cultura — nem mesmo aos egípcios, que entalharam a Árvore da Vida em dois conjuntos de três pilares no Egito tanto em Karnak quanto em Luxor cerca de 5 mil anos atrás. Ela está além de qualquer raça ou religião. É um padrão que faz parte intrinsecamente da natureza. Se forem a planetas distantes onde haja consciência, estou certo de que encontrarão a mesma imagem.

Portanto, se temos uma árvore, depois uma flor, então uma semente e, se essas geometrias têm de fato uma correspondência com os cinco ciclos de uma árvore frutífera que vemos na Terra, então a fonte de origem da árvore precisará estar contida perfeitamente dentro da semente. Se considerarmos as imagens da Semente da Vida e da Árvore da Vida e as sobrepusermos, veremos essa relação (Ilustração 2-23).

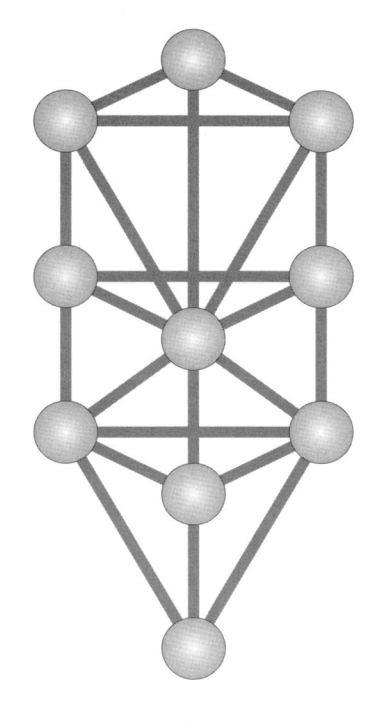

Ilustração 2-22. Árvore da Vida.

Ilustração 2-23. A Árvore e a Semente da Vida sobrepostas.

Veem como elas se encaixam perfeitamente? Elas se tornam como uma chave, uma se encaixando diretamente sobre a outra. Além disso, se observarem a Árvore da Vida que foi encontrada nos pilares egípcios, verão mais um círculo acima e outro abaixo (Ilustração 2-24). Isso significa que originalmente havia doze componentes, e a versão de doze componentes também se encaixa perfeitamente sobre a imagem da Flor da Vida como um todo. (Existe um 13º círculo sobre a Árvore que pode estar presente ou não.)

Estou tratando da geometria sagrada como se vocês nunca tivessem ouvido essas palavras na vida. Estamos começando bem do começo, e vamos avançar nesse assunto até chegarmos a um ponto em que ele faça sentido. Primeiro, podem ver a sincronicidade do modo como as formas da geometria sagrada se movimentam juntas e se encaixam perfeitamente umas nas outras. Esse é o modo pelo qual o hemisfério cerebral direito entende a natureza especial dessa geometria. À medida que estudarmos cada vez mais padrões complexos, vocês verão o mesmo tipo de relações incríveis acontecendo em tudo. A possibilidade de alguma dessas relações geométricas acontecer de algum modo é de um zilhão para um; ainda assim, vocês verão essas relações impressionantes acontecerem coerentemente.

A *Vesica Piscis*

Na geometria sagrada, existe um padrão que tem a seguinte forma (Ilustração 2-25). Ele é formado quando os centros de dois círculos de raios iguais são sobrepostos às suas circunferências. A área em que os dois círculos se cruzam forma o que é chamado de *vesica piscis*. Essa configuração é uma das mais predominantes e importantes de todas as relações da geometria sagrada, conforme começarão a perceber.

Existem duas medidas na *vesica piscis* — uma que atravessa o centro da área mais

Vesica piscis

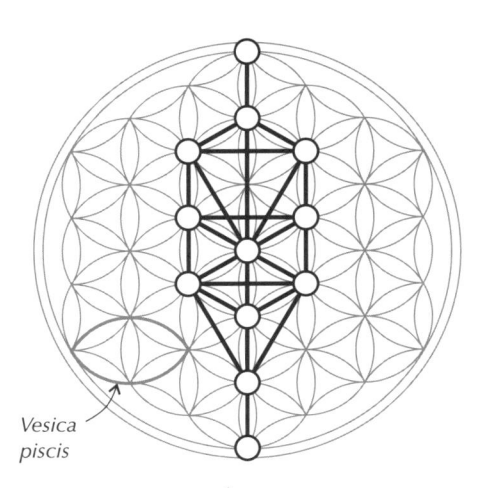

Ilustração 2-24. A Árvore da Vida com dois círculos adicionais.

estreita, e a outra que liga um ponto ao seu oposto através do centro — que são as chaves de um grande conhecimento dentro dessas informações. O que muitas pessoas não sabem é que cada linha da Árvore da Vida, tenha ela 10 ou 12 círculos, tem a medida ou do comprimento ou da largura de uma *vesica piscis* na Flor da Vida. E *todas* elas têm proporções áureas. Se observarem cuidadosamente a Árvore da Vida sobreposta, verão que *todas as linhas* correspondem exatamente ou ao comprimento ou à largura de uma *vesica piscis*. Essa é a primeira relação que se torna visível quando saímos do Grande Vazio. (O Grande Vazio é outra chave que discutiremos em breve.)

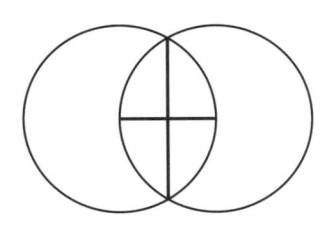

Ilustração 2-25. A *vesica piscis* com dois eixos-chave.

As Rodas Egípcias e a Viagem Dimensional

Essas rodas (Ilustração 2-26) são um dos símbolos mais antigos conhecidos. Até o momento elas foram encontradas apenas no teto de determinados túmulos egípcios muito antigos. São sempre encontradas em conjuntos de quatro ou oito e ninguém sabe o que são. Os arqueólogos egípcios mais famosos do mundo não têm a mais vaga ideia do que elas significam. Mas, para mim, elas são a prova de que os egípcios sabiam que a Flor da Vida era mais do que apenas um desenho interessante e que sabiam da maior parte, talvez até mesmo mais, sobre as informações que serão veiculadas aqui. Para entender onde as rodas entram na Flor da Vida, vocês precisam estudar os tremendos níveis de conhecimento contidos nelas. Jamais chegarão lá apenas observando os desenhos. Não é nada que possa lhes ocorrer simplesmente — precisam conhecer o *antigo segredo* da Flor da Vida.

Ilustração 2-26. Rodas em uma parede egípcia.

Esta fotografia mostra mais de um conjunto dessas rodas (Ilustração 2-27). A fotografia seguinte (Ilustração 2-28) está muito escura e dificulta a visão dos detalhes. Isso é um teto e estava completamente escuro onde fotografei. Caminhando para a direita na base do desenho veem-se sete pessoas com cabeça de animal. Elas são chamadas

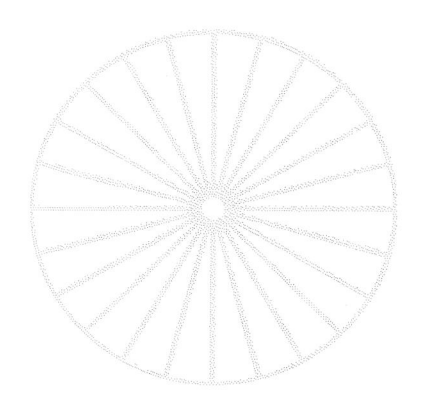

Ilustração 2-27. Rodas; nem todas as oito são visíveis aqui.

Ilustração 2-28. Rodas, *neters* e a volta de 90 graus à direita. Os círculos escuros estão acima da cabeça das imagens, as sete da parte mais baixa tendo cabeças de animais.

neters, ou deuses, e cada uma delas tem uma forma oval vermelho-alaranjada acima da cabeça, o que Thoth chamou de *ovo da metamorfose*. Os neters se concentram no momento em que atravessamos um determinado estágio da ressurreição, que é uma rápida mudança biológica em uma forma de vida diferente. Eles trazem consigo uma imagem dessa transição à medida que caminham ao longo da linha, então de repente a linha chega ao fim e dá uma guinada rápida de 90 graus para cima, e eles passam a caminhar perpendicularmente à direção anterior.

Esses 90 graus são uma parte muito importante deste trabalho. A guinada de 90 graus é decisiva para a compreensão de como tornar real a ressurreição ou ascensão. Os níveis dimensionais estão separados por 90 graus; as notas musicais são separadas por 90 graus; os chakras são separados por 90 graus — os 90 graus sempre continuam aparecendo novamente. Na verdade, para podermos entrar na quarta dimensão (ou em qualquer dimensão, a propósito), devemos dar uma guinada de 90 graus.

Provavelmente, nesta altura preciso assegurar-me de que estamos todos nos entendendo sobre o que são as dimensões — como a terceira dimensão, a quarta dimensão, a quinta dimensão, e assim por diante. Do que estamos falando? Não estou falando sobre dimensões no sentido matemático normal, como nos três eixos ou as assim chamadas dimensões do espaço: os eixos x, y e z — da frente para trás, da esquerda para a direita e de cima para baixo. Algumas pessoas chamam esses três eixos de terceira dimensão e dizem que o tempo se torna a quarta dimensão. Pois *não* é disso que estou falando aqui.

Dimensões, Harmonia e o Universo em Forma de Ondas

O que vejo como os diversos níveis dimensionais têm mais a ver com música e harmonia do que qualquer outra coisa. Provavelmente também existem diferentes conotações em relação ao que estou falando, embora a maioria das pessoas que estuda esses assuntos esteja inteiramente de acordo. Um piano tem oito teclas brancas de dó a dó, que é a oitava mais conhecida, e entre essas há cinco teclas pretas. As oito teclas brancas e as cinco teclas pretas produzem todos os sustenidos e bemóis do que chamamos de escala cromática, que tem treze notas (na realidade, doze notas, uma vez que a 13ª inicia a oitava seguinte). Assim, de um dó até o seguinte realmente existem treze passos, não simplesmente oito.

Com isso em mente, quero mostrar a vocês o conceito de onda senoidal. As ondas senoidais correspondem à luz (e ao espectro eletromagnético) e

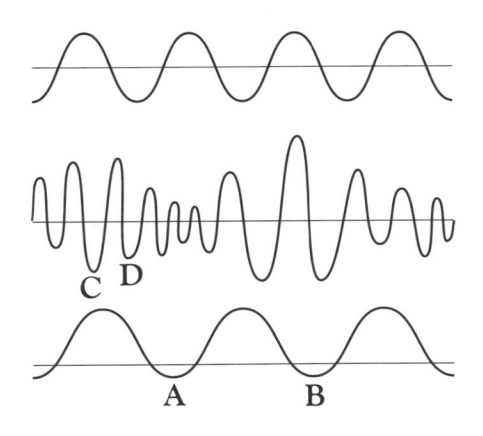

Ilustração 2-29. Exemplos de ondas senoidais.

à vibração do som. A Ilustração 2-29 mostra alguns exemplos. Provavelmente, todos temos alguma familiaridade com esse assunto. Em toda a Realidade em que nos encontramos, todas as coisas se baseiam em ondas senoidais. Não há exceções que eu saiba, a não ser quanto ao vazio em si e talvez ao espírito.

Tudo o que existe nesta Realidade é onda senoidal, ou cosseno, se quiserem considerar dessa maneira. O que faz uma coisa diferente da outra é o comprimento de onda e o padrão. O comprimento de onda se estende de um ponto qualquer na curva para o ponto onde toda a curva começa, como de A para B no comprimento de onda mais longo, ou de C para D nos comprimentos de onda mais curtos. Os comprimentos de onda verdadeiramente longos parecem-se quase com linhas retas. Por exemplo, as suas ondas cerebrais têm cerca de 10 centímetros elevados à décima potência e são quase como linhas retas saindo da sua cabeça. A física quântica, ou a mecânica quântica, considera tudo na realidade segundo uma dessas duas maneiras. Eles não sabem por que não podem observar a Realidade das duas maneiras de uma só vez, embora as geometrias indiquem por que, se vocês as estudarem cuidadosamente. Considerem qualquer objeto, como este livro, como sendo constituído de minúsculas partículas como átomos; ou podem esquecer essa ideia e simplesmente considerá-lo como uma vibração, uma forma de onda, tal como campos eletromagnéticos ou até mesmo som, se preferirem. Se o considerarem como átomos, são observadas as leis que se ajustam a esse modelo; se o considerarem como formas de onda, são observadas as leis que se encaixam *nesse* modelo.

Tudo no nosso mundo é uma forma de onda (às vezes chamada padrão ou assinatura de onda senoidal) ou pode até mesmo ser considerado som. Todas as coisas — o seu corpo, planetas, absolutamente tudo — são formas de onda. Se escolherem essa maneira particular de observar a Realidade e sobrepuserem essa visão sobre a realidade da harmonia musical (um aspecto do som), pode começar a falar sobre dimensões diferentes.

O Comprimento de Onda Determina a Dimensão

Os níveis dimensionais nada mais são do que classes distintas de comprimentos de onda. A única diferença entre esta dimensão e qualquer outra é o comprimento da sua forma de onda básica. Acontece simplesmente o mesmo como um televisor ou aparelho de rádio. Ao mudar o sintonizador, vocês captam um comprimento de onda diferente. Então recebem uma imagem diferente na tela do seu televisor ou uma estação diferente no seu aparelho de rádio. Acontece exatamente o mesmo nos níveis dimensionais. Se mudassem o comprimento de onda da sua consciência, e assim mudassem todos os seus padrões corporais para um comprimento de onda diferente deste universo, vocês literalmente desapareceriam deste mundo e reapareceriam naquele em que estivessem sintonizados.

Isso é exatamente o que fazem os Ovnis quando são vistos cruzando o céu, se algum de vocês já viu um. Eles se lançam a velocidades inacreditáveis, então dão uma guinada de 90 graus e desapareçam. As pessoas a bordo dessas naves não são transportadas através do espaço como são nos aviões. Os passageiros das naves espaciais estão conscientemente conectados fisicamente ao próprio veículo e quando estão prontos para viajar a outro mundo, entram em meditação e ligam todos os aspectos de si mesmos em uma unidade. Então eles fazem ou uma guinada de 90 graus ou duas guinadas de 45 graus de uma só vez em pensamento, realmente levando toda a nave, juntamente com os seus passageiros, para outra dimensão.

Este universo — e com isso quero dizer todas as estrelas e átomos eternamente entrando e saindo — tem um comprimento de onda básico de 7,23 centímetros. Podem escolher qualquer ponto deste prédio e entrar e sair infinitamente para sempre dentro deste universo em particular. No sentido espiritual, esse comprimento de onda de 7,23 centímetros é Om, o som hindu do universo. Todos os objetos deste universo produzem um som de acordo com a sua construção. Todos os objetos fazem um som exclusivo. Se calcularem a média dos sons de todos os objetos deste universo, esta terceira dimensão, obterão esse comprimento de onda de 7,23 centímetros, e esse seria o som verdadeiro do Om para esta dimensão.

Esse comprimento de onda também é a distância média exata entre os nossos olhos, do centro de uma pupila à outra — quer dizer, se considerarmos uma centena de pessoas e calcularmos a sua média. Também é a distância média exata da extremidade do nosso queixo para a extremidade do nariz, a distância das palmas das nossas mãos e a distância entre os nossos chakras, para dar mais alguns exemplos. Esse comprimento de onda de 7,23 centímetros localiza-se em todo o nosso corpo de diversas maneiras, porque surgimos dentro deste universo em particular e ele está gravado dentro de nós.

Foram os laboratórios Bell que descobriram esse comprimento de onda, não alguma pessoa espiritualizada sentada em uma caverna de algum lugar. Quando instalaram pela primeira vez o sistema de micro-ondas abrangendo todos os Estados Unidos e o ligaram, o sistema apresentou estática. Vejam, os laboratórios Bell escolheram por acaso uma frequência ligeiramente superior a 7 centímetros para ser enviada pelo sistema. Por que escolheram esse comprimento de onda, não sei. Eles tentaram encontrar a estática, verificaram o equipamento, tentaram tudo o que puderam. Primeiro, pensaram que a estática vinha de dentro da Terra. Finalmente, eles olharam para o céu e a encontraram, então disseram: "Ah, não, ela está vindo de *todos os lugares!*" Para se livrar da estática, eles fizeram algo de que nós como país e como planeta *ainda* estamos sofrendo as consequências: eles aumentaram a potência 50 mil vezes acima daquela que normalmente precisariam, o que fez surgir um campo muito potente, de modo que o comprimento de onda de 7,23 cm proveniente de toda parte não interferisse mais.

As Dimensões e a Escala Musical

Por razões como as citadas anteriormente, acredito que 7,23 centímetros seja o comprimento de onda do nosso universo, esta terceira dimensão. À medida que subimos nos níveis dimensionais, o comprimento de onda vai se tornando cada vez menor, com uma energia cada vez mais elevada. À medida que descemos nos níveis dimensionais, o comprimento de onda torna-se cada vez maior, com uma energia cada vez menor, cada vez mais densa. A exemplo do que acontece com o piano, há um espaço entre as notas, de modo que, quando tocamos uma nota, há um lugar muito definido onde fica a nota seguinte. Neste universo em forma de onda em que existimos, há um lugar muito definido onde existe o próximo nível dimensional. É um comprimento de onda específico relativo a este. A maioria das culturas no cosmos tem a sua compreensão básica do universo, e elas sabem como transitar entre as dimensões. Nós já nos esquecemos completamente. Queira Deus venhamos a nos lembrar.

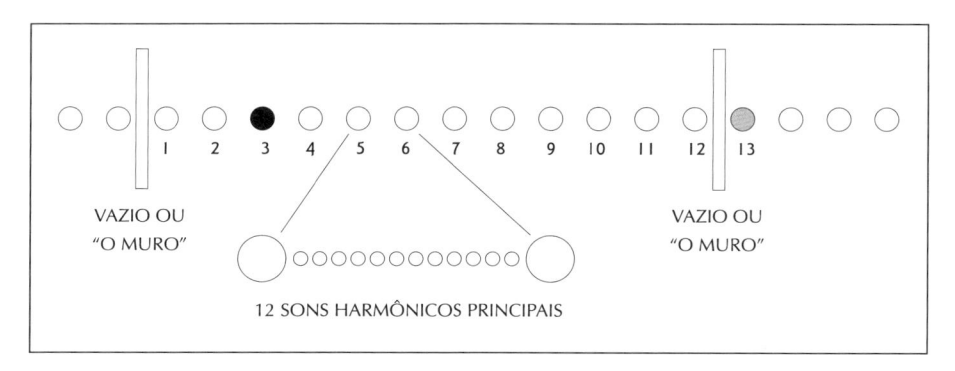

Ilustração 2-30. Uma oitava entre os muros. O círculo preto representa a terceira dimensão; o círculo sombreado marca o fim de uma oitava e o começo da seguinte.

Os músicos, os teóricos da música e os físicos descobriram há muito tempo que existem lugares entre as notas chamados sons harmônicos. Entre cada passo da escala cromática existem doze sons harmônicos principais. (Um grupo na Califórnia descobriu mais de duzentos sons harmônicos secundários entre cada nota.)

Se mostrarmos cada nota da escala cromática como um círculo, teremos treze círculos (Ilustração 2-30). Cada círculo representa uma tecla branca ou preta, e o círculo sombreado no final é a 13ª nota que dá início à oitava seguinte. O círculo preto nesta ilustração representa a terceira dimensão, o nosso universo conhecido, e o quarto círculo, a quarta dimensão. Os doze sons harmônicos principais entre quaisquer duas notas, ou dimensões, são uma réplica do padrão maior. É holográfico. Se formos além, entre cada som harmônico descobriremos outros doze sons harmônicos que reproduzem o padrão integral. Isso continua para cima e para baixo literalmente para sempre. Isso é chamado progressão geométrica, apenas em harmonia. Se continuarem a estudá-la, descobrirão que cada uma das escalas musicais únicas que foram descobertas *produz uma oitava diferente de experiência* — mais universos a explorar! (Esse é outro assunto a que voltaremos.)

Provavelmente vocês já ouviram as pessoas comentar sobre as 144 dimensões e como o número 144 se relaciona com outros temas espirituais. Isso acontece porque existem doze notas em uma oitava, e doze sons harmônicos entre cada nota; e 12 x 12

= 144 níveis dimensionais entre cada oitava. Para ser específico, existem 12 dimensões principais e 132 dimensões secundárias dentro de cada oitava (embora, na verdade, a progressão prossiga eternamente). Este diagrama representa uma oitava. A 13ª nota repete a primeira, então há outra oitava acima dessa. Existe uma oitava de universos abaixo deste e uma oitava acima, e isso teoricamente continua eternamente. Assim, por maior e por mais infinito que *este* universo pareça (o que é apenas uma ilusão de qualquer maneira), existe ainda um número infinito de outros meios de expressar a Realidade única, e cada dimensão é *percebida* de maneira completamente diferente de todas as demais.

É disso que trata grande parte deste ensinamento — lembrar aos que estão aqui na Terra de que nos situamos na terceira dimensão sobre um planeta que se encontra no processo *neste exato momento* de tornar-se quadridimensional e mais além. O componente tridimensional deste planeta está prestes a tornar-se inexistente para nós depois de um tempo — estaremos conscientes desta dimensão por apenas mais um breve período de tempo. Primeiramente, passaremos por determinados sons harmônicos da quarta dimensão. A maioria das pessoas das dimensões superiores que estão observando e ajudando nesse processo acredita que passaremos para as dimensões superiores bem rapidamente.

O Muro entre as Oitavas

Entre cada universo de nota inteira e entre cada subespaço ou universo harmônico, não existe nada, coisa nenhuma, absolutamente nada. Cada um desses espaços é chamado de *vazio*. O vazio entre cada dimensão é chamado de *duat* pelos egípcios ou *bardo* pelos tibetanos. Toda vez que se passa de uma dimensão ou som harmônico para a seguinte, atravessa-se um vazio ou escuridão intermediária. Mas determinados vazios são "mais escuros" do que outros, e o mais escuro desses existe entre as oitavas. Eles são mais potentes do que os vazios que existem dentro de uma oitava. Por favor, entendam que estamos usando palavras que não conseguem explicar plenamente esse conceito. Esse vazio que existe entre as oitavas pode ser chamado de Grande Vazio ou o Muro. É como um muro que é preciso atravessar para chegar à oitava acima. Deus colocou esses vazios ali dessa maneira por certas razões que logo se tornarão evidentes.

Todas essas dimensões estão sobrepostas umas sobre as outras, e *todo ponto no espaço-tempo contém todas elas*. A passagem para qualquer uma delas existe em toda parte. Isso se mostra conveniente — não é preciso procurar por ela, basta saber como acessá-la. Embora haja determinados lugares sagrados nas geometrias da nossa realidade aqui na Terra, onde é mais fácil tornar-se consciente das diversas dimensões e sons harmônicos — lugares sagrados, que são pontos nodais conectados à Terra e aos céus (também falaremos sobre eles depois) —, também existem lugares específicos no espaço que estão ligados às geometrias do espaço. Esses lugares às vezes são indicados por exploradores como portais estelares, aberturas a outros níveis dimensionais por onde é mais fácil passar. Mas, na verdade, é possível ir a qualquer lugar a partir de qualquer lugar. Realmente não importa onde você está, se compreende verdadeiramente as dimensões e, é claro, é capaz do amor divino.

Mudando de Dimensão

Voltando àquelas pessoas no teto do templo (algumas páginas atrás), elas estão mudando de dimensão. Estão dando uma guinada de 90 graus e mudando o seu comprimento de onda. E aquelas rodas, conforme verão adiante, estão ligadas à harmonia musical — e vocês sabem que a harmonia musical está ligada aos níveis dimensionais. Uma vez que as pessoas no teto estão fazendo essa mudança enquanto pensam sobre metamorfose e ressurreição, acredito que essas rodas na verdade nos digam exatamente para onde elas foram, para qual dimensão. Quando chegarmos ao fim, você vão entender do que estou falando.

A Estrela Tetraédrica

Esta estrela tetraédrica com a imagem de Leonardo por trás dela (Ilustração 2-31) vai tornar-se uma das ilustrações mais importantes desta obra. O que vocês estão vendo é um desenho bidimensional, mas pensem nele em três dimensões. Acontece que existe uma estrela tetraédrica, conforme é mostrada aqui, em torno de cada corpo humano. Vamos gastar um bom tempo para levar cada um de vocês ao ponto de poder ver que realmente tem essa imagem ao redor do seu corpo. Observem especialmente que há um tubo passando pelo centro do corpo, pelo qual podemos respirar a energia de força vital, e os dois vértices no alto e embaixo desse tubo ligam a terceira dimensão à quarta dimensão. Vocês podem inspirar o prana quadridimensional diretamente através do tubo. Poderão estar no vácuo, num vazio total, sem nenhum ar para respirar, e sobreviver completamente se conseguirem aplicar na prática os princípios deste conhecimento.

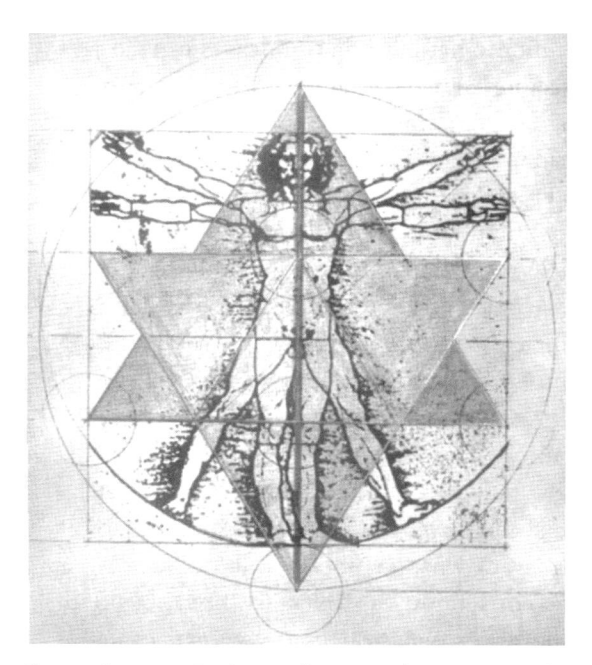

Ilustração 2-31. O cânone de Leonardo, com a estrela tetraédrica simbolizando o Mer-Ka-Ba, e o tubo de prana central.

Conforme demonstrou Richard Hoagland nas Nações Unidas e na NASA, atualmente estamos começando a redescobrir esse campo cientificamente. Exatamente conforme é mostrado ao redor de Leonardo, ele também existe ao redor dos planetas, sóis e até mesmo corpos maiores. Essa pode tornar-se a explicação padrão de como alguns desses planetas exteriores sobrevivem no espaço. Por quê? Os planetas irradiam da superfície muito mais energia do que recebem do Sol, muito mais. De onde vem essa energia? Com esse novo conhecimento, se Leonardo fosse um planeta em vez de uma pessoa, os pontos dos polos norte e sul estariam captando imensas quantidades de energia de outra dimensão (ou dimensões). Os planetas literalmente existem em mais de uma dimensão, e se pudessem ver inteiramente a Terra em toda a sua glória — os diversos campos e energias ao redor do planeta — vocês ficariam impressionados. A Mãe Terra é muito mais intrincada e complexa do que nós neste nível denso podemos perceber. Essa canalização de energia na verdade é o que acontece com as pessoas também. E a dimensão particular (ou dimensões) de onde vem essa energia depende de como respiramos.

No desenho de Leonardo, o tetraedro apontando para cima, para o Sol, é masculino. O que aponta para baixo, para a Terra, é feminino. Vamos chamar o masculino de tetraedro *Sol* e o feminino de tetraedro *Terra*. Só existem duas maneiras simétricas pelas quais o ser humano pode olhar para fora dessa forma de estrela tetraédrica, com uma ponta da estrela acima da cabeça e uma ponta abaixo dos pés e com o alinhamento do corpo humano olhando para o horizonte: para o corpo masculino olhando a partir dessa forma, o seu tetraedro Sol tem uma ponta voltada para a frente, e a face plana oposta nas costas; o seu tetraedro Terra tem uma ponta voltada para as costas e a face plana oposta à sua frente (Ilustração 2-32a).

No caso do corpo feminino olhar para fora da sua forma, o seu tetraedro Sol tem a face plana na frente e a ponta voltada para as costas; e o seu tetraedro Terra tem uma ponta voltada para a frente e a face plana oposta às suas costas (Ilustração 2-32b). Explicaremos a meditação Mer-Ka-Ba até a respiração catorze no volume 2. Primeiro, eu gostaria de apresentar outros aspectos de modo que possam começar a se lembrar e preparar-se para a reativação final do seu corpo de luz, o Mer-Ka-Ba. De ime-

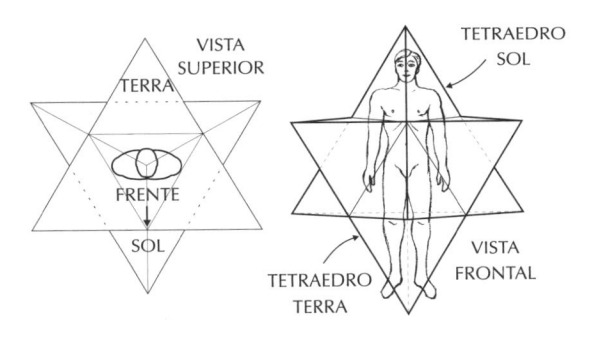

Ilustração 2-32a. O homem na sua estrela tetraédrica.

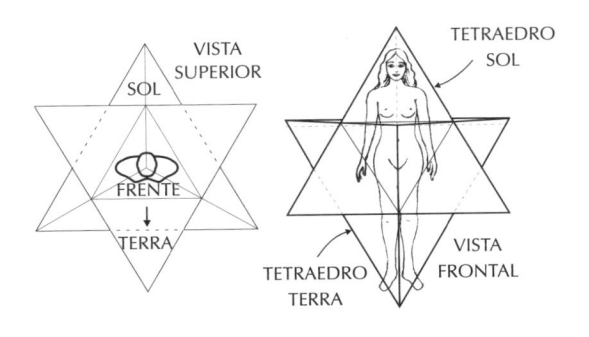

Ilustração 2-32b. A mulher na sua estrela tetraédrica.

diato, começaremos falando sobre a respiração iogue, com a qual provavelmente muitos de vocês já estão familiarizados. Então, depois disso, vamos aprender sobre os mudras. Vamos prosseguir passo a passo até estarmos prontos para experimentar a respiração esférica, o estado de ser a partir do qual o seu Mer-Ka-Ba pode ganhar vida.

Trindade na Dualidade: A Trindade Sagrada

Para compreender a situação aqui na Terra, apresentaremos outra informação de referência à medida que prosseguirmos. Na natureza, a lei dos opostos parece manifestar-se em toda a nossa realidade, como masculino e feminino ou quente e frio. Na verdade, isso é insuficiente. Realmente, todas as manifestações na nossa realidade têm *três* componentes. Vocês ouvem as pessoas falarem sobre as polaridades masculina e feminina e sobre a consciência de polaridade; essa não é toda a verdade. Jamais existiu uma polaridade nesta realidade sem um terceiro componente, com uma rara exceção de que trataremos em um instante.

Existe uma trindade em quase todas as situações. Vamos pensar em alguns exemplos do que normalmente chamamos de polaridade. Que tal preto e branco, quente e frio, alto e baixo, masculino e feminino e Sol e Terra? Para preto e branco, existe cinza; para quente e frio, existe morno; para alto e baixo, existe o médio; para masculino e feminino, existe o filho, para o Sol e a Terra (masculino e feminino), existe a Lua (filha). O tempo também existe com três componentes: passado, presente e futuro. A relação mental de como vemos o espaço é com os eixos x, y, z — frente e costas, esquerda e direita, em cima e embaixo. Até mesmo em cada uma dessas três dimensões existe um ponto mediano ou neutro, criando três partes.

Provavelmente, o melhor exemplo é a estrutura da matéria propriamente dita na sua terceira dimensão. A matéria é feita de três partículas básicas: prótons, elétrons e nêutrons. No próximo nível superior de organização das três partículas básicas vocês encontrarão átomos, e no nível inferior seguinte, divisões mais diminutas de partículas. De maneira semelhante, a consciência percebe a si mesma no meio entre o macrocosmo e o microcosmo. Se analisarem detidamente cada nível, sempre encontrarão a trindade.

Existe uma exceção especial, como quase sempre existe. Ela está relacionada ao início das coisas. Os aspectos primários normalmente *sempre* têm uma dualidade, mas eles são extremamente raros. Um exemplo é encontrado nas sequências numéricas. Sequências como 123456789..., ou 2-4-6-8-16-32..., ou 1-1-2-3-5-8-13-21... — e na verdade todas as sequências conhecidas — de maneira bastante estranha precisam de um mínimo de três números sucessivos da sequência para que se calcule a sequência inteira, com uma exceção: a espiral logarítmica áurea, que precisa de apenas dois. Isso acontece porque a espiral é a fonte de todas as outras sequências. Da mesma forma, os átomos todos têm três partes, conforme mencionado, com a única exceção do primeiro átomo: o hidrogênio. O hidrogênio só tem um próton e um elétron; não tem nêutron.

Se tiver um nêutron, o que é o passo seguinte, ele é chamado de hidrogênio pesado, mas o verdadeiro princípio da matéria tem apenas dois componentes.

Já que mencionamos números exibindo a trindade, podemos também considerar as cores. Existem três cores primárias das quais são criadas as três cores secundárias. Isso significa que o universo como o conhecemos atualmente — todas as coisas criadas — é composto de três partes primárias com exceção nas suas raras áreas primordiais. Além disso, a própria natureza de como o universo é percebido pela consciência humana é através das três principais maneiras de que acabamos de falar: tempo, espaço e matéria, as quais são todas um reflexo da trindade divina.

Uma Avalanche de Conhecimento

A maioria das pessoas atualmente está consciente de que algo incomum está se passando aqui na Terra. Vivemos num tempo extremamente acelerado e estão acontecendo muitas coisas que nunca vimos antes. Existem mais pessoas no planeta do que jamais existiram e, se continuarmos na mesma taxa, em poucos anos dobraremos a população para cerca de 11 ou 12 bilhões de pessoas.

Com relação à nossa curva evolutiva de aprendizado humano, a disseminação de informações sobre o planeta está aumentando mais rápido do que a população. Esse é um fato, de acordo com a *Encyclopedia Britannica*. Desde a época da mais antiga civilização humana conhecida, os antigos sumérios (cerca de 3800 a.C.), continuando por quase 5,8 mil anos até aproximadamente 1900 d.C., um determinado número de elementos mínimos de informação foram coletados, um determinado número de supostos fatos que agregamos para determinar precisamente quantas coisas sabemos. Cinquenta anos depois, de 1900 a 1950, o nosso conhecimento dobrou. Isso significa que foram necessários 5,8 mil anos para aprender uma determinada quantidade, depois foram necessários cinquenta para dobrá-la — impressionante! Mas então nos *vinte anos seguintes*, por volta de 1970, duplicamos de novo. Foram necessários apenas mais dez anos, por volta de 1980, para dobrar *tudo!* Agora está dobrando em poucos anos.

O conhecimento está vindo como uma avalancha. As informações aceleraram a tal ponto em meados da década de 1980 que a NASA não conseguia armazená-las nos seus computadores com velocidade suficiente. Ouvi dizer que, por volta de 1988, eles estavam com oito ou nove anos de atraso em relação à simples entrada das informações. Ao mesmo tempo, essa avalanche de conhecimento está se acumulando, os próprios computadores, que impulsionam essa aceleração, estão prestes a sofrer uma enorme mudança. Aproximadamente a cada dezoito meses os computadores dobram a sua capacidade em termos de velocidade e memória. Primeiro saiu o 286, depois o 386; então tivemos o 486, e agora apareceu o 586 (estamos em 1993), tornando o 486 obsoleto. Nem ao menos sabíamos como usar o 486 quando surgiu o 586. E já estava sendo projetado o 686. Na virada do século ou pouco depois, um computador doméstico será tão potente e rápido que ultrapassará todos os computadores atuais (de 1993) da NASA e do Pentágono juntos.

Atualização: O Pentágono anunciou que desenvolveu um computador que só requer um segundo para computar o que um PC de 250 MH e 3 GB faria em 30 mil anos. Em um dia esse computador pode processar o que um PC faria em 2,6 bilhões de anos! Eu chamaria a isso de algo mais do que um salto quântico.

Um só computador será tão rápido e potente que na verdade poderá observar a Terra como um todo e emitir previsões do tempo para cada metro quadrado do planeta. Ele fará coisas que atualmente parecem absolutamente impossíveis. E estaremos começando a acelerar a nossa capacidade de alimentação de dados: atualmente, quantidades imensas de informações são introduzidas diretamente de outros computadores, escâneres e por sistemas de voz. Assim, com essa incrível quantidade de conhecimento entrando na consciência humana, torna-se óbvio que está começando uma mudança importante na humanidade.

Durante milhares de anos as informações espirituais foram mantidas em segredo. Os sacerdotes e as sacerdotisas de diversas religiões ou cultos davam a vida para manter o resto do mundo ignorante sobre um dos seus documentos ou instrumentos de conhecimento espiritual secretos, assegurando-se de que seriam mantidos em segredo. Todos os diversos grupos espirituais e religiões ao redor do mundo tinham as suas informações secretas. Então, subitamente, em meados da década de 1960, o véu do segredo foi levantado. Em uníssono, quase todos os grupos espirituais do mundo abriram os seus arquivos no mesmo momento da história. É possível folhear livros na livraria do bairro e ver as informações que tinham sido seladas e guardadas por milhares de anos. Por quê? Por que agora?

A vida neste planeta está se acelerando cada vez mais rápido, obviamente para culminar em algo novo e diferente, talvez fora do alcance da nossa imaginação normal. Estamos sempre mudando. O que isso significa para o mundo? Por que está acontecendo? Melhor ainda, por que isso está acontecendo *agora*? Por que não aconteceu mil anos atrás? Ou por que não espera para acontecer daqui a 100, mil ou 10 mil anos? Realmente, é importante entender a resposta a essa pergunta, porque se vocês não souberem por que isso está acontecendo agora, então provavelmente não entenderão o que está acontecendo na *sua* vida nem estarão preparados para as mudanças que virão.

Embora não queira entrar no mérito do verdadeiro significado do que está acontecendo, uma das respostas está no fato de que o computador é feito de silício e nós somos feitos de carbono. Há uma ligação na relação do silício com o carbono, mas deixarei esse assunto por um momento e continuarei com a natureza incomum do que está acontecendo aqui na Terra.

A Relação da Terra com o Cosmos

Vamos voltar a falar sobre Sírius e a Terra. Você está aqui (Ilustração 2-33) e é aqui que começamos no quadro como um todo. De onde estamos neste terceiro planeta ao redor do Sol, a íntima ligação da Terra com Sírius não pode ser compreendida muito facilmente. Você precisa ir dentro do espaço profundo para encontrar coisas

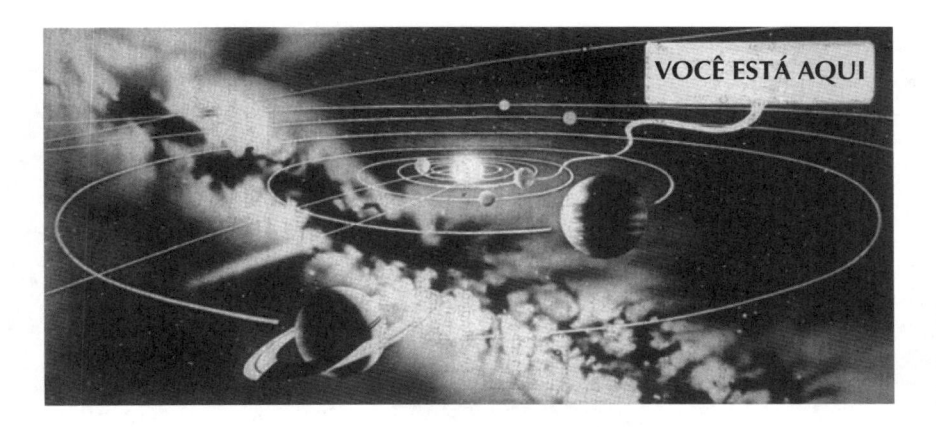

Ilustração 2-33. Localização da Terra no sistema solar.

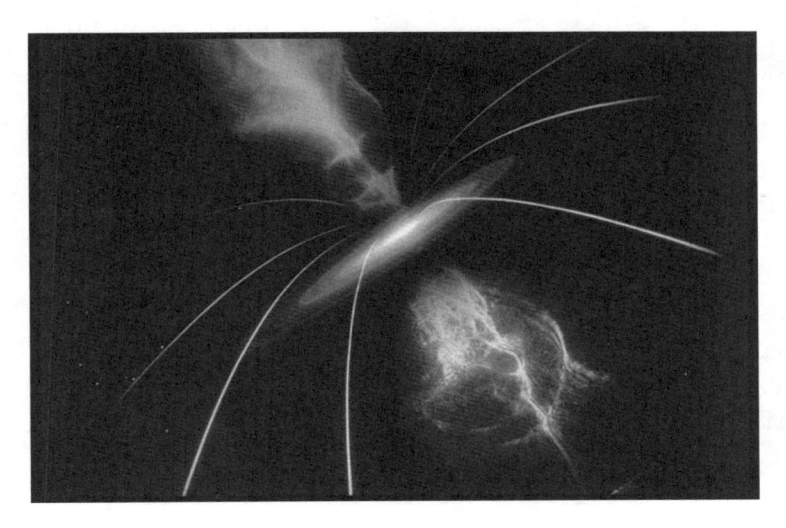

Ilustração 2-34. Acreditava-se que os quasares (qualquer classe de objetos celestiais semelhantes a uma estrela) fossem os objetos luminosos mais distantes do universo.

assim (Ilustração 2-34), que talvez não reconheça — pelo menos a maioria das pessoas não reconhece. Este é um quasar, e é enorme. Ele desafia todas as leis da física e não sabemos o que será que está fazendo. Mas não é isso que eu quero que observem realmente.

Espirais no Espaço

A próxima fotografia é uma pouco mais próxima e mais familiar para nós (Ilustração 2-35). Essa é uma galáxia, obviamente não a nossa, porque é muito difícil fotografar a si mesmo dentro de si mesmo. (O grupo no fundo à direita é uma nebulosa e é quase certamente muito, muito mais próxima do que a galáxia; elas não estão ligadas.) Observem as estrelas saindo da galáxia em uma espiral branca. A exatamente 180 graus no lado oposto uma das espirais é outra espiral emergente. Acredito que haja oito formas conhecidas de galáxias — embora todas elas sejam funções umas das outras — e esse é o modelo primário.

Ilustração 2-35. Galáxia em espiral.

Por muito tempo, os astrônomos pensaram seriamente que o que se via lá era o que existia; se não pudesse ser visto, não existia. Eles ignoravam totalmente o lado invisível da Realidade, ou não julgavam que fosse importante. Mas o lado invisível da nossa Realidade é na verdade muito maior do que o lado visível, e provavelmente mais importante. Na verdade, se todo o espectro eletromagnético fosse uma linha de mais ou menos um metro de comprimento, então a luz visível, com que vemos os objetos, seria uma faixa de cerca de 0,08 centímetro de largura. Em outras palavras, a parte visível da Realidade é muito menor do que 1 por cento do total — quase nada. O universo invisível é realmente o nosso verdadeiro lar.

Há muito mais. Existem coisas até mesmos *além* do espectro eletromagnético que estamos apenas começando a entender. Por exemplo, descobriu-se que, quando um sol antigo explode e morre, como aquele no fundo à direita da fotografia, parece ocorrer apenas na área escura da espiral (mostrado pela seta A), indicando que há uma diferença entre o espaço profundo (seta B) e o espaço interior entre as espirais de luz. Portanto, estamos começando a entender que existe uma diferença nítida entre as duas áreas do espaço assim como entre as áreas escuras e iluminadas da galáxia. Há algo diferente quanto às áreas escuras da espiral que parece estar relacionado com as áreas iluminadas.

Nossa Conexão com Sírius

A observação dessas características de uma espiral galáctica levou a outra descoberta. Outros cientistas notaram que, embora o nosso sistema solar se mova através do espaço, ele não se move em linha reta, mas segundo um padrão helicoidal, uma espiral. Bem, essa espiral não é possível a menos que estejamos gravitacionalmente ligados a outro corpo grande, como um outro sistema solar ou algo maior. Por exemplo, muitas pessoas pensam que a Lua gira ao redor da Terra, certo? Não é o que acontece. Ela nunca faz isso. A Terra e a Lua giram *ao redor uma da outra,* e há um terceiro componente entre elas a aproximadamente um terço da distância da Terra à Lua, que é o ponto pivotante, e a Terra e a Lua giram ao redor desse ponto em um padrão helicoidal enquanto elas também se movem ao redor do Sol. Isso acontece porque a Terra está ligada a um corpo muito grande, que é a Lua. A nossa lua é imensa, e está fazendo com que a Terra se mova segundo um padrão determinado. E uma vez que todo o sistema solar está espiralando da mesma maneira através do espaço, então todo o sistema solar deve estar ligado gravitacionalmente a algum *outro* corpo muito grande.

Portanto, os astrônomos começaram a procurar esse corpo que estava atraindo o nosso sistema solar. Primeiramente, eles o reduziram até uma determinada área do céu com que estávamos ligados, depois foram reduzindo cada vez mais, até que alguns anos atrás finalmente o localizaram em um determinado sistema solar. Estamos ligados à estrela Sírius — a Sírius A e Sírius B. O nosso sistema solar e o sistema de Sírius estão intimamente ligados por meio da gravitação. Movemo-nos juntos através do espaço, espiralando ao redor de um centro comum. O nosso destino e o destino de Sírius estão intimamente ligados. Formamos *um sistema!*

Desde que os cientistas souberam que a área escura dentro de uma galáxia em espiral é diferente, eles descobriram que as estrelas não se movem só ao longo do braço encurvado da espiral. Se alguém girasse uma mangueira de água acima da cabeça e vocês observassem a cena de cima, veriam gotas que pareceriam mover-se em espirais. Podem imaginar isso? Cada gota isolada, no entanto, não estaria se movendo em espiral, mas estaria se movendo radialmente para fora, em linha reta a partir do centro; só *pareceriam* mover-se em espirais. O mesmo acontece com uma galáxia. Cada uma dessas estrelas está na verdade movendo-se radialmente para fora.

Ao mesmo tempo que as estrelas estão se movendo radialmente para fora do centro, elas também estão se movendo, independentemente do sistema como um todo, de um braço através da luz escura dentro da luz branca, orbitando o sistema galáctico como um todo. Provavelmente são necessários bilhões de anos — não sei — para um ciclo se completar.

Imaginem que a Ilustração 2-36 seja uma galáxia vista de cima e que a cor escura represente as espirais de luz preta e a cor clara represente as espirais de luz branca. Vista de perfil, ela se assemelha a um disco voador. A órbita que fazemos ao redor do centro da galáxia tem dentro de si um movimento espiral semelhante a um regador giratório. Além do nosso sistema solar, o mesmo movimento espiral é visto entre Sírius A e Sírius B (vejam a Ilustração 1-4 do capítulo 1). A espiral da Terra e da Lua, acredito eu, é diferente. Esse movimento em espiral das duas estrelas Sírius acontece de ser idêntico às geometrias da molécula de DNA, de acordo com um cientista australiano. Isso faz suspeitar que talvez exista uma relação no desenvolvimento das coisas, que as coisas acontecem de acordo com um plano maior, semelhante ao desenvolvimento do corpo humano orientado pelas informações contidas no DNA. É claro que se trata apenas de especulação, mas por causa do princípio "assim como em cima, também embaixo", isso é altamente provável.

Portanto, temos duas perguntas relacionadas ainda sem resposta. Uma, por que Sírius é tão importante, o que é explicado pela nossa ligação gravitacional com ela. A outra é: por que esse padrão de evolução extremamente rápido pelo qual estamos passando na Terra hoje em dia está acontecendo neste momento da história? Vamos seguir examinando o céu. Primeiro, eis duas informações suplementares a serem compartilhadas.

Os Braços Espirais de uma Galáxia, a Esfera Circundante e o Envoltório de Calor

A Ilustração 2-37 é da *National Geographic*, mostrando o que foi descoberto pouco tempo atrás. Descobriu-se que as galáxias são envolvidas por esferas de energia. Observe a minúscula galáxia com os braços espiralados, juntamente com um grupo de estrelas soltas, todas contidas na esfera de energia. Então do lado de fora daquela esfera há outra esfera enorme de energia, com uma minúscula galáxia dentro dela. À medida que avançarmos, vocês verão que têm exatamente o mesmo campo ao *seu* redor.

A Ilustração 2-38 é uma fotografia do envoltório de calor de uma galáxia, ligeiramente inclinado, feita com uma câmera infravermelha. Ele se parece com um disco voador. Tem um grande círculo ao redor do limite exterior, que é escuro porque o limite exterior está se movendo muito rapidamente. Esse envoltório de calor está exatamente nas mesmas proporções que o Mer-Ka-Ba ao redor do seu corpo quando está ativado por meio da respiração e da meditação. Ao seguir um determinado procedimento de respiração, você percebe que se forma um campo de cerca de 16,50 metros de extensão ao redor do seu corpo, o qual se parece com esse envoltório de calor. Com o

Atualização: Esta atualização não fará um sentido completo enquanto vocês não compreenderem plenamente o Mer-Ka-Ba, mas este é o ponto mais adequado para introduzi-lo. O astrofísico William Purcell descobriu (segundo reportagem de 12 de maio de 1997, da revista *Time*) que "um colosso de antimatéria", um tubo a 90 graus em relação ao plano da galáxia, "está sendo expelido do centro da nossa galáxia e alcançando trilhões de quilômetros no espaço". Isso lembra as mesmas geometrias do Mer-Ka-Ba em nível galáctico.

Ao mesmo tempo, astrônomos de Cornell descobriram que cerca de 80 por cento das estrelas da galáxia NGC 4138 (na maioria estrelas mais velhas) estão girando em uma direção, ao passo que cerca de 20 por cento das estrelas (na maioria estrelas mais jovens) estão girando na direção oposta, juntamente com uma imensa nuvem de gás hidrogênio. Essas descobertas foram apresentadas em 18 de janeiro de 1977, na American Astronomy Society. Esse é um campo de contrarrotação. Não só as galáxias se parecem com campos Mer-Ka-Ba, mas também elas parecem ter a mesma dinâmica interna! (É claro, eu pessoalmente acredito que as galáxias são seres vivos e que não são outra coisa *a não ser* um imenso campo Mer-Ka-Ba.) Além disso, físicos da University

Ilustração 2-36. Galáxia em espiral, vista superior (acima) e lateral (embaixo).

Ilustração 2-37. Esferas de energia galáctica.

equipamento adequado, você pode vê-lo na tela do computador, uma vez que ele tem um componente eletromagnético na faixa de micro-ondas. Esse é um fenômeno muito real. Tem a mesma forma do Mer-Ka-Ba que, se você quiser, poderá ativar ao redor do seu corpo.

A Precessão dos Equinócios e Outras Oscilações

Prosseguindo em saber a razão por que as mudanças estão acontecendo neste momento: a nossa Terra atualmente se inclina a aproximadamente 23 graus em relação ao plano da sua órbita ao redor do Sol, e enquanto a Terra orbita o Sol, o ângulo com que a luz atinge a superfície da Terra muda, dependendo de onde ela está na sua órbita. É por isso que temos as quatro estações.

Dentro dessa rotação anual existe outra oscilação muito lenta, que a maioria das pessoas conhece como a precessão dos equinócios, que leva quase 26 mil anos para completar-se. Para ser mais preciso, são cerca de 25.920 anos — dependendo de quem você consulta, porque cada autor apresenta uma diferença de alguns anos. Existem também outras oscilações. Por exemplo, aquele ângulo de 23 graus em relação ao Sol não é fixo; há uma oscilação de cerca de 40 mil anos onde ele muda cerca de três graus — de cerca de

of Kansas descobriram evidências que mudam a crença muito antiga de que o espaço é o mesmo em todas as direções. O pesquisador John Ralston relatou que "parece haver um eixo absoluto, uma espécie de Estrela do Norte cosmológica, que orienta o universo". Essa obra foi publicada na edição de 21 de abril de 1997 da *Physical Review Letters*.

Também se descobriu que a luz se desloca de maneira diferente ao longo desse eixo do que em outros lugares. Atualmente, existem duas velocidades da luz diferentes! O *eixo* é a chave para o campo Mer-Ka-Ba vivo, e essa descoberta pode acabar por provar que todo o universo é realmente um gigantesco campo Mer-Ka-Ba vivo. Depois que estiverem conscientes do seu próprio Mer-Ka-Ba, tornem a ler esta parte e compreenderão.

Ilustração 2-38. Envoltório de calor galáctico.

23 a cerca de 26 graus. Depois, há outra oscilação dentro da pequena oscilação de três graus que completa um ciclo aproximadamente a cada catorze anos. Agora, dizem que descobriram ainda uma outra. Se vocês lerem os antigos textos sânscritos, *todas* essas oscilações são profundamente importantes para a consciência no planeta. Elas estão diretamente ligadas a eventos específicos e ao momento que esses eventos acontecem no planeta — assim como o nosso DNA está ligado às diversas fases no crescimento do corpo humano.

Por ora, só quero considerar a oscilação principal, que é chamada a *precessão dos equinócios* (Ilustração 2-39). Essa oscilação se move de acordo com um padrão ovalado, e a grande oval da Ilustração 2-40 é a própria oscilação. A extremidade direita, no eixo mais longo da oval, é chamada o apogeu, que aponta para o centro da galáxia. A metade inferior da oval mostra quando o planeta está se encaminhando *na*

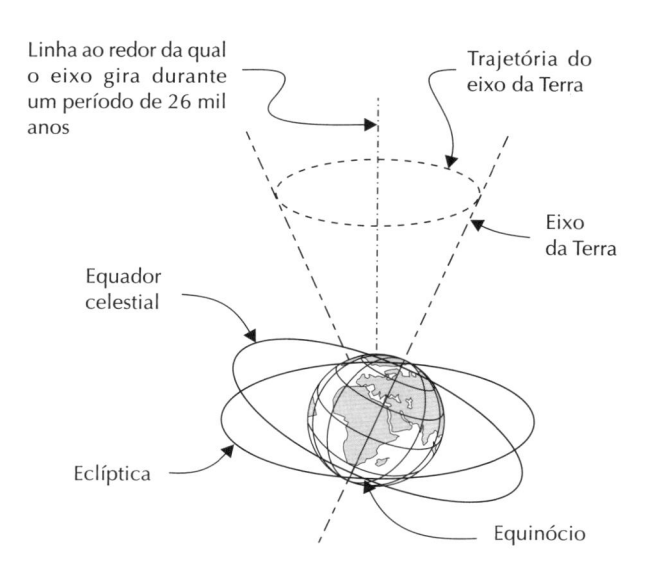

Ilustração 2-39. A precessão dos equinócios (o ponto em que o equador celestial da Terra cruza sua eclíptica) se deve à lenta rotação do eixo da Terra ao redor de uma perpendicular à eclíptica.

direção do centro da galáxia, e a metade superior mostra quando o planeta faz o seu regresso e está se dirigindo *para longe* do centro. Esse movimento de distanciamento do centro da galáxia também é chamado *a favor do vento galáctico*. Os textos sânscritos afirmam que os seres antigos — que de alguma forma conheciam a precessão — dizem que não é nas extremidades máximas dessa oval que acontecem as grandes mudanças, mas ligeiramente *depois* de ultrapassados esses pontos extremos — nos pontos indicados pelas duas pequenas ovais em A e C. As grandes mudanças acontecem nesses dois pontos. Há dois outros pontos situados a meio caminho entre as pequenas ovais, mostrados em B e D, que também são locais muito importantes, embora as mudanças aí não sejam tão prováveis quando em A e C. No momento, na década de 1990, estamos posicionados em A, a pequena oval inferior, indicando que esse é um momento de mudanças enormes.

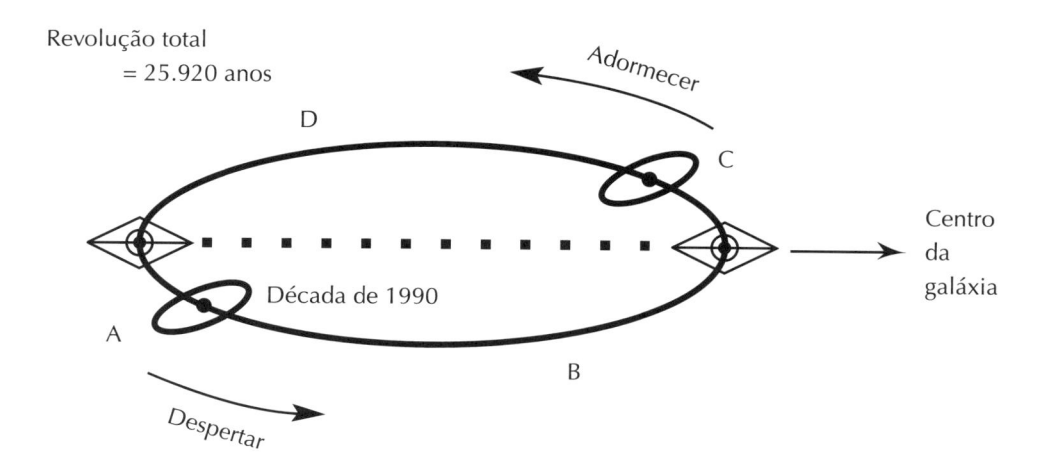

Ilustração 2-40. Viajando através do período de tempo marcado pelo ciclo da precessão dos equinócios. A grande oval é o caminho do eixo da Terra.

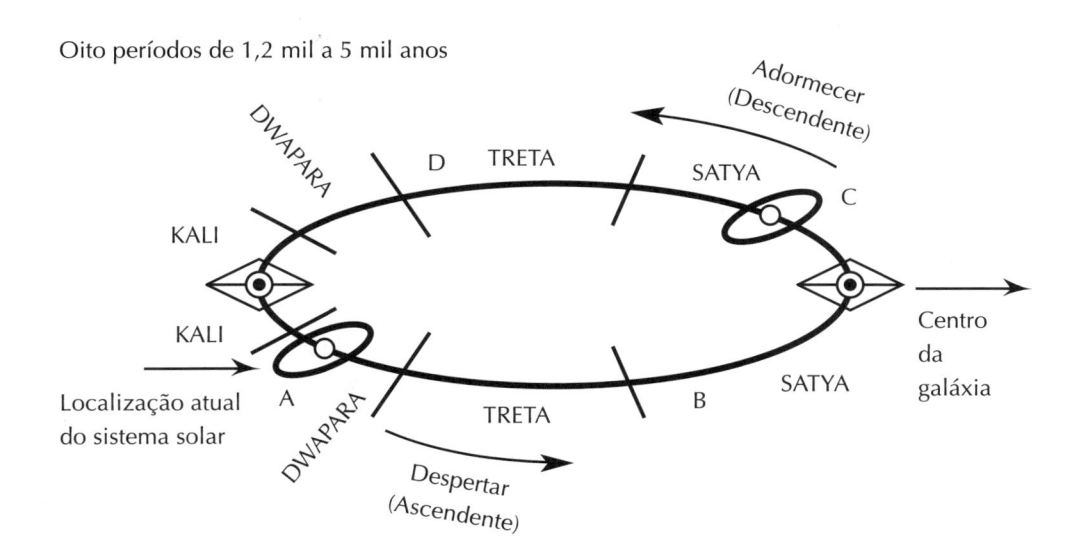

Ilustração 2-41. As quatro yugas hindus, ascendentes e descendentes.

De acordo com os textos antigos, quando chegamos à pequena oval superior em C (Ilustração 2-41), afastando-nos do centro da galáxia, começamos a dormir e perdemos a consciência, caindo através dos níveis dimensionais até chegarmos ao lugar da pequena oval inferior, quando começamos a despertar e a subir pelos níveis dimensionais. Acordamos em etapas definidas até chegarmos outra vez à oval superior, quando tornamos a dormir. Mas esse não é um padrão fechado, porque estamos nos movendo através do espaço. Esse é um padrão helicoidal aberto como uma fonte, não um ciclo repetitivo como dentro de um círculo. Por causa disso, a cada volta dormimos um pouco menos do que da vez anterior e acordamos um pouco mais. Um ciclo semelhante acontece na Terra a cada dia. Se vocês observarem a Terra do espaço, ela está meio escura e meio iluminada a todo momento; as pessoas no lado escuro estão quase todas dormindo, e as pessoas no lado claro estão quase todas acordadas. Muito embora tenhamos dias e noites, não repetimos as mesmas coisas o tempo todo, mas quem sabe acordamos e nos tornamos mais conscientes a cada dia. Muito embora devamos dormir e acordar, seguimos em frente um pouco a cada vez. Essa precessão dos equinócios é exatamente a mesma, apenas o ciclo é mais longo.

Yugas

Os tibetanos e os hindus chamavam esses períodos de *yugas*, que são simplesmente eras. Cada yuga tem tanto uma fase descendente quanto uma ascendente. Então, quando se usa o sistema hindu, a era ao redor da oval superior em C é chamada de yuga satya descendente. Depois vem a yuga treta descendente, a yuga dwapara e a yuga kali na outra extremidade. A yuga kali pode ser tanto descendente quanto ascendente. Então

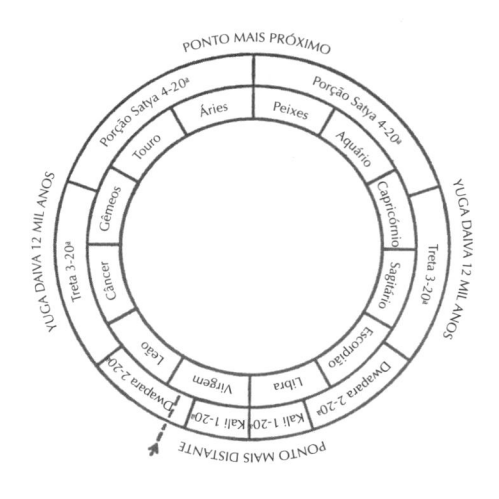

Ilustração 2-42. Diagrama das yugas de Yukteswar.

se entra na dwapara ascendente, e assim por diante. Atualmente, estamos na yuga dwapara ascendente. Saímos da yuga kali há cerca de 900 anos, e *agora* é o momento em que se espera que aconteçam coisas incríveis. O mundo agora está redescobrindo por si mesmo que esses são períodos de enormes mudanças na Terra.

Este diagrama (Ilustração 2-42) foi feito por Sri Yukteswar, guru de Yogananda. Ele o fez no final da década de 1800. Embora ele não conhecesse a verdadeira duração de tempo da precessão dos equinócios, calculou-a em 24 mil anos. Foi um número bem aproximado, porque a maioria dos hindus não tinha ideia do que estavam fazendo quando trabalhava com as yugas. (Não é minha intenção menosprezá-los, mas eles não sabiam mesmo.) Vejam, quando passávamos pela yuga kali, estávamos na época mais sombria e mais adormecidos. A maioria dos livros escritos nos últimos 2 mil anos foi redigida por pessoas que estavam adormecidas, relativamente falando, e estavam tentando interpretar livros escritos por pessoas que estavam muito mais despertas. Elas não entendiam o que os livros antigos diziam. Assim, como acontece com todos os livros escritos nos últimos 2 mil anos, é preciso ser um pouco mais cuidadoso por causa da época em que eles foram escritos. Muitos estudiosos hindus supunham que a precessão dos equinócios durasse centenas de milhares de anos, e alguns afirmavam que uma yuga durasse cerca de 150 mil anos. Eles estavam errados e simplesmente não entendiam.

Yukteswar sabia mais, mas também não estava tão certo. O que ele fez neste diagrama foi pôr as diferentes yugas ao redor da margem exterior e na parte interior colocou os doze signos do zodíaco, mostrando assim quais yugas correspondiam aos signos. Quando ele fez este diagrama, estávamos em Virgem, mostrado no quadrante inferior esquerdo. No momento estamos entre Virgem e Leão. Dependendo de qual astrólogo consultam, estamos próximos do terceiro olho da virgem no momento e passando para Leão — fisicamente falando. Isso significa que o planeta fisicamente se encontra entre Virgem e Leão. Mas se observarem a 180 graus do céu, verão que o *céu* está se movendo de Peixes para Aquário. Neste momento, estamos diretamente sobre a linha entre Peixes e Aquário, prestes a entrar na Era de Aquário. Mas fisicamente é um ponto de vista inteiramente diferente. Vocês precisam entender isso porque, quando observamos as obras do Egito, alguns dos textos deles não fazem sentido sem conhecer essa perspectiva.

Visões Modernas sobre as Mudanças dos Polos

Na década de 1930, Edgar Cayce estava canalizando respostas para um geólogo quando, no meio de uma pergunta, Cayce parou e disse algo como: "Sabe, está acontecendo algo mais importante com a Terra que você talvez devesse saber", e começou a falar sobre como os polos da Terra mudariam em breve. Ele disse que a data em que isso aconteceria seria no final de 1998, mas as coisas mudaram desde aquela época de uma maneira mediunicamente imprevisível. Os polos ainda podem mudar, mas, mais uma vez, eles podem fazê-lo de uma maneira ligeiramente diferente da predição de Cayce. Realmente, temos livre-arbítrio, e podemos mudar o destino do mundo simplesmente por meio do nosso ser.

Edgar Cayce era um ser humano extraordinário. Era alguém a quem as pessoas escutavam. A declaração de Cayce de que os polos mudariam em futuro próximo foi quase inacreditável para a maior parte do mundo. No entanto, como era Edgar Cayce quem previa esse acontecimento chocante, os cientistas e outras pessoas interessadas começaram a estudar a possibilidade. Os geólogos não acreditaram nessa afirmação porque pensavam que provavelmente transcorreriam milhões ou centenas de milhões de anos entre as mudanças de polos, que esse tipo de mudança aconteceu muito tempo atrás. No entanto, por causa da predição de Cayce, determinados cientistas começaram a pesquisar de qualquer maneira. Uma série de importantes evidências se apresentou, dando um peso tremendo ao que Cayce estava dizendo, e mudaram a visão do mundo sobre o assunto. Os cientistas suspeitaram de que, se houvesse uma mudança nos polos materiais, então também aconteceria uma mudança nos polos *magnéticos*. Uma das maneiras pelas quais eles decidiram estudar a possibilidade foi examinar as antigas camadas de lava do mundo. Isso começou, acredito eu, na década de 1950 ou início da década de 1960. Queriam estudar as camadas de lava porque: 1) calcularam que haveria uma tremenda atividade vulcânica se tal mudança acontecesse, e 2) a lava tem uma característica que poderia permitir a verificação e a datação das mudanças de polos anteriores.

Sedimentações de Ferro e Amostras do Núcleo

As sedimentações de ferro são encontradas na maioria dos estratos de lava, e essas sedimentações apresentam um ponto de fusão diferente da própria lava. As sedimentações endurecem enquanto a lava ainda escorre e, sendo ferro, alinham-se com os polos magnéticos. Por meio dessas observações, os geólogos podem verificar exatamente onde se localizavam os polos magnéticos na ocasião em que a lava endureceu. Eles precisavam obter amostras de apenas três locais para serem capazes de triangular e saber exatamente onde o polo norte magnético estava na época em que as sedimentações endureceram. Então, é claro, poderiam datá-las por radiocarbono, que era o melhor que podiam fazer naqueles dias. Houve outras abordagens do problema, as quais vou considerar em um instante.

Portanto, eles descobriram um polo norte magnético anterior que não estava onde está agora, mas muito mais distante, centrado no Havaí. Essa última mudança aconteceu exatamente na oval superior — um pouco menos de 13 mil anos atrás. Então eles fizeram um outro teste e descobriram que os polos tinham mudado antes *disso* na oval inferior. Esses resultados inauguraram todo um novo campo de investigação sobre o magnetismo terrestre.

A Geological Society of America publicou um resumo das descobertas reunidas a partir de amostras do núcleo no fundo do oceano (*Geology 11:9,* setembro de 1983). As amostras tinham 15 centímetros de diâmetro por cerca de 3,5 metros de comprimento e os pesquisadores analisaram o sedimento. Descobriram que às vezes os polos simplesmente se invertiam. O norte tornava-se sul e o sul tornava-se norte. Essa fora outra coisa sobre a qual Edgar Cayce comentara e que as pessoas tiveram dificuldade em acreditar. Mas quando analisaram essas amostras do núcleo, descobriram que era verdade.

Voltando centenas de milhões de anos, os pesquisadores descobriram um ciclo em que o polo norte magnético permanecia no lugar por um longo tempo — então em um único dia, em menos de 24 horas, o norte magnético mudava para o sul. Ele permanecia assim por um longo tempo, depois mudava novamente. Mas próximo ao fim desses longos ciclos havia períodos mais curtos em que os polos magnéticos tornavam a inverter-se. Essa inversão acontecia de vez em quando. E à medida que nos aproximamos dos tempos atuais, as inversões estão começando a suceder a intervalos mais curtos — do norte para o sul, do sul para o norte, e ao mesmo tempo movendo-se para novos locais. Isso aconteceu centenas de vezes ao longo das últimas centenas de milhões de anos. Toda uma nova perspectiva do magnetismo terrestre, chamado *geomagnetismo,* está começando a ser compreendida. Do espaço, isso não pareceria como uma pulsação?

Causadores das Mudanças dos Polos

No momento, muitas pessoas vêm tentando entender o que poderia causar uma mudança de polos. Quais são as dinâmicas? Qual é o motivo que faz com que isso aconteça? Existe um livro escrito por John White — que também é um defensor de Edgar Cayce — que compilou quase todas as informações existentes no mundo sobre o assunto, embora não mencione, acredito, informações sobre a última mudança magnética ter acontecido no Havaí. O livro é intitulado *Pole Shift,* é claro. É um livro muito científico e interessante. Se o lerem, terão uma compreensão excelente sobre o assunto, que é vasto e impressionante.

Existem duas principais teorias atuais sobre qual seria o agente motivador que faria com que os polos se movessem. Uma delas é óbvia e a outra mais sutil. A óbvia é chamada teoria Brown, em referência a Hugh Auchincloss Brown, que concebeu a ideia. A teoria dele é que por alguma razão o polo sul começa a descentralizar-se (que é exatamente o que está acontecendo agora), até que um dia se liberta da força centrífuga da rotação da Terra. É exatamente como um objeto girando: quando alguma coisa está descentralizada, desequilibra todo o objeto e força-o a encontrar um novo equilíbrio. Se o peso do gelo continuar se acumulando e acumulando, finalmente alguma coisa vai acontecer. A Terra não conseguirá continuar girando na mesma posição rotacional. Ela encontrará um novo polo que seja centrado. Ainda assim, alguns cientistas acreditam que a massa do gelo no polo sul não é suficiente para motivar uma mudança de polo.

O fato é que o gelo em alguns lugares do polo sul está com mais de 5 mil metros de profundidade e se acumulando, em especial rapidamente ao longo dos últimos vinte anos, mais rápido do que jamais se esperou, provavelmente por causa do efeito estufa. E hoje em dia existem três vulcões enormes sob a calota de gelo que podem ser vistos dos satélites. Isso está derretendo a camada inferior da calota e rios imensos estão fluindo debaixo dela neste exato momento. Talvez esse fato não tenha entrado na equação dos cientistas em dúvida. Se essa calota de gelo, que tem duas vezes o tamanho dos Estados Unidos, soltar-se, calcula-se que se moverá na direção do equador a quase 3 mil quilômetros por hora até encontrar o equilíbrio, de acordo com John White. Obviamente, isso causaria alguns problemas aqui e ali. A teoria de Brown parece estar acontecendo, mas não é uma certeza.

Entretanto, alguém apresentou outra teoria, a qual até mesmo Albert Einstein levou a sério, sustentando uma possível resposta para as equações que os cientistas céticos usaram. O nome dele é Charles Hapgood. Ele descobriu, junto com outros cientistas que trabalhavam com ele, pelo menos duas camadas de rocha incomum sob a crosta terrestre que se liquefazem sob certas condições. Outros cientistas demonstraram essa teoria em laboratórios onde puseram o mesmo tipo de rocha em uma Terra em miniatura e duplicaram as condições do interior terrestre. Com esse experimento, eles descobriram que a superfície ou crosta da Terra pode deslizar sobre a massa principal da Terra, que continua a sua rotação como se nada acontecesse. Esse é um fato. E *pode* acontecer, mas é claro que não sabemos se vai acontecer de fato em tempo real. Eles não conhecem os detalhes específicos sobre como aconteceria — como qual seria o motivo que causaria o deslizamento. Charles Hapgood escreveu dois livros, *Earth's Shifting Crust* e *The Path of the Pole,* que provavelmente acabarão mudando de maneira radical a nossa visão do nosso mundo.

Albert Einstein escreveu o prefácio para o primeiro livro de Charles Hapgood, *Earth's Shifting Crust.* Acho importante reproduzi-lo aqui literalmente:

> Frequentemente, recebo mensagens de pessoas que desejam consultar-me com relação às suas ideias não publicadas. Talvez não seja demais dizer que essas ideias raramente têm validade científica. Entretanto, a primeira mensagem original que recebi do sr. Hapgood me chocou. A ideia dele é original, de grande simplicidade e — se vier a comprovar-se — de grande importância para tudo o que se relaciona com a história da superfície da Terra.

O autor não se limitou a uma simples apresentação dessa ideia. Ele também adianta, de maneira cautelosa e abrangente, o material extraordinariamente inspirador que sustenta a sua teoria do deslocamento. Acho que essa ideia impressionante, e mesmo fascinante, merece a atenção séria de todos aqueles que se preocupam com a teoria da evolução terrestre.

É um fato que Albert Einstein foi um dos seres humanos mais brilhantes que existiram, ainda assim alguns geólogos continuaram acreditando que essa seja uma teoria inverossímil. Só nos últimos anos começaram a acumular-se provas de que essas coisas poderiam ser verdadeiras. O mesmo mundo científico que não acreditou no sr. Einstein mesmo quando ele afirmou sobre quanta energia estava contida dentro de uma quantidade muito pequena de matéria.

Eu acredito que o agente causador da mudança dos polos esteja ligado ao geomagnetismo da Terra. Seria necessário muito tempo para explicar isso, e não estou preparado para fazê-lo aqui neste momento. O que se sabe é que por pelo menos quinhentos anos o campo magnético da Terra tem enfraquecido continuamente, e nos últimos anos ele tem manifestado coisas absolutamente esdrúxulas. De acordo com Gregg Braden, em *Awakening to Zero Point: The Collective Initiation*, o campo magnético da Terra realmente começou a enfraquecer cerca de 2 mil anos atrás. Então, por volta de quinhentos anos atrás, o enfraquecimento realmente começou a acelerar. (Poderiam ser 520 anos? Isso combinaria com o calendário maia, que previu uma imensa mudança nesse tempo.) Em épocas mais recentes, o campo magnético está produzindo mudanças de que nunca se ouviu falar.

Mudanças no Fluxo Magnético

As linhas idealizadas do fluxo magnético (Ilustração 2-43) que se projetam em forma de toro ao redor da Terra *não são* o que os geólogos têm encontrado. A realidade é que as linhas magnéticas se parecem mais com padrões circundantes retilíneos (Ilustração 2-44). Eles são fixos, mas não exatos daquela maneira idealizada. E em determinadas regiões são mais fortes, ao passo que em outras são mais fracos. Essas linhas normalmente não se movem, mas, uma vez que o campo está se enfraquecendo muito, elas estão começando a mover-se e mudar. Os pássaros, outros animais e os peixes, além dos golfinhos e das baleias e de outros seres, usam essas linhas magnéticas para os seus padrões de migração. Portanto, se as linhas magnéticas mudarem, os seus padrões de migração se perderão, que é o que estamos observando em todo o mundo no momento. Os pássaros estão

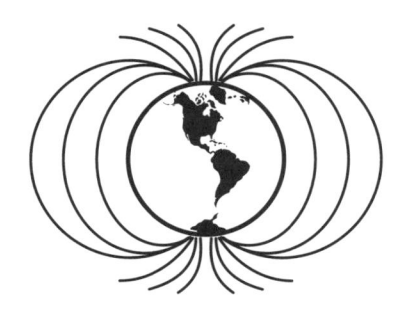

Ilustração 2-43. Fluxo magnético ao redor da Terra.

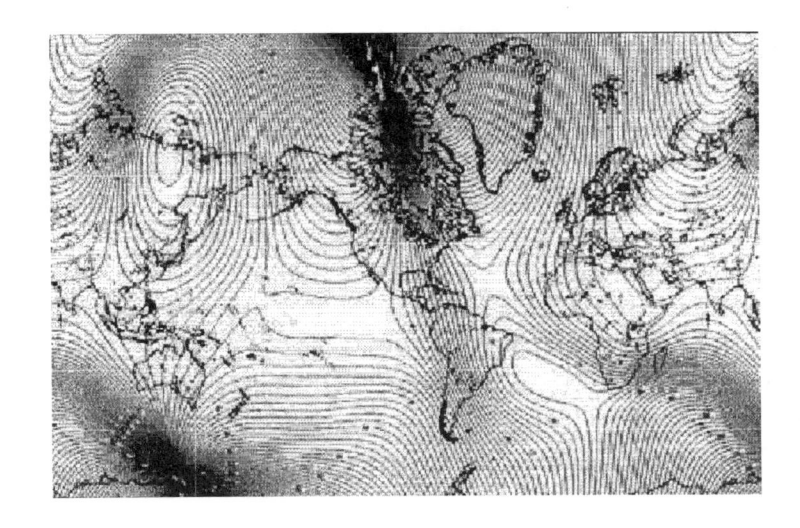

Ilustração 2-44. Amostra do modelo complexo do campo magnético principal da Terra, gerada pelo USGS para o ano de 1995.

voando para lugares onde não se esperava a sua presença, e as baleias encalham nas praias, onde deveria haver água no que lhes diz respeito. Simplesmente, elas seguem a linha magnética que seguiram durante séculos, e então encalham numa terra que não estava naquele lugar antes.

Quando esses campos magnéticos atravessam o ponto zero e mudam completamente — o que poderão fazer muito em breve —, teremos um outro assunto para comentar, sobre o que acontecerá então. Vejam, acreditamos que a sua própria memória esteja ligada a esses campos. Vocês não podem lembrar-se de nada sem esses campos magnéticos. Além disso, o seu corpo emocional está fortemente ligado a esses campos magnéticos, e se eles mudarem, o seu corpo emocional será radicalmente afetado. É fácil entender que a Lua influencia as marés do mundo por meio da atração da gravidade. Também sabemos que os campos magnéticos da Terra são ligeiramente afetados pelas fases da Lua. Quando a Lua está cheia e passa sobre nós, obtemos uma ligeira convexidade e uma mudança no campo magnético da Terra. Simplesmente, observem o que acontece nas grandes cidades durante a Lua cheia. No dia anterior, no próprio dia e no dia posterior à Lua cheia, temos mais sequestros, assassinatos, mortes e crimes estranhos dessa natureza do que em todo o resto do mês. Os registros policiais de todas as cidades grandes confirmam isso. Por quê? Porque esses campos afetam especialmente as pessoas que se encontram à beira de uma instabilidade emocional, a qual mal conseguem controlar durante os períodos normais. Elas estão no limite, então a Lua aparece e muda o campo magnético só um pouquinho, e a pessoa sente uma perturbação emocional e faz coisas que normalmente não faria.

Então imagine o que aconteceria se o campo geomagnético da Terra começasse a se desestabilizar. Em outubro de 1993, ouvi dizer, de uma pessoa envolvida com a aviação, que nas duas últimas semanas de setembro, os principais aeroportos precisaram recalibrar os seus sistemas de orientação porque os campos magnéticos sofreram uma mudança unilateral em todo o planeta. Pareceu algo temporário, que durou cerca de duas semanas. Na ocasião, talvez vocês se lembrem de um incrível arrebatamento emocional que tenha tomado conta de vocês e das pessoas ao seu redor. Pessoalmente, falei ao telefone com pessoas de todo o mundo. As pessoas estavam perturbadas por toda a parte. É por isso que suspeitei de que talvez o que ouvi dizer possa realmente ser verdadeiro. Se isso *for* verdade, então estamos começando a passar quase certamente para a próxima fase desta obra. Essas quedas no campo magnético da Terra começarão a ser cada vez mais frequentes, até que se verifique um colapso do campo e uma mudança nos polos. Esse é um dos sinais do próprio fim dos tempos.

Não existe motivo para temer quanto a isso. Muito embora o que esteja acontecendo seja incomum, todos nós passamos por esse tipo de coisa muitas e muitas vezes no passado. Isso não é incomum para vocês, embora a maioria tenha pouca lembrança a respeito. Quando estiverem realmente começando a passar por uma mudança dimensional e a experimentar os sentimentos que ela produz, vocês dirão: "Ah, sim, agora me lembro. Lá vamos nós passar por esse nascimento outra vez". Pois isso não é grande coisa, embora seja.

Vocês vieram de algum lugar quando nasceram como bebês, certo? Vieram de uma outra dimensão e atravessaram um vazio e saíram através do útero para a Terra. Vocês já percorreram esse caminho antes, e estamos prestes a fazer coisa semelhante, só que é realmente incomum dessa vez. Não haverá razão para temer quando souberem de tudo e se lembrarem de quem são. Na verdade, o que está acontecendo é extremamente positivo. É muito, muito lindo.

Níveis de Consciência Harmônicos e Desarmônicos

A literatura sânscrita diz que, quando nos aproximamos da oval inferior em A (na Ilustração 2-40) da precessão, tornamo-nos conscientes das energias elétricas. Podemos voar no céu. Podemos fazer muitas coisas incomuns. O mundo se torna extremamente instável e em um *único dia* nos libertamos da velha maneira de ver o mundo e passamos por uma imensa transformação de consciência. No entanto, à medida que nos aproximamos dessa transformação, considerando o nível particular de consciência que temos, tendemos a destruir tudo o que tocamos. É uma parte natural de quem somos. Não estamos fazendo nada de errado; é simplesmente porque somos assim. Estamos agindo de maneira exatamente certa. Destruímos tudo, fazemos com que tudo fique em desarmonia. Vou comentar sobre isso mais adiante, mas acho que seria adequado falar do seguinte agora:

Na Terra, de acordo com Thoth, existem cinco etapas ou níveis totalmente diferentes de vida pelo que cada ser humano tem de passar. Quando atingimos o quinto nível, fazemos uma transformação que transcende a própria vida conhecida. Esse é o padrão normal. Cada um desses níveis de consciência tem muitos aspectos que são diferentes dos outros níveis. Primeiro, eles têm diferentes níveis de cromossomos. O primeiro nível da consciência humana tem 42 + 2 cromossomos; o segundo nível tem 44 + 2 cromossomos; o terceiro tem 46 + 2; o quarto, 48 + 2; e finalmente 50 +

2. Cada nível da consciência humana tem uma altura corporal associada a ela. (Isso pode soar um tanto engraçado se nunca ouviram falar a respeito.)

O primeiro nível de 42 + 2 tem uma faixa de altura mais ou menos entre 1,20 e 1,80 metro. As pessoas que entram nessa categoria especificamente são os aborígines da Austrália, e acredito que determinadas tribos da África e da América do Sul também.

O segundo nível de consciência tem 44 + 2 cromossomos, e somos nós. A nossa faixa de altura é de cerca de 1,50 a 2,10 metros. Somos um pouco mais altos do que o primeiro grupo. A altura do terceiro nível aumenta consideravelmente. O nível de 46 + 2 cromossomos interrompe a Realidade que poderíamos chamar de unidade ou consciência crística. A faixa de altura é de cerca de 3 a 4,80 metros.

Depois há outra faixa para o quarto nível de consciência — o de 48 + 2 — que tem uma altura de cerca de 9 a 10,50 metros.

A faixa final, do ser humano aperfeiçoado, situa-se entre os 15 e 18 metros de altura. Eles têm 52 cromossomos. Desconfio que o motivo de haver 52 cartas num baralho se relaciona a esses 52 cromossomos do potencial humano. Pois aqueles dentre vocês que são de origem hebraica, podem lembrar-se de que Metatron, o homem perfeito — no qual viremos a nos tornar — era azul e tinha 16,50 metros de altura. (Voltaremos a isso quando entrarmos no assunto do Egito.)

Há estados entre os níveis de consciência, como a síndrome de Down, por exemplo. A síndrome de Down acontece quando uma pessoa passa desse segundo nível de consciência, em que nos encontramos, para o terceiro nível, mas não o completa. A pessoa não recebe todas as instruções corretamente e o ponto em que essa pessoa quase sempre falha é no aspecto instrutivo dos cromossomos sobre o hemisfério cerebral esquerdo. Uma pessoa com síndrome de Down tem 45 + 2 cromossomos — ela recebeu um deles, mas não o outro. Recebeu o emocional — o do coração — corretamente. Se conheceram alguma criança com síndrome de Down, verão que ela é puro amor, mas não compreende como fazer a transição para o terceiro nível da consciência humana. Ainda está aprendendo.

O segundo e o quarto níveis de consciência são desarmônicos, e o primeiro, o terceiro e o quinto níveis são harmônicos. Vocês compreenderão isso quando os virmos nas geometrias. Quando observarem a consciência humana do ponto de vista geométrico, verão os níveis harmônicos, e poderão constatar que os níveis desarmônicos estão simplesmente fora de equilíbrio. É nessa condição que nos encontramos hoje — fora de equilíbrio. Esses níveis desarmônicos são absolutamente necessários. Não se pode passar do nível um para o nível três sem passar pelo nível dois. Mas a consciência do nível dois é totalmente desarmônica. O caos não produz mudanças?

Sempre que uma consciência entra no segundo ou quarto níveis, ela sabe que só pode permanecer ali por um breve período de tempo. Esses níveis são usados como degraus — como pedras no meio de um rio, sobre as quais saltamos e das quais nos afastamos assim que chegamos do outro lado. Não ficamos parados nelas, porque, se o fizermos, cairemos. Se nos demorássemos aqui na Terra até mesmo um pouquinho mais, destruiríamos o planeta. Nós o destruiríamos simplesmente *sendo* o que somos. Ainda assim, somos uma etapa sagrada e necessária para a evolução. Somos uma ponte para outro mundo. E estamos vivendo essa ponte simplesmente por estarmos vivos nesta época incrível.

TRÊS

O Lado Sombrio do Nosso Presente e Passado

Estamos prestes a entrar em assuntos negativos por algum tempo. Vocês poderão dizer: "Lá vai ele tratar de coisas que dão medo, justo quando acabou de dizer para não termos medo". Mas quero que observemos todas as facetas, tanto positivas quanto negativas, da vida aqui no planeta Terra. Não quero que considerem apenas os aspectos positivos; quero que vejam o quadro como um todo. E quando observarem o quadro inteiro, tanto o lado bom quanto o ruim, verão que o caos é apenas parte da verdade e parte do nascimento. Uma mudança fenomenal na consciência humana está ocorrendo neste momento, embora se considerarem cada minúsculo segmento do que está acontecendo ou observarem o mundo e virem todas as guerras, fomes e lixo emocional humano que enche os nossos jornais, o futuro não parece bom. Mas considerando a imagem da vida como um todo, verão que, além de toda a negatividade, existe algo muito maior e mais vasto, sacrossanto, ocorrendo neste momento da história. Então fica bem claro: a vida *está* inteira, completa e perfeita agora!

Nossa Terra em Perigo

Entretanto, os cientistas mais conservadores do mundo que eu conheço não dão ao nosso planeta mais de cinquenta anos — cinquenta! Os cientistas mais conservadores do planeta dizem que não haverá mais vida ou quase nenhuma vida sobre o planeta dentro de cinquenta anos, se continuarmos a fazer o que fazemos. Muitos

Em 1992, os países do mundo reuniram-se na Eco 92 no Rio de Janeiro para discutir os problemas ambientais da Terra. A maior reunião de chefes de Estado da história do mundo foi convocada por causa do perigo de destruirmos o nosso planeta. Quase o mundo todo compareceu, mas os Estados Unidos, os maiores poluidores do mundo, nem sequer quiseram participar. Tornou-se óbvio que a administração política achava que o dinheiro, os empregos e a economia eram mais importantes do que a sobrevivência da Terra.

Cinco meses depois, em 18 de novembro de 1992, foi publicado um documento intitulado "World Scientists' Warning to Humanity" [Alerta dos Cientistas do Mundo à Humanidade]. Mais de 1,6 mil cientistas respeitados de 71 países, incluindo mais da metade dos laureados com o Prêmio

Nobel ainda vivos, assinaram o documento. Foi a advertência mais alarmante que o mundo jamais recebeu de um grupo tão importante de pesquisadores. Vocês podem pensar que esse documento teve grande credibilidade e que o mundo se deteve para refletir com atenção sobre o seu conteúdo. Ele começava assim:

"Os seres humanos e o mundo natural estão em rota de colisão. As atividades humanas infligem danos severos e geralmente irreversíveis ao meio ambiente e aos recursos fundamentais. Caso não sejam revistas, muitas das nossas práticas atuais colocam em grave risco o futuro que desejamos para a sociedade humana e para o planeta e os reinos animais, e elas podem assim alterar o mundo vivo a tal ponto que ele será incapaz de sustentar a vida da maneira como conhecemos. É preciso fazer com urgência mudanças fundamentais

Ilustração 3-1. Permitindo que a verdade fosse revelada ("Planeta do Ano": A Terra em Perigo).

cientistas nos dão apenas três anos ou mais; alguns deles nos dão dez. A maioria não nos dá mais do que cinquenta anos. Depende de quem vocês leem. Até mesmo se tivéssemos cem ou mil anos, isso seria aceitável?

Vocês não estariam ouvindo nenhuma dessas informações hoje em dia se não fosse por algumas mudanças no governo norte-americano que aconteceram nos últimos anos e que *permitiram* que essas informações fossem veiculadas. Embora não permitam que vocês saibam de tudo, tem havido uma mudança nas autoridades que as tem feito cooperar com a vida. Elas simplesmente não deixam vocês saberem a completa extensão da situação, porque acreditam que a maioria das pessoas no mundo simplesmente deixaria o emprego e diria, que se dane tudo, o que levaria ao caos total. Em vez de demitir-se, não seria o momento de concentrar-nos? A consciência humana é poderosa. Nós saberemos o que fazer. Somos mais do que o mundo comum sabe. Lembram-se?

Muito bem, vamos falar do lado sombrio. Eis a edição de 2 de janeiro de 1989 da revista *Time* (Ilustração 3-1). Em 1988, o governo secreto do mundo decidiu nos deixar saber parte do que estava se passando quanto aos problemas ambientais. Essa foi a primeira publicação importante sobre o assunto no mundo. A revista *Time* declarou a Terra como o "Planeta do Ano". Em vez de apresentar um homem ou mulher como a personalidade do ano, eles romperam com a tradição. A revista inteira foi dedicada à Terra ameaçada e aos seus problemas. Se lerem sobre os problemas como foram apresentados em 1989 e depois lerem sobre os mesmos como são apresentados em artigos atuais, perceberão que nos deram em 1989 uma versão ultra-atenuada da verdade. Não chegavam nem perto dela. Mas pelo menos era um começo para o nosso mundo ver a verdade sobre o que fizemos à Mãe Terra.

Vamos discutir apenas quatro ou cinco dos diferentes problemas da Terra, embora existam múltiplas conjunturas diferentes acontecendo. Se *qualquer uma* dessas conjunturas entrasse em colapso, toda a vida no planeta acabaria cessando. E no momento *todas* elas estão prestes a entrar em colapso — é só uma questão de qual delas entrará em colapso primeiro. E toda vez que um sistema cair, então todo o resto deles acabará seguindo o mesmo caminho, e então será assim, não haverá mais nenhum tipo de vida humana. Estaremos acabados e chegaremos ao fim exatamente como Marte ou os dinossauros.

Alguns anos atrás, próximo à virada para o século XX, havia 30 milhões de espécies de formas de vida na Terra — 30 milhões de espécies vivas *diferentes*. Em 1993, havia cerca de 15 milhões. Foram necessários bilhões de anos para criar essas formas de vida e em menos de um piscar de olhos, uma mera centena de anos, metade das formas de vida sobre esta querida Terra está morta. Cerca de trinta espécies por minuto estão sendo extintas atualmente em todos os lugares. Se pudessem observar o planeta do espaço, ele pareceria estar morrendo muito, muito rapidamente. Ainda assim continuamos como se nada estivesse acontecendo e tudo estivesse ótimo. Depositamos o nosso dinheiro no banco e dirigimos o nosso carro e continuamos rindo. Ainda assim, segundo um ponto de vista honesto, temos um problema real de vida e morte acontecendo aqui na Terra, e poucas pessoas parecem considerá-lo com seriedade.

Quando elas tentaram fazer com que o mundo inteiro se reunisse no Rio de Janeiro no início da década de 1990 para discutir o problema ambiental em termos mundiais, o presidente norte-americano nem se preocupou em comparecer. Por que não? Porque os problemas são tão graves que, se fôssemos resolvê-los, outro problema aconteceria que seria um problema ainda maior, do ponto de vista do presidente: mergulharíamos numa falência financeira mundial, depois da qual uma grande parcela da população da Terra morreria de fome e de outros problemas. Essencialmente, não temos condições de consertar o meio ambiente. Do outro lado da moeda, podemos nos dar ao luxo de não fazer isso?

Oceanos Agonizantes

Foi na sua edição de 1º de agosto de 1988 que a revista *Time* concentrou a sua atenção nos oceanos e no que estava acontecendo com eles. Jacques Cousteau escrevera um livro sobre o assunto por volta de 1978. Ele era uma pessoa muito respeitada, mas quando escreveu esse

se quisermos evitar a colisão que o nosso procedimento atual produzirá."

Em seguida, o documento de alerta faz uma lista sobre a crise: poluição da água, dos oceanos, do solo, da atmosfera, diminuição das espécies vegetais e animais, além de superpopulação humana. (Mais da metade das formas de vida no planeta acha-se já extinta e continuando a morrer.) As palavras tornaram-se duras:

"Não resta mais que uma ou algumas décadas antes que a possibilidade de reverter as ameaças com que nos confrontamos hoje esteja perdida e as perspectivas para a humanidade incomensuravelmente diminuídas. Os signatários, respeitados integrantes da comunidade científica mundial, advertem com estas palavras toda a humanidade do que está ameaçado. É necessária uma grande mudança no nosso uso

Ilustração 3-2. Divulgando a situação dos mares ("Nossos Mares Sujos").

da Terra e da vida que ela contém se quisermos evitar uma imensa desgraça humana e que o nosso lar global sobre este planeta não seja irreparavelmente mutilado."

Ainda assim, a maior parte do mundo rejeitou essa declaração, muito embora ela tenha sido criada por um dos grupos de mais renomados cientistas já reunidos na Terra. Vocês pensariam que deveríamos parar e dizer: "Se isso for verdade, o que podemos fazer? Vamos parar com tudo e fazer o que for necessário". Mas os governos sabem que, se quiséssemos evitar essa crise, deveríamos mudar a nossa maneira de viver, e isso não seria politicamente agradável. Nenhum político quer ser o primeiro a introduzir essas mudanças impopulares. Para os governos, a economia sofreria e talvez até mesmo entrasse em colapso se quiséssemos deter a poluição. Então tornou-se uma guerra do dinheiro contra a vida — terrível mas verdadeira.

Os jornais The New York Times e Washington Post, dois dos mais influentes noticiosos americanos, rejeitaram o documento como desinteressante, do ponto de vista jornalístico. Isso lhes dá uma boa ideia da importância que atribuímos ao planeta. (Podem ler a respeito e muito mais em The Sacred Balance, Rediscovering Our Place in Nature, de David Suzuki.)

Pensem por um instante: esse documento de advertência nos dá "uma ou algumas décadas mais" para reverter essa crise — e foi escrito em 1992. Esta Terra tem

livro, perdeu a credibilidade no meio científico porque fez uma declaração na qual ninguém queria acreditar. Ele fundamentara as suas afirmações na ciência pura, mas as pessoas simplesmente não podiam ou não queriam admitir a verdade. Especificamente, ele disse que o mar Mediterrâneo seria água morta ao final de 1990 e que o oceano Atlântico também estaria morto na virada do século. As pessoas pensaram: "Esse cara está maluco. Isso nunca vai acontecer".

Bem, está acontecendo. No momento, o mar Mediterrâneo está praticamente 95 por cento morto. Não 100 por cento, portanto ele não estava exatamente certo. Não obstante, ele ainda será um mar morto se as pessoas continuarem a viver da maneira como vivem. E com o oceano Atlântico está acontecendo rapidamente a mesma coisa. A menos que alguma coisa mude radicalmente, ele morrerá — nada de peixes, nada de golfinhos, nada de vida no Atlântico.

Não podemos viver sem os oceanos. A base da cadeia alimentar, o plâncton, terá acabado, e se o plâncton acabar, acabaremos também. Enquanto não levarmos isso a sério é o mesmo que dizer: "Bem, na verdade não preciso muito do meu coração". Esse é um importante componente do ecossistema da Terra, e está se esgotando rapidamente. Isso não é discutível, é um fato científico. O único aspecto discutível é quando. Isso está *realmente acontecendo*. Ninguém acreditou que aconteceria porque não podia admitir a verdade.

A cidade de Nova York, por exemplo, tem emissários submarinos que entram vários quilômetros no oceano para descarregar dejetos humanos. Eles imaginaram: bem, o oceano vai cuidar disso. Mas ao longo dos últimos sessenta anos ou mais esses depósitos de excrementos estão se acumulando em uma montanha imensa. Agora, uma cordilheira inteira de fezes humanas no oceano encaminha-se na direção da cidade de Nova York. Ela está vindo na direção do porto e ninguém sabe o que fazer a respeito. Essa situação exigirá mais dinheiro do que Nova York dispõe para resolver o problema. Esse é o tipo de previsão que nós seres humanos temos feito.

Os dejetos humanos que se aproximam de Nova York são um problema do oceano Atlântico. Entretanto, o problema não se limita ao Atlântico ou ao Mediterrâneo. O oceano Pacífico é o maior corpo de água da Terra, e provavelmente vai durar mais tempo, mas também já está sofrendo problemas tremendos, especialmente em determinadas regiões.

A maré vermelha (Ilustração 3-3) é o primeiro sinal mortal da poluição. É uma alga que destrói tudo o que vive sob ela — ela mata tudo. E essas marés vermelhas estão começando a varrer as costas, especialmente na região do Japão, onde há muita poluição. Cometemos uma porção de erros em toda a Terra porque não temos consciência para saber como viver em harmonia com o nosso próprio corpo, a Mãe Terra. Esse é como um sintoma de câncer ou de alguma outra doença mortal.

Ozônio

Eis aqui outro problema. A Ilustração 3-4 mostra o buraco de ozônio sobre o Polo Sul. O ozônio forma uma fina camada de cerca de 20 quilômetros de espessura. Ela é realmente uma camada fina e frágil, uma camada viva que está constantemente se reconstituindo. Sabemos muito pouco sobre ela, embora saibamos mais do que poderíamos saber, não fosse pela luz UVC (luz ultravioleta, banda C) que atravessa os buracos atualmente. Quando se começou a detectar enormes quantidades de UVC, especialmente como é mostrado aqui, chegando pelo Polo Sul, não se compreendeu como o volume poderia ser tão grande, porque os computadores não mostravam isso. Então descobriu-se que os programas dos computadores estavam regulados de tal maneira que anulavam esse tipo de ocorrência. Depois de reprogramados, descobriu-se que o buraco realmente existia. Isso aconteceu alguns anos atrás.

O que se estava procurando realmente era o monóxido de cloro, a molécula mostrada na extremidade direita da Ilustração

Ilustração 3-4. O buraco de ozônio sobre o Polo Sul.

bilhões de anos de idade. Foram necessários milhões de anos para que a humanidade chegasse a este nível de consciência, ainda assim em meros 10 a 30 anos, um geológico piscar de olhos, se não agirmos de maneira positiva, podemos nos tornar "irreparavelmente mutilados". A palavra "extintos" foi evitada, mas todos sabemos que essa é uma possibilidade.

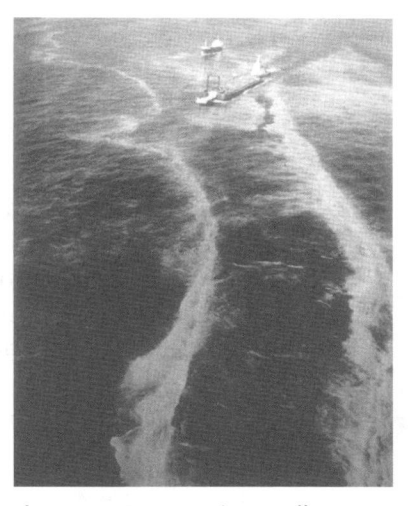

Ilustração 3-3. Maré vermelha.

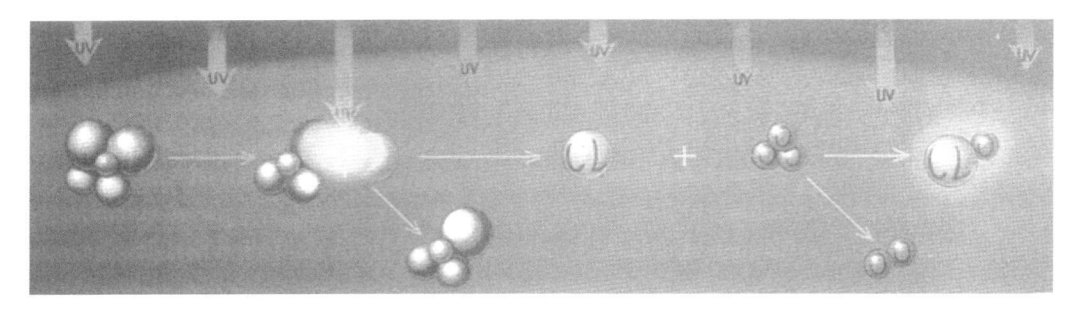

Ilustração 3-5. A reação do ozônio em moléculas.

3-5. Calculou-se que o buraco de ozônio é causado por diversas substâncias químicas, entre elas os CFCs. Os CFCs reagem com o ozônio de tal maneira que, quando o cloro se liga ao ozônio, a molécula de ozônio se decompõe, formando assim oxigênio e monóxido de cloro. Os cientistas calcularam, considerando a velocidade que pensavam que os CFCs estava se dirigindo para o ozônio, que o monóxido de cloro ali seria cerca de trinta vezes acima do normal, e ficaram muito preocupados com isso. Então os governos mundiais tentaram fazer com que as empresas que estavam produzindo os CFCs — o gás fréon e várias outras substâncias químicas que causam esse problema — parassem de produzir esses produtos e encontrassem outras soluções. Em resposta, as empresas responderam em uníssono: "Não estamos fazendo isso. Esse é um fenômeno natural. Não temos nada a fazer a respeito".

Então os governos mundiais precisaram provar na justiça que as empresas estavam erradas, e conseguiram. Para conseguir a prova de que precisavam, pela primeira vez na história da Terra todos os países do planeta cooperaram numa empreitada comum. Isso nunca acontecera antes. Foram enviados aviões a grande altitude acima do Polo Sul durante quase dois anos, recolhendo informações, e finalmente encontraram algo que *realmente* assustou a todos. O ingrediente destrutivo, o monóxido de cloro, *não era* trinta vezes superior ao normal — estava mais de quinhentas vezes acima do normal e movendo-se mais rápido do que acreditavam.

Este artigo foi publicado em 1992, acredito (Ilustração 3-6). Primeiro ele diz que a EPA (a Agência de Proteção Ambiental norte-americana) prevê 200 mil mortes por câncer de pele em razão do buraco de ozônio. Mas na parte superior da coluna à direita há uma passagem relatando que a EPA diz que as estimativas de *fatalidade* estimada que haviam dado originalmente estavam incorretas, e eram *21 vezes* piores do que haviam calculado. Vinte e uma vezes — agora, isso é demais. Não é como dizer: "Bem, é um pouco maior".

É isso o que os governos têm feito; eles liberam pequenas doses de informações em artigos que não informam muito. Não fazem muita coisa. Por lei, eles *precisam* anunciar o problema, então eles anunciam em pequenos artigos e depois deixam o assunto de lado. Então eles aumentam a dimensão do problema em outro artigo insignificante — como neste artigo aqui, por exemplo, onde dizem que o perigo era 21 vezes maior do que tinham estimado a princípio; então, duas semanas depois a mesma

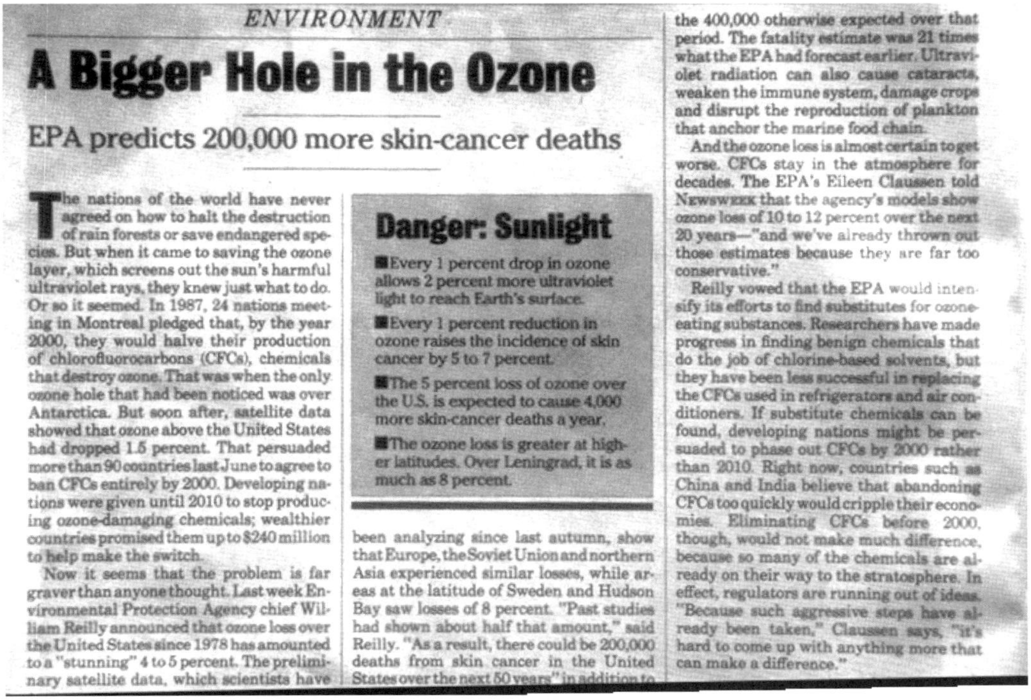

ENVIRONMENT

A Bigger Hole in the Ozone

EPA predicts 200,000 more skin-cancer deaths

The nations of the world have never agreed on how to halt the destruction of rain forests or save endangered species. But when it came to saving the ozone layer, which screens out the sun's harmful ultraviolet rays, they knew just what to do. Or so it seemed. In 1987, 24 nations meeting in Montreal pledged that, by the year 2000, they would halve their production of chlorofluorocarbons (CFCs), chemicals that destroy ozone. That was when the only ozone hole that had been noticed was over Antarctica. But soon after, satellite data showed that ozone above the United States had dropped 1.5 percent. That persuaded more than 90 countries last June to agree to ban CFCs entirely by 2000. Developing nations were given until 2010 to stop producing ozone-damaging chemicals; wealthier countries promised them up to $240 million to help make the switch.

Now it seems that the problem is far graver than anyone thought. Last week Environmental Protection Agency chief William Reilly announced that ozone loss over the United States since 1978 has amounted to a "stunning" 4 to 5 percent. The preliminary satellite data, which scientists have been analyzing since last autumn, show that Europe, the Soviet Union and northern Asia experienced similar losses, while areas at the latitude of Sweden and Hudson Bay saw losses of 8 percent. "Past studies had shown about half that amount," said Reilly. "As a result, there could be 200,000 deaths from skin cancer in the United States over the next 50 years" in addition to the 400,000 otherwise expected over that period. The fatality estimate was 21 times what the EPA had forecast earlier. Ultraviolet radiation can also cause cataracts, weaken the immune system, damage crops and disrupt the reproduction of plankton that anchor the marine food chain.

And the ozone loss is almost certain to get worse. CFCs stay in the atmosphere for decades. The EPA's Eileen Claussen told NEWSWEEK that the agency's models show ozone loss of 10 to 12 percent over the next 20 years—"and we've already thrown out those estimates because they are far too conservative."

Reilly vowed that the EPA would intensify its efforts to find substitutes for ozone-eating substances. Researchers have made progress in finding benign chemicals that do the job of chlorine-based solvents, but they have been less successful in replacing the CFCs used in refrigerators and air conditioners. If substitute chemicals can be found, developing nations might be persuaded to phase out CFCs by 2000 rather than 2010. Right now, countries such as China and India believe that abandoning CFCs too quickly would cripple their economies. Eliminating CFCs before 2000, though, would not make much difference, because so many of the chemicals are already on their way to the stratosphere. In effect, regulators are running out of ideas. "Because such aggressive steps have already been taken," Claussen says, "it's hard to come up with anything more that can make a difference."

Danger: Sunlight

- Every 1 percent drop in ozone allows 2 percent more ultraviolet light to reach Earth's surface.
- Every 1 percent reduction in ozone raises the incidence of skin cancer by 5 to 7 percent.
- The 5 percent loss of ozone over the U.S. is expected to cause 4,000 more skin-cancer deaths a year.
- The ozone loss is greater at higher latitudes. Over Leningrad, it is as much as 8 percent.

Ilustração 3-6. Aumentando a dimensão do problema.

publicação volta e diz: "Ah, a propósito, há duas semanas cometemos um erro, na verdade é o dobro daquilo". Bem, o dobro não parece muito — a não ser que significa que passou de 21 vezes para 42 vezes pior do que o primeiro estudo, o que é uma quantidade inacreditável. Se a verdade fosse revelada da primeira vez, teria dado uma impressão terrível e gerado medo.

É isso o que tem sido feito em todo o mundo há muito tempo. A única maneira pela qual os governos mundiais sabem como lidar com a situação é revelando-a pouco a pouco, admitindo um pouco mais de cada vez. Eles sabem que precisam revelar a verdade (por razões que vocês saberão mais adiante), mas eles receiam dizer que estamos com problemas de verdade. Eles dizem apenas: "Bem, não é tão ruim, mas está ficando pior", e continuam dizendo coisas semelhantes.

Bem, não só existe um buraco de ozônio no Polo *Sul*, mas agora existe outro no Polo Norte, e o resto do ozônio é como queijo suíço. Em 1991, ou 1992, foi feito um importante programa de televisão sobre o buraco de ozônio. O programa reuniu todas as pessoas mais importantes ligadas ao assunto e foram discutidos os prós e os contras. Foi entrevistado um casal em especial — não tenho o nome deles, mas eles também escreveram um livro sobre esse assunto vários anos atrás, prevendo que o buraco de ozônio seria uma realidade. Antes de nós nem sequer sabermos sobre o assunto, eles já haviam estudado tudo, de acordo com o programa. E o ozônio atualmente apresenta mudanças exatamente como eles disseram que aconteceria e na taxa que previram.

Esse casal foi apresentado na TV como uma dupla de especialistas, e o entrevistador perguntou: "Bem, e o que vocês pensam sobre o problema?" Esse entrevistador foi um tanto ingênuo ao perguntar: "O que vamos fazer? Vocês que sabem tudo a respeito do assunto, o que acham que vamos fazer quanto ao ozônio?" O marido respondeu: "Não há nada que possamos fazer". Não acredito que gostassem de ouvir respostas como essa nos canais de maior audiência. O entrevistador perguntou: "O que quer dizer com não há nada que possamos fazer?" Os autores responderam: "Bem, você acha que o mundo inteiro iria cooperar?" — o que é a primeira coisa que precisaria acontecer, e não podemos nem sequer fazer isso *agora,* uns quinze anos depois! "Imagine se vamos conseguir que o planeta inteiro diga: 'Muito bem, vamos parar com tudo hoje. Nenhum desses compostos químicos que estão destruindo a camada de ozônio jamais será usado outra vez'."

O autor continuou: "Muito bem, suponha que isso aconteça. Suponha que o mundo inteiro pare. Isso ainda não resolve o problema". E o entrevistador insistiu: "Como assim? O problema não se resolve por si mesmo?" O autor respondeu: "Não, porque o gás que usamos ontem prende-se à superfície do solo, e os CFCs levam de quinze a vinte anos para subir até a camada de ozônio. Essa camada que está subindo e consumindo o ozônio continuará por quinze a vinte anos mesmo que paremos com tudo hoje. E ela continuará a consumir cada vez mais rápido, porque usamos cada vez mais dessas substâncias químicas nos últimos anos". Ele concluiu: "Não existirá sequer uma camada de ozônio" — acho que ele disse em dez anos. "Não vejo solução nenhuma para o problema."

Se perdermos o nosso ozônio, estaremos com um grande problema. Todos os animais do mundo ficarão cegos. Vocês não serão capazes de sair de casa durante o dia sem um traje espacial, o que significa que cada centímetro da sua pele precisará estar coberto — óculos especiais contra o UVC e tudo mais. Em pouco tempo, a luz UVC acabará por matar a todos vocês. E estamos nos aproximando rapidamente disso. Se vocês não pensam assim, leiam o que o *Wall Street Journal* publicou em janeiro de 1993.

O *Journal* publicou o que estava acontecendo no sul do Chile, que está mais próximo do buraco de ozônio do Polo Sul. Os animais estavam começando a ficar cegos. As pessoas que moravam lá tinham a pele grossa e escura, e embora tivessem passado a maior parte da vida ao ar livre, estavam se queimando com a luz do dia. E isso estava se espalhando pelo norte do Chile e começando a acontecer em toda parte. Por causa do aspecto de queijo suíço de toda a camada de ozônio, os lugares em toda a Terra estão se tornando inseguros. Nunca se sabe onde esses pontos estarão, porque eles se movem sobre a face da Terra de ano para ano. Esse problema do ozônio está acontecendo agora, não amanhã ou depois, nem quem sabe algum dia. Está acontecendo neste exato minuto. Daqui a mais alguns anos, estaremos realmente com problemas muito sérios.

Sabe-se sobre o problema do ozônio pelo menos desde quando Reagan era presidente dos EUA. Quando as agências ambientais lhe perguntaram: "O que faremos quanto ao problema do ozônio?", Reagan foi realmente irreverente sobre o assunto. Ele respondeu mais ou menos assim: "Ah, se for o caso vamos distribuir capas de chuva e óculos escuros para resolver o problema". Assim sem mais nem menos? Estamos falando sobre a nossa própria sobrevivência, a nossa própria existência, e os governos continuam tratando o assunto como se não fosse importante.

A Era Glacial do Efeito Estufa

Nos primeiros sete dias de governo, o presidente Bush foi procurado por setecentos grupos ambientalistas — setecentos grupos, unidos e de acordo. Eles disseram a Bush: "Temos um problema ainda maior do que o ozônio e os oceanos; o maior problema que conhecemos é o efeito estufa. Se não for controlado muito em breve, o efeito estufa destruirá o planeta". Era sobre essa questão que todos estavam de acordo e o que acreditavam que fosse verdade. Por algum tempo Gorbachev e os governos mundiais falaram sobre como iriam enviar estações espaciais para monitorar o ambiente e encaminhar ações responsáveis. Gorbachev foi o que mais pareceu entusiasmado com o assunto. Então acho que eles desistiram de tudo, simplesmente se renderam, embora ainda observem essas coisas com muita atenção. É uma situação sumamente desesperadora.

A Ilustração 3-7 é uma fotografia de satélite dos oceanos feita sobre a Austrália. A mancha escura acima da Austrália e da Nova Guiné alcançou a temperatura mais quente do oceano em toda a história registrada em 1992. Foi de 30 graus Celsius nesse ponto. Trata-se de água do oceano a 30 graus Celsius. Se isso continuar a espalhar-se

Ilustração 3-7. O oceano mais quente da história.

Atualização: Desde junho de 1996, uma nova possibilidade nos foi dada. Talvez tenhamos encontrado um meio de livrar a Terra dos seus problemas ambientais. Esse é o trabalho do novo seminário que chamamos de Terra-Céu. Por mais que eu adorasse contar a vocês onde a obra da Flor da Vida nos levou, este não é o momento. Será preciso escrever um novo livro porque essas novas informações são vastas demais para serem discutidas em uma simples atualização. Tudo o que posso dizer é que estou muito otimista quanto à sobrevivência na terceira dimensão da Mãe Terra desta vez.

The Heat Is On
A hot spot in the sea could mean global warming is finally here

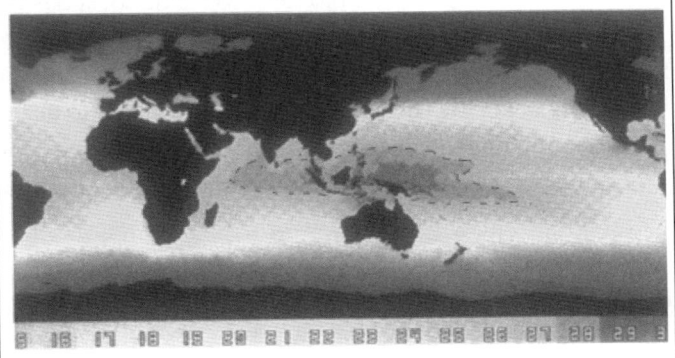

THE RED BLOTCH ABOVE AUSTRALIA AND NEW GUINEA in this satellite image, released last week, represents the ocean's hottest water, at 30°C (86°F). That's unusually steamy, and it may be partly a result of the global warming that scientists think is on its way. The good news: NASA reports that the ozone hole feared over northern latitudes this spring never showed up, but only because the winter was warmer than usual. A cooler season next year, which is quite possible, and goodbye ozone. ∎

pelo equador, fará exatamente o que John Hamaker previu. Se estiverem familiarizados com Hamaker e suas teorias, ele tem fortes evidências de que, com a água nessa temperatura elevada, acontecerá algo muito diferente de um planeta aquecido: o planeta vai se tornar *frio* — muito, muito frio. O dr. Hamaker prevê uma era do gelo se abatendo sobre nós dentro de alguns poucos anos.

Não entrarei totalmente na dinâmica do chamado efeito estufa, mas uma parte íntima essencial desse fenômeno está ligada a rochas, minerais e árvores. Em média, um hectare de árvores guarda em si aproximadamente 20 mil toneladas de dióxido de carbono. Quando as árvores são cortadas, queimadas ou simplesmente morrem, todo aquele dióxido de carbono é liberado na atmosfera, e quando a atmosfera contém um determinado nível de dióxido de carbono, ela impulsiona o início de uma era do gelo. Hamaker descobriu provas de que isso é o que provocou as últimas eras do gelo do planeta. Ele descobriu as suas evidências basicamente pelo estudo de amostras do núcleo tiradas de leitos de lagos antigos. As amostras do núcleo mostram, pela simples observação da contagem de pólen, que a Terra por milhões de anos teve um ciclo de 90 mil anos de gelo seguidos por um período temperado de 10 mil anos, seguido por 90 mil anos de gelo, seguido por 10 mil anos temperados. Esse ciclo particular tem sido mantido por um período muito longo de tempo.

Além disso, Hamaker descobriu — e outras pessoas confirmaram — que o período necessário para ir de uma era aquecida para uma era do gelo é de meros vinte anos! As pessoas que estudaram esse assunto por muito tempo acreditam que possivelmente estamos agora por volta de dezesseis a dezessete anos dentro desse ciclo de vinte anos, mas é claro que ninguém sabe realmente. E eles dizem que, quando se chega ao fim dos vinte anos mais ou menos [estalar de dedos], em um *único dia,* em menos de 24 horas, está tudo acabado. As nuvens cobrem a Terra, a temperatura média cai para cerca de 45 graus abaixo de zero e a maioria das regiões do mundo não vê a luz do Sol por 90 mil anos. Se esses sujeitos estiverem certos, temos apenas mais alguns anos de luz solar. Continuaremos a ficar cada vez mais aquecidos, cada vez mais quentes, até chegar aquele dia, então... pronto! Está tudo acabado. Não vou dar todos os detalhes da obra de Hamaker, mas sugiro que pesquisem por si mesmos se quiserem informar-se a respeito. Ele tem evidências importantes. Estudem o que ele diz. O livro é intitulado *The Survival of Civilization.*

Da Era do Gelo ao Aquecimento, uma Mudança Rápida

Os cientistas acabaram de descobrir outra surpresa, que deixou alguns deles chocados e praticamente incapazes de acreditar. Eles pensavam que, quando uma era do gelo recua, seriam necessários milhares de anos para o aquecimento voltar. Mas agora eles têm evidências de que são necessários apenas *três dias,* conforme afirma um artigo publicado na revista *Time*. São necessários vinte anos para ir do calor ao frio e três dias para ir do frio ao calor. Então o efeito estufa é um problema importante e grave. Ninguém conhece a resposta, mas o que assusta é que estão tentando instigar supostas respostas que não foram comprovadas. Estão lutando para ver de quem é a melhor resposta e quem vai fazer o que — mas ninguém *sabe*. É como no caso do ozônio — surgiram mais ou menos quinze ideias diferentes sobre o que fazer para resolver o problema do ozônio, e ninguém sabe como melhorar a situação — ou piorar. Ninguém sabe o que essas coisas vão fazer, porque nunca foram feitas antes. Parece que estamos querendo fazer experiências em nós mesmos para descobrir se vamos conseguir ou não.

Bombas Atômicas Subterrâneas e CFCs

Acima disso, todos os tipos de outros problemas estão ocorrendo. Algumas coisas são tão assustadoras que os governos receiam dar qualquer informação a respeito. Eles não dirão sobre uma coisa que eu simplesmente preciso comentar, porque é tão importante que alguém *precisa* dizer alguma coisa! Sei que eles não querem que eu comente sobre o assunto, mas não acho que irão me impedir.

Estamos encontrando os CFCs na atmosfera superior. Agora, as "autoridades" do governo estão dizendo que os produtos com CFC como o fréon irão flutuar porque são mais leves do que o ar. Mas adivinhem — e vocês cientistas podem verificar isto: os CFCs não são mais leves do que o ar, eles são *quatro vezes mais pesados do que o ar*. Eles *afundam*, não sobem! Então, como é que foram parar lá em cima? Pode ter sido por causa das 212 bombas atômicas *de superfície* que os nossos governos detonaram no mundo. Muitas pessoas desconfiam de como todo aquele CFC foi parar lá em cima antes de mais nada, e que realmente não fomos *nós* que causamos a maior parte do problema com os nossos condicionadores de ar. Foram os *governos atômicos mundiais*.

A certa altura eles passaram a detonar as bombas no subterrâneo, e pensamos: Tudo bem, eles estão detonando no subterrâneo; não vai acontecer nada agora. Isso não está certo, pessoal. Essa é provavelmente a coisa mais perigosa que está acontecendo no mundo atualmente, ainda mais do que o HAARP, e eles continuam a praticá-lo. Não posso provar o que vou dizer em se-

Atualização: Lembrem-se de que o professor Einstein não sabia com certeza se, quando a primeira bomba atômica foi acionada, a reação nuclear em cadeia pararia quando a amostra de combustível original acabasse. O governo norte-americano sabia que, quando essa primeira bomba explodisse, ela poderia representar o fim do mundo — de todos os seres vivos em uma questão de minutos. Mas a explosão foi realizada de qualquer maneira! Isso é incompetência espiritual!

Estamos diante de outro momento na história em que o governo decidiu colocar de novo a nossa vida em risco. Quando o HAARP foi lançado no primeiro semestre de 1997, eles não sabiam com certeza se a atmosfera seria destruída. E ainda não sabem com certeza quais serão as consequências a longo prazo, assim como não sabiam durante a Segunda Guerra Mundial no caso do Projeto Manhattan.

O que é HAARP? Vocês precisam saber. HAARP é a sigla de High-Frequency Active Auroral Research Project [Projeto de Pesquisa de Ativação de Alta Frequência Auroral]. É uma arma imensamente mais poderosa do que a bomba atômica. Eles pretendem emitir mais de 1,7 gigawatts (bilhões de watts) de potência irradiada para a ionosfera e fazer ferver de fato a atmosfera superior, com o fim de criar um espelho e/ou uma antena artificial, para transmitir enormes quantidades de força para qualquer área específica da Terra. Essa energia será usada para manipular o clima mundial, danificar ou destruir ecossistemas, deixar fora de combate a nossa comunicação eletrônica e mudar o nosso humor e os nossos estados mentais. Sem mencionar que poderia ser usada para destruir ou manipular a nova rede crística ao redor do mundo. Leiam *Angels Don't Play This HAARP* [Os anjos não tocam esta HAARP], de Jeane Manning e o dr. Nick Begich*. Vocês aprenderão mais.

✦

Atualização: Em 1995 e 1996, o governo secreto explodiu seis bombas atômicas em uma região próxima à ilha de Moorea, parte das ilhas francesas do Taiti. A França, juntamente com diversos outros países, colocou essas bombas em um lugar materialmente sagrado do corpo da Mãe Terra. Se tivessem feito isso à sua mãe, vocês teriam chamado a isso de uma violação horrível. Eram bombas de nêutrons, que não destroem estruturas, mas "meramente" destroem todas as formas de vida na região.

Se a Terra fosse uma mulher, a região em que eles deliberadamente colocaram a bomba seria o seu períneo. Partindo em uma linha reta

---

* Para obter mais informações sobre a HAARP, leia no site em inglês http://globalresearch.ca/articles/GIL401A.html. o artigo "Weather Warfare: Beware the US military's experiments with climatic warefare", do prof. Michel Chossudovsky, publicada em *The Ecology* em dezembro de 2007. (N.E.)

guida, portanto não acreditem enquanto não puderem provar.

Adam Trombly, um cientista famoso que acompanhou importantes trabalhos científicos, tem monitorado a detonação de bombas atômicas no subterrâneo em todo o mundo. Provavelmente, ele sabe mais sobre esse assunto do que qualquer outra pessoa no mundo — até mesmo os governos reconhecem isso. Trombly explica o que acontece quando essas bombas atômicas são explodidas no subterrâneo. A energia simplesmente não permanece lá; ela precisa ir para algum lugar, então continua se espalhando pela terra, ricocheteando no seu interior, rompendo as placas e produzindo danos incríveis à medida que ricocheteia como uma bola de pingue-pongue. Esse efeito de ricochete no interior da Terra continua por cerca de trinta dias depois da explosão.

Trombly, a exemplo de Jacques Cousteau e outros, tem uma teoria atualmente que prediz todos os tipos de coisa que acontecerão — e *elas todas acontecerão agora!* Coisas como o oceano Índico baixando 7 metros ao longo de um curto período de tempo foram previstas por Trombly pelo menos dez anos atrás — assim como Jacques Cousteau previra a morte do mar Mediterrâneo em dez anos. Muitas pessoas notáveis estão comentando sobre as previsões dele, mas poucas o escutam. Se Trombly estiver certo, bastam mais algumas bombas atômicas para que o planeta literalmente se fragmente em pequenas partes. Os governos de todo o mundo estão em alerta vermelho desde cerca de 1991 quanto às mudanças previstas por Trombly para acontecer na Terra. Eles estão apavorados. Ainda assim acredito que a China deve detonar mais uma — e os EUA estão cogitando sobre a explosão de uma, só por causa da ação da China!*

De qualquer maneira, a vida continua. É uma coisa boa que existam outros níveis para o nosso espírito além do material. Se não fosse pelos mestres ascensionados e o nosso aspecto superior, estaríamos em uma situação desesperadora. Mas por causa do trabalho de outras

---

* Índia e Paquistão fizeram testes nucleares em 1998 e a Coreia do Norte fez testes em outubro de 2006 e em maio de 2009. (N.E.)

grandes almas, vocês e a humanidade estão apenas começando a viver. Logo nascerão em outro mundo novo, limpo e maravilhoso, graças a Deus, e não devemos agradecer a mais ninguém a não ser a Deus. Vamos ficar bem depois disso tudo. E ainda assim vou continuar...

O Memorando de Strecker sobre a Aids

Eis um último drama. Na verdade, existem muitas outras situações de perigo (eu poderia continuar durante horas), mas vou apresentar a vocês apenas esta última sobre a Aids. Sugiro que tentem encontrar o texto do Memorando de Strecker, caso ainda não o tenham lido ou assistido ao vídeo. Os governos realmente estão tentando suprimi-lo. O dr. Strecker fez um memorando em vídeo sobre o que ele acreditava ter acontecido em relação à Aids. Ele é uma pessoa excepcional. Trabalhou com retrovírus e é um especialista no assunto. Ele exibiu o vídeo na televisão e os governos o ameaçaram. Supostamente mataram o irmão dele e o senador que o patrocinava. Mas não pegaram Strecker — isso teria sido óbvio demais, imagino. O dr. Strecker distribuiu muitos dos seus vídeos. Conseguiu que eles circulassem por todo o mundo, no entanto não se ouve mais falar dele.

O dr. Strecker mostra no filme como os Estados Unidos estavam tentando resolver um problema ambiental. Eles sabiam que o maior problema ambiental de todo o mundo era a população humana e, à taxa em que ela aumentava, a população mundial duplicaria em 2010 ou 2012. Mas por causa do que os chineses fizeram, autorizando apenas um filho por casal, e outros trabalhos enérgicos em todo o mundo, eles reduziram a velocidade do projeto. Mas ainda acreditam que vá acontecer. Atualmente, estima-se que por volta de 2014 a população mundial terá duplicado. Se isso acontecer, os modelos de computador têm mostrado que toda a vida na Terra morrerá ou preferiria estar morta, de acordo com as Nações Unidas, porque mal conseguimos controlar as coisas com quase 6 bilhões de pessoas. Podem imaginar como seria com 11 a 12 bilhões de pessoas no mundo? Não há como sobreviver, pelo menos no sistema atual.

Portanto, se vocês estivessem nos Estados Unidos, soubessem que esse desastre potencial estaria prestes a acontecer e precisassem tomar uma decisão, o que fariam? Não estou julgando as pessoas que fizeram isso — simplesmente se coloquem na posição de grande poder que elas ocupam. Vocês veem que a Terra está indo seguramente

daquele ponto através da Terra, chegaríamos ao chakra da coroa da Terra, que simplesmente se situa na região da Grande Pirâmide no Egito. Isso se tornou o foco de atenção, pois o governo secreto fechou toda a Grande Pirâmide, não permitindo que ninguém se aproximasse por três dias, de modo que pudessem testar os resultados na consciência do planeta. Eles estavam tentando destruir um campo de energia específico que aumentara a ponto de envolver a Terra. Podem chamá-lo de um dos bancos de memória da Terra. Vocês e eu o chamamos de consciência crística. Eles, o governo secreto (que também somos vocês e eu), temiam essa nova consciência, mas acredito agora que a questão foi resolvida em grande parte.

As polaridades da Terra estão se fundindo vagarosamente. Na época desta transcrição, em 1993, estávamos vivendo um período de conscientização planetária. Agora estamos na iminência da união planetária com base na compreensão. O grande teste continua por vir, especialmente se o governo secreto decidir usar o HAARP para tentar destruir a rede crística.

à bancarrota, que será totalmente destruída se nada mudar. Então eles tomaram uma decisão — e o dr. Strecker mostrou exatamente isso com o memorando na televisão. As Nações Unidas decidiram que, em vez de esperar chegar a ameaça de 11 bilhões de pessoas, produziriam um vírus ou uma doença que eliminasse especificamente três quartos da população da Terra. Em outras palavras, em vez de *aumentar* para 11 bilhões, eles queriam *reduzir* a população atual em três quartos. Ele mostrou o próprio documento da ONU que planejava eliminar três quartos da população mundial.

O dr. Strecker mostrou do ponto de vista científico exatamente como a ONU procedeu. Eles tiraram um vírus de uma ovelha e um vírus de uma vaca e os misturaram de determinada maneira para produzir o vírus da Aids. Mas, antes de começar a disseminá-lo, eles também produziram a cura para ele. Os governos têm a cura neste exato momento, de acordo com o dr. Strecker. As pessoas que estão fazendo isso — e a história irá comprová-lo — obviamente eram preconceituosas, porque escolheram dois grupos: os negros e os homossexuais.

No Haiti, havia uma epidemia de hepatite B alastrando-se pela comunidade homossexual, e todos precisavam receber a vacina contra a hepatite B. Assim, os agentes da ONU pegaram o vírus da Aids, puseram-no na vacina contra a hepatite B e injetaram em todos. Foi assim que o vírus teve início, de acordo com o dr. Strecker. A outra evidência de que isso é verdade é que, por todo o resto do mundo, o vírus *não* foi dado exclusivamente a homossexuais. Na África, onde pelo menos 75 milhões de pessoas têm Aids, a proporção da infecção entre homens e mulheres é de quase exatamente 50-50, desde o início até hoje. Apenas no Haiti, e finalmente nos Estados Unidos, ela se espalhou quase exclusivamente entre a população homossexual. Se vocês observarem os índices desse país, as mulheres atualmente estão contraindo Aids mais rapidamente do que ninguém. Logo a natureza fará o equilíbrio e vocês verão a mesma coisa acontecer exatamente em todas as partes do mundo, quando um número igual de homens e mulheres terão Aids. Não se trata absolutamente de uma doença *gay* — não tem nada a ver com isso. Tem a ver com o preconceito das pessoas que a criaram.

De acordo com o dr. Strecker, a Organização Mundial da Saúde, que foi essencial para a criação dessa doença, também tem se preocupado com outras doenças — e também os médicos em toda parte. Por exemplo, vamos considerar o câncer. Os médicos se preocupam com que o câncer algum dia se torne contagioso, não pela poluição, pelos alimentos ou coisas assim, mas que seja transmitido pelo ar ou pela água, assim como a gripe. Ninguém se aproxima de alguém com câncer e contrai a doença. Mas o número de espécies diferentes de vírus do câncer é tão pequeno que a probabilidade de isso chegar a acontecer um dia é mínima. Mas ainda pode acontecer, embora não seja provável. No entanto, em relação à Aids, *existem 9.000 à quarta potência, ou 6.561.000.000.000.000, tipos totalmente diferentes de vírus da Aids* — o que é um número enorme. E toda vez que alguém contrai a Aids, um vírus inteiramente novo é criado, um vírus que nunca foi visto antes, jamais. Isso significa que é *inevitável*, matematicamente falando — é só uma questão de tempo — que a Aids se espalhe rapidamente, assim como a gripe, por todo o mundo.

Existe uma história corrente de que a Organização Mundial da Saúde acredita que essa rápida disseminação da Aids pode já ter começado. Por volta de 1990 ou 1991, a OMS fez testes em uma tribo africana de 1,4 mil pessoas, incluindo todos, desde os bebês até os idosos, que obviamente tinham diferentes tipos de práticas sexuais (vocês sabem, os bebês não estão incluídos nessas práticas) e descobriram que *todas as pessoas da tribo,* sem exceção, tinham Aids. Foi quando a OMS anunciou secretamente que o vírus provavelmente já estaria sendo disseminado pelo ar ou pela água, e que poderia acabar se espalhando rapidamente, assim como a gripe comum. Poderá haver um atraso de alguns anos como acontece com qualquer nova doença. Se isso acontecer, vocês *saberiam* se estariam seguros? Vocês precisam saber a verdade — *vocês são mais do que sabem!*

Uma Perspectiva sobre os Problemas Terrestres

Se não fôssemos seres multidimensionais, se fôssemos apenas corpos materiais ligados à Terra e não tivéssemos nenhum outro lugar para ir, estaríamos em uma situação muito grave. Mas por causa de quem somos, o que está para acontecer à Terra poderá tornar-se um instrumento para um enorme crescimento. Lembrem-se, a vida é uma escola. Maya é maya!

Mas ainda assim, se percebemos a situação incrivelmente perigosa em que nos encontramos, poderemos despertar para quem somos. O único motivo de eu estar simplesmente pronunciando essas palavras, e não as mantendo em segredo, é porque somos como um grupo de pessoas em um barco prestes a naufragar. Há um grande furo nele, e a água está entrando. *Não é o momento de ficar sentado, de fingir que não está acontecendo, de continuar com a vida como de costume e continuar pensando da maneira como sempre pensamos.* Se vocês não soubessem a verdade sobre o nosso ambiente, poderiam simplesmente continuar com a sua vida e não fazer nada.

Não estou sugerindo uma ação ambiental, embora isso não seja errado. O que mais me preocupa é uma modalidade de ação interior, espiritual, uma meditação, uma meditação que recupere a sua ligação com todas as formas de vida em todo lugar. É como dizem os taoistas: *A maneira de fazer é ser.* Não há nada de errado em agir externamente, mas há outro tipo de ação que é necessária aqui, creio eu. Ela requer um estado mental em que possamos perceber a situação, comecemos a levá-la a sério e trabalhar no sentido de podermos fazer algumas mudanças reais na nossa consciência. Essa mudança interior em que precisamos nos concentrar e compreender pouco a pouco irá se desenvolver à medida que continuarmos. Quem entender o outro lado dessa moeda da vida vai perceber que esses problemas ambientais não são um problema de verdade quando a consciência superior entra no mundo em terceira dimensão, embora do ponto de vista da terceira dimensão pareça o fim da vida.

Atualização: No lado positivo, uns cinco anos atrás, médicos da UCLA começaram a examinar um menino que nasceu com Aids. Ele fora examinado ao nascer, aos 6 meses e de novo ao completar 1 ano. Ele ainda tinha Aids. Não voltou a ser examinado até quase 5 anos de idade. Quando o examinaram dessa vez, todos os indícios da Aids haviam desaparecido. Era como se ele nunca tivesse contraído a Aids. Os médicos não sabiam como o seu organismo se tornou imune; tudo o que sabiam era que isso acontecera. Eles examinaram tudo o que puderam, incluindo o seu DNA. Foi ali que encontraram uma alteração. O menino não tinha um DNA humano!

Temos 64 códons no nosso DNA, mas nos seres humanos normais apenas vinte desses códons estão ativos. O resto está inerte ou não funcional, a não ser por três, que são os programas para parar e para iniciar. Esse menino tinha 24 códons ativos — ele encontrara um modo de mudar que o tornou imune à Aids. Na verdade, quando o examinaram, descobriram que ele era imune a tudo. Descobriram que o seu sistema imunológico era 3 mil vezes mais forte do que o de um ser humano normal.

Então encontraram outra criança na mesma situação, curada da Aids e com os mesmos 24 códons ligados, com isso tornando-se imune à Aids e outras doenças. Descobriram então cem, depois 10 mil. Atualmente, a UCLA acredita que 1 por cento do mundo fez essa mutação. Agora eles acreditam que 55 milhões de crianças e

A História do Mundo

Vamos entrar em um novo assunto: a história do mundo e como ela se relaciona com o presente. Cada uma dessas peças do quebra-cabeça alarga a visão. A situação em que nos encontramos neste mundo não se produziu por acaso. Aconteceram fatos de que precisamos nos lembrar. Muitos de nós estiveram aqui em vidas passadas, e guardamos essas lembranças dentro de nós. Mas isso é um caso à parte. Precisamos saber exatamente o que aconteceu para entender como isso se transformou nesta situação atual. Essa história, é claro, não será encontrada nos livros de história, porque os livros da "civilização" humana remontam apenas a 6 mil anos, e precisamos voltar cerca de 450 mil anos para começar.

Recebi essas informações originalmente de Thoth por volta de 1985. Então, depois que Thoth se foi em 1991, tomei conhecimento de Zecharia Sitchin, li os seus livros e descobri que as informações de Sitchin e de Thoth se encaixavam quase *perfeitamente* — tão perfeitamente que não poderia ser coincidência. Fiquei impressionado com a semelhança de ambas. Muitas das coisas que Thoth havia mencionado — tais como gigantes na Atlântida, que ele não explicou depois — estavam explicadas nos livros de Sitchin. E muitas coisas sobre as quais Sitchin parece ter passado por alto, foram explicadas profundamente por Thoth. Portanto, a combinação dessas duas fontes dá uma perspectiva muito interessante. Vocês não precisam aceitar essa perspectiva; apenas escutem como se fosse uma lenda, pensem a respeito e vejam se faz sentido para vocês. Se algo não lhes parecer verdadeiro, então, é claro, não aceitem. Mas eu acredito que isso é o mais próximo que posso chegar da verdade, e eu a ofereço a vocês. Lembrem-se, precisei traduzir as imagens geométricas e hieroglíficas de Thoth para o inglês. Alguma coisa deve ter-se perdido, mas acho que isso está próximo o bastante para estimular a sua memória.

Primeiro vocês devem entender uma coisa sobre a história escrita. Alguém pegou uma caneta e a escreveu, portanto a história escrita é sempre o ponto de vista da pessoa ou do povo que a escreveu. A história escrita começou apenas nos últimos 6 mil anos, mas será que essa história seria a mesma se fosse escrita por povos diferentes? Considerem que na maioria dos casos foram os vencedores das guerras que escreveram os livros de história. Quem quer que tenha ganho a guerra disse: "Foi isto o que aconteceu". Os perdedores não tiveram sequer a oportunidade de dar um palpite. Observem qualquer uma das duas maiores guerras, em especial a Segunda Guerra Mundial, que foi uma guerra muito emocional. Se Hitler tivesse ganho a Segunda Guerra Mundial, os nossos livros de história seriam completamente diferentes. Estaríamos estudando um conjunto de "fatos" totalmente diferente. Seríamos os bandidos, e eles teriam apresentado bons motivos para o extermínio dos judeus, etc. Mas nós vencemos, portanto escrevemos a história de acordo com a nossa perspectiva.

Bem, tudo aconteceu mais ou menos assim ao longo da história. Ninguém jamais fala sobre esse assunto, ainda que ele seja óbvio. Até mesmo Thoth estava muito consciente disso; ele me disse: "Estou lhe dando o meu ponto de vista. Pude observar a passagem dos séculos, mas sou apenas uma pessoa. Isso é o que eu acredito ser verdade, mas você deve entender que outra pessoa pode ter pontos de vista diferentes sobre a história". Portanto, nem mesmo ele disse: "É isso aí — acredite ou não". Portanto, depois dessa observação, vamos continuar.

Sitchin e a Suméria

Vou começar primeiro com a obra de Zecharia Sitchin. Se não leram os livros dele ainda, será um grande prazer se tiverem a oportunidade de ler sobre esse assunto em primeira mão. O seu livro principal é intitulado *The 12th Planet*, embora eu recomende outros dois, *The Lost Realms* e *Genesis Revisited* (nessa ordem). Ele escreve sobre muitas cidades que foram citadas na Bíblia cristã, tais como Babilônia, Acad e Erech (ou Uruk), as quais durante muito tempo as pessoas pensaram tratar-se de mitos porque ninguém podia provar a sua existência. Não havia sequer a mais ligeira indicação de que houvessem existido. Então finalmente encontraram uma cidade, que levou a outra, que levou a outra, que levou a outra. Finalmente, encontraram todas as cidades mencionadas na Bíblia.

adultos não são mais humanos, pela definição do DNA. Há tantas pessoas fazendo isso atualmente que a ciência acredita que uma nova raça humana esteja nascendo nesta época, e que isso parece ter sido causado pela Aids. É quase impossível essas pessoas ficarem doentes.

Também é interessante que, em novembro de 1998, tenha sido anunciado que, em 1997, a Aids apresentara uma redução de 47 por cento, o que era na época a maior queda na história das doenças mais importantes. Essa poderia ser uma das razões?

Além do mais, em *Cracking the Bible Code**, de Jeffrey Satinover, quando submeteram a palavra "Aids" ao código, descobriram todas as palavras comuns associadas. Viram as palavras: *sangue, morte, aniquilação, na forma de um vírus, da imunidade, do HIV, destruído* e muitas mais. Entretanto, houve determinadas palavras que não fizeram sentido aos pesquisadores mas que apenas agora podem ser compreendidas à luz das informações anteriores. Eles encontraram as palavras: "o fim de todas as doenças".

Esse é talvez o acontecimento mais importante de todos da atualidade.

---

* *A Verdade por trás do Código da Bíblia*, Editora Pensamento, SP, 1998.

Entendam que todas essas cidades antigas foram descobertas nos últimos 120 anos no máximo, a maioria delas mais ou menos recentemente. Quando escavaram as camadas dessas cidades antigas, encontraram milhares de tabuletas cilíndricas de argila nas quais a história da Suméria e a história da Terra estavam registradas detalhadamente, remontando a centenas de milhares de anos. A linguagem em que foram escritas é chamada cuneiforme. O que vou comentar com vocês não se refere apenas à interpretação de Sitchin. Muitos outros pesquisadores atualmente sabem como interpretar a escrita cuneiforme, e por causa da tradução daquelas obras, toda a nossa perspectiva do mundo, do que pensamos que seja verdade, está mudando — assim como o trabalho de John Anthony West com a Esfinge também está influenciando o pensamento moderno em relação à história.

Fecharemos o círculo depois para explicar como os sumérios receberam as suas informações. Os registros sumérios são os mais antigos registros do planeta, com 5,8 mil anos de idade, mas eles comentam sobre coisas que aconteceram bilhões de anos atrás, e em grandes detalhes coisas que aconteceram depois de 450 mil anos atrás. Seja recorrendo ao conhecimento científico, seja recorrendo a Thoth, a nossa raça tem cerca de 200 mil anos de existência. Sitchin afirma que somos mais antigos do que isso, talvez com uns 300 mil anos mais ou menos, mas os registros e Thoth não afirmam isso — e nem tampouco os Melchizedeks. Estamos aqui há um pouco mais do que 200 mil anos, mas houve civilizações na Terra — muito antes deste ciclo e muito tempo antes dos Nephilim — que foram muito mais avançadas do que os Nephilim ou qualquer coisa que tenhamos visto depois deles. Elas desapareceram sem deixar vestígio. No final desta obra vocês vão entender por que não sobrou nada quando elas partiram. Esse é o passado do planeta. Ele faz parte de quem somos, num certo sentido. Temos acesso a todas essas informações. Há um componente dentro de cada um de nós que tem todas essas informações registradas. Ele é facilmente acessível, mas a maioria de nós simplesmente não tem consciência disso.

Normalmente, damos o maior crédito à fonte mais antiga de um acontecimento histórico porque ela está mais próxima no tempo do que um escriba posterior distante do acontecimento. Esses são os textos mais antigos de que dispomos, com a possível exceção da linguagem geométrica que antecede aos hieróglifos egípcios. Os antigos sumérios contam-nos uma história da história que é muito difícil de aceitar por causa da nossa certeza de que o que sabemos hoje sobre o passado é correto. A história é tão absurda em tantos níveis que os cientistas estão tendo uma grande dificuldade em aceitá-la, muito embora saibam que deve ser verdadeira. Essa é a fonte mais antiga! Se não fosse tão absurda, teríamos aceitado sem questionar há muito tempo porque ela provém de uma fonte muito antiga.

Por outro lado, se eles fossem loucos, criando histórias sem nenhum conhecimento verdadeiro, como explicamos que soubessem de tantos fatos sobre a natureza que, do nosso ponto de vista da história, teria sido impossível que conhecessem? Por exemplo, não só os dogons sabiam sobre todos os planetas exteriores, mas também os sumérios sabiam — desde o próprio começo da sua cultura! A cultura mais antiga conhecida do mundo, os sumérios, que remontam a cerca de 3800 a.C., sabiam exatamente como era aproximar-se do nosso sistema solar do espaço exterior. Eles sabiam sobre todos os planetas exteriores, e os contavam desde os mais exteriores até os interiores, como se vindo de fora do sistema solar. Assim como os dogons mostraram nas paredes da caverna, os sumérios identificaram os tamanhos relativos dos diferentes planetas e os descreveram em detalhes, como se estivessem passando por eles no espaço — como eles eram, se tinham água, a cor das nuvens. Todo esse conhecimento foi descrito em detalhes 3,8 mil anos antes de Cristo! Isso é um fato. Como é possível? Ou será que desconhecemos a verdade sobre o nosso começo?

Antes de a NASA enviar uma sonda espacial ao espaço exterior para investigar os planetas exteriores, Sitchin enviou-lhes uma descrição dos sumérios de todos os planetas vistos do espaço. E quando o satélite alcançou-os um por um, sem dúvida nenhuma, as descrições sumérias estavam exatamente corretas. Outro exemplo: *eles conheciam a precessão dos equinócios desde o princípio original da sua existência como cultura.* Eles sabiam que a Terra se inclinava sobre o seu eixo em 23 graus em relação ao seu plano orbital ao redor do Sol e que ela girava em um círculo que demorava aproximadamente 25.920 anos para se completar. Agora, é bem difícil para um historiador convencional entender, especialmente para um cientista que sabe que são necessários 2.160 anos de observação contínua do céu noturno para saber apenas que a Terra oscila. A extensão mínima de tempo é de 2.160 anos, ainda assim os sumérios sabiam sobre isso desde o primeiro dia da sua civilização.

Como sabiam disso? São tantas as evidências extraordinárias que surgem naquelas tabuletas que não chegaram ainda a ser absorvidas pelo pensamento geral com a mesma velocidade. Conforme me ensinaram na escola e entendi, Moisés escreveu o Gênesis por volta de 1250 a.C., o que é cerca de 3.250 anos atrás. Isso foi o que sempre li. Ainda assim, existem tabuletas sumérias que foram escritas no mínimo 2 mil anos antes de Moisés viver, e elas trazem o mesmo relato do primeiro capítulo da Bíblia quase palavra por palavra. Essas tabuinhas até mesmo trazem os nomes de Adão e Eva, além dos nomes de todos os seus filhos e filhas, todo o espectro de acontecimentos narrados no Gênesis. *Estava tudo escrito antes de Moisés nem sequer ter recebido as informações.* Isso prova que Moisés não foi o autor do Gênesis. Obviamente, essa verdade será difícil de ser aceita pela comunidade cristã, mas é verdadeira. Posso entender por que esse conhecimento está demorando tanto tempo para entrar na nossa cultura moderna, porque é um desvio imenso da história aceita da Terra, e essa verdade secundária/principal sobre Moisés é apenas uma minúscula parte de toda a verdade.

Tiamat e Nibiru

Ainda mais profunda do que qualquer uma dessas excepcionais e impossíveis informações de que eles tinham conhecimento (e há muito mais) é a verdadeira história que os sumérios escreveram sobre o início da raça humana antes de Adão e Eva. Eles falam de um tempo que remonta a muito, muito, muito tempo. A história começa vários bilhões de anos atrás, quando a Terra era muito jovem. Existia então um grande planeta chamado Tiamat, e ele girava ao redor do Sol entre Marte e Júpiter. A Terra antigamente tinha uma lua grande, que segundo os registros deles estava destinada a tornar-se um planeta algum dia no futuro.

De acordo com os registros, havia mais um planeta no nosso sistema solar do qual se tem apenas uma vaga lembrança nestes tempos modernos. Os babilônios chamavam esse planeta de Marduk, e esse nome parece que pegou, mas o nome que os sumérios lhe davam era Nibiru. Era um planeta enorme que girava ao contrário em comparação com os outros planetas. Os outros planetas estão em um plano mais ou menos igual em uma direção, mas Nibiru move-se na direção contrária, e quando ele se aproxima dos outros planetas, passa através da órbita de Marte e Júpiter (Ilustração 3-8).

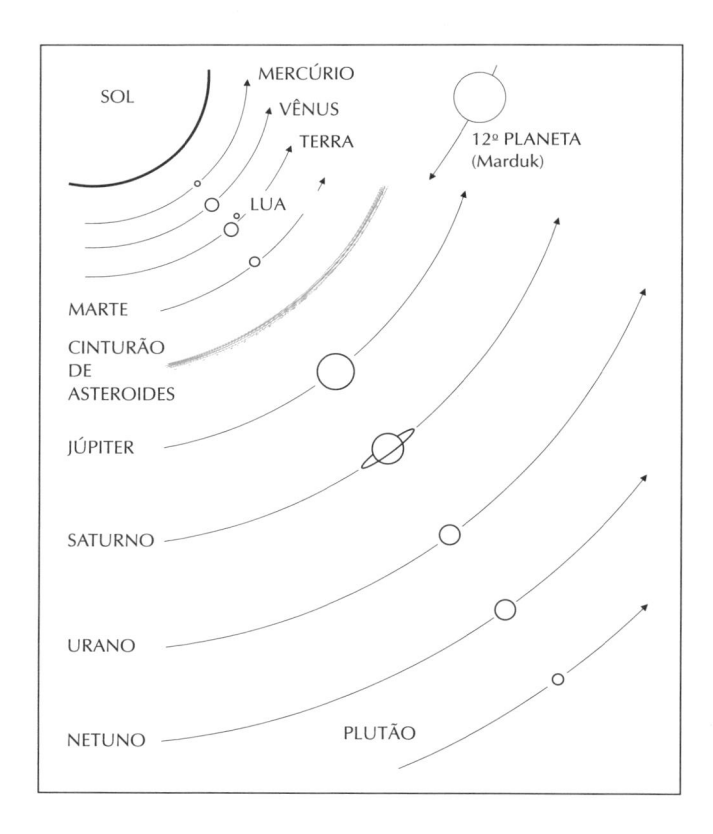

Afirmam os sumérios que esse planeta passa pelo nosso sistema solar a cada 3,6 mil anos e, quando ele se aproxima, representa um acontecimento excepcionalmente grande para o nosso sistema solar. Então ele se afasta na direção dos planetas exteriores e desaparece da nossa vista. A NASA, a propósito, provavelmente já encontrou esse planeta. Pelo menos, essa é a possibilidade mais provável. Eles usaram dois satélites e o localizaram a uma enorme distância do Sol. Definitivamente ele existe, mas os sumérios sabiam sobre ele milhares de anos atrás! Então, de acordo com os registros, conforme o destino quis, em uma passagem orbital Nibiru aproximou-se tanto que uma das suas luas esbarrou em Tiamat (a nossa Terra) e arrancou metade dele — simplesmente rasgou o planeta ao meio. De acordo com os registros sumérios, esse grande pedaço

Ilustração 3-8. O sistema solar incluindo Marduk/Nibiru e os remanescentes de Tiamat (o cinturão de asteroides e a Terra).

de Tiamat, juntamente com a sua lua principal, foi desviado do seu curso, indo parar numa órbita entre Vênus e Marte, e tornou-se a Terra como a conhecemos hoje. O outro pedaço desfez-se em milhões de fragmentos e tornou-se o que os registros sumérios chamam de "bracelete celeste", ao qual chamamos o cinturão de asteroides entre Marte e Júpiter. Esse é outro assunto com que os astrônomos se maravilharam. Como eles sabiam sobre o cinturão de asteroides, uma vez que não pode ser visto a olho nu?

Esse é o ponto até onde vão os registros sumérios. Os registros continuam a comentar sobre acontecimentos anteriores, até um ponto em que falam mais sobre Nibiru. O planeta era habitado por seres conscientes chamados Nephilim. Os Nephilim eram muito altos: as mulheres tinham entre 3 e 3,60 metros de altura, e os homens, cerca de 4,20 a 4,80 metros de altura. Eles não eram imortais, mas chegavam a viver 360 mil anos terrestres, de acordo com os registros sumérios. Então morriam.

O Problema Atmosférico de Nibiru

De acordo com os registros sumérios, aproximadamente 430 mil — talvez até 450 mil — anos atrás, os Nephilim começaram a ter problemas com o seu planeta. Era um problema atmosférico muito parecido com o problema do ozônio que estamos tendo atualmente. E os seus cientistas decidiram sobre uma solução semelhante ao que os *nossos* cientistas consideraram. Os nossos cientistas pensaram em colocar partículas de poeira na camada de ozônio para filtrar os raios nocivos do Sol. A órbita de Nibiru os levava a uma distância tão grande do Sol que eles precisavam reter o calor, então decidiram colocar partículas de ouro na atmosfera superior do planeta, a qual refletiria a luz e a temperatura de volta como um espelho. Eles planejaram conseguir grandes quantidades de ouro, pulverizá-lo e suspendê-lo no espaço acima do planeta. Ainda assim, é verdade que falavam sobre assuntos que parecem contemporâneos — seres humanos antigos comentando sobre ETs e ciência sofisticada. Isso não é a *Jornada nas Estrelas* ou ficção científica; é real. O que eles disseram é bem impressionante, e é por isso que está demorando tanto para chegar ao conhecimento do público em geral.

Os Nephilim tinham a capacidade de viajar pelo espaço, embora não estivessem na época tão avançados como estamos hoje, ao que parece. Os registros sumérios mostram-nos nas suas naves espaciais com chamas saindo de trás — naves com foguetes. Essa é a viagem espacial inicial, não sofisticada. Na verdade, eles eram tão primitivos que precisavam esperar até que Nibiru se aproximasse o bastante da Terra para poder fazer viagens entre os dois planetas. Eles não podiam simplesmente decolar com antecedência, precisavam esperar até estarem bem próximos. Acredito que, uma vez que não fossem capazes de sair do sistema solar, os Nephilim pesquisaram todos os planetas daqui e descobriram que a Terra tinha grandes quantidades de ouro. Então enviaram uma equipe para cá há mais de 400 mil anos, com um único propósito — minerar ouro. Os Nephilim que vieram à Terra eram chefiados por doze representantes que eram como chefes, mais cerca de seiscentos trabalhadores que vinham realmente escavar o ouro e cerca de trezentos que permaneciam em órbita na nave-mãe. Inicialmente, eles foram para a região onde atualmente se situa o Iraque, e começaram a se estabelecer e construir as suas cidades, mas não foi ali que mineraram o ouro (Ilustração 3-9). Em busca do ouro, eles se dirigiram para um vale específico no sudeste da África.

Um dos doze, cujo nome era Enlil, era o líder dos mineiros. Eles foram às profundezas da Terra e cavaram grandes quantidades de ouro. Então, a cada 3,6 mil anos, quando Nibiru/Marduk se aproximava, eles remetiam o ouro para o seu planeta de origem. Então prosseguiam as escavações enquanto Nibiru continuava a seguir pela sua órbita. De acordo com os registros sumérios, eles cavaram por muito tempo, cerca de 100 mil a 150 mil anos, e depois aconteceu a rebelião dos Nephilim.

Ilustração 3-9. Povoamentos originais dos Nephilim e as minas de ouro.

Não concordo muito com as datas apresentadas por Sitchin sobre quando isso aconteceu. Ele as obteve, não diretamente dos registros sumérios, mas calculando quanto tempo ele *pensava* que seria. Ele chegou a uma data de 300 mil anos atrás para quando a rebelião aconteceu. Acredito que tenha sido mais próxima, de 200 mil anos atrás.

A Rebelião dos Nephilim e a Origem da Nossa Raça

Em algum momento entre 300 mil e 200 mil anos atrás, os trabalhadores Nephilim rebelaram-se. Os registros sumérios comentam sobre essa rebelião com todas as minúcias. Os trabalhadores se rebelaram contra os chefes; não queriam continuar cavando nas minas. Imaginem os trabalhadores dizendo: "Cavamos este ouro há 150 mil anos e estamos cansados disso. Vamos parar por aqui". Provavelmente, isso durou praticamente um mês.

A rebelião apresentava um problema para os chefes, então os doze líderes se reuniram e decidiram o que fazer. Eles resolveram pegar uma determinada forma de vida que já existia no planeta, a qual era, segundo entendi, uma dos primatas. Então eles pegaram o sangue dos primatas, misturaram com barro, depois pegaram o esperma de um dos jovens Nephilim e misturam todos esses componentes. A tabuleta realmente os descrevem com algo parecido com recipientes químicos, despejando algo de um frasco em outro para criar essa nova forma de vida. O plano deles era usar o DNA dos primatas e o próprio DNA deles para criar uma raça mais avançada do que a Terra tinha na época, de modo que os Nephilim pudessem controlar essa nova raça com o único propósito de minerar ouro.

De acordo com os registros originais sumérios, fomos criados para ser mineiros, como escravos para minerar ouro. Esse era o nosso único propósito. E depois que minerassem todo o ouro de que necessitavam para salvar o próprio planeta, a intenção deles era eliminar a nossa raça e partir. Eles nem sequer pretendiam nos deixar viver. Agora, a maioria das pessoas que estão ouvindo esta história poderia pensar: "Não pode se tratar de nós; somos nobres demais para uma coisa dessas". Mas é isso que os registros escritos mais antigos da Terra dizem ser a verdade. Lembrem-se, o sumério é a língua mais antiga conhecida do mundo, muito mais antiga do que a usada na Bíblia Sagrada e no Alcorão. Agora parece que a Bíblia Sagrada nasceu das cinzas dos sumérios.

O que a ciência tem descoberto é quase tão interessante. No exato lugar onde os registros sumérios afirmam ser o local onde minerávamos ouro, os arqueólogos encontraram minas de ouro. Essas antigas minas de ouro são datadas de antes de 100 mil anos. O que é realmente incrível é que o *Homo sapiens* (quer dizer, nós) minerava ouro dentro dessas minas. Os nossos ossos foram encontrados lá. Aquelas minas de ouro foram escavadas pelo menos 100 mil anos atrás, e foram datados seres humanos nessas minas de até 20 mil anos atrás. Ora, o que será que estávamos fazendo, minerando ouro 100 mil anos atrás? Por que *nós* precisávamos de ouro? O ouro é um metal macio, não algo que pudesse ser usado como determinados outros metais. Ele não foi encontrado com muita frequência em artefatos antigos. Então, por que o fazíamos e aonde iríamos com isso?

Eva Surgiu das Minas de Ouro?

Então existe a tão comentada teoria de Eva que as pessoas tentam derrubar há muito tempo.

Os cientistas retiraram um determinado componente da molécula do DNA e o sobrepuseram para mostrar qual teria vindo primeiro, e calcularam que a primeira pessoa da humanidade viveu em algum momento entre 150 mil e 250 mil anos atrás. E essa primeira pessoa, a quem chamaram Eva, por acaso veio do exato vale que os sumérios afirmam ter sido onde minerávamos ouro (Ilustração 3-10)! Desde essa época, um cientista descartou essa teoria porque há muitas outras maneiras de observar as origens do DNA. Mas ainda acho notável que essa teoria simplesmente indique o mesmo vale onde os registros sumérios dizem que tudo começou.

A Versão de Thoth sobre a Origem da Nossa Raça

Agora, vejamos o quanto a versão de Thoth é semelhante. Ele concorda com a tradição Melchizedek de que a nossa raça em especial não começou há 350 mil anos como afirma Sitchin, mas exatamente há 200.207 anos (a contar de 1993), ou 198.214 anos antes de Cristo. Ele disse que o povo original da nossa raça foi colocado em uma ilha localizada ao largo da costa do sudeste africano, chamada Gondwanalândia.

Ilustração 3-10. Rastreando a linhagem humana até uma Eva genética.

Ilustração 3-11. Gondwanalândia.

Não sei se essa é a forma correta de Gondwanalândia (Ilustração 3-11); não é importante, mas ficava nessa região. Eles foram colocados lá primeiramente para ser contidos e não saíssem. Quando evoluíram o bastante para ser úteis aos Nephilim, foram transportados para a região das minas na África e para diversos outros lugares onde foram usados para minerar ouro e executar outros serviços. Assim, essa raça original, os nossos ancestrais, desenvolveu-se e evoluiu ali na ilha de Gondwanalândia por cerca de 50 mil a 70 mil anos.

Podem ver neste mapa como as diversas massas de terra podem ter se encaixado uma vez, e isso é o que cientistas suspeitam que seja verdade. Eles chamam esse continente, antes de ter-se dividido, de Gondwanalândia. Eles tiraram o nome das histórias da criação das tribos do oeste africano. Se lerem as diversas histórias da criação dessas tribos, todas têm diferentes ideias sobre como a criação aconteceu, mas há um fio condutor que se repete em todas elas. Todos eles afirmam que vieram do oeste, de uma ilha ao largo da costa ocidental da África, e que ela era chamada Gondwana. Todos concordam sobre essa informação específica, com a única exceção conhecida dos zulus, que afirmam ter vindo do espaço.

Os registros sumérios retratam os seres humanos com cerca de um terço da altura dos Nephilim. Os Nephilim eram definitivamente gigantes em comparação a nós. Eles tinham entre 3 e 4,80 metros de altura, se dermos crédito aos registros. Não vejo nenhuma razão para eles mentirem. Thoth disse que houve gigantes na Terra, mas não disse quem eles eram nem nada mais sobre eles. A Bíblia diz a mesma coisa. Eis o que é dito no capítulo 6 do Gênesis:

"Sucedeu que, quando os homens começaram a multiplicar-se sobre a terra, e lhes nasceram filhas" — essa é uma informação importante: "quando os homens *começaram* a multiplicar-se" (falarei a respeito em um instante) — "os filhos de Deus" (pensem no narrador por um instante; ele está dizendo "os filhos de Deus" no plural) "viram que as filhas dos homens eram formosas; e eles" (os *filhos* de Deus) "tomaram para si mulheres de todas as que escolheram. Então disse o Senhor: 'O meu Espírito não permanecerá para sempre no homem, porquanto ele também é carne'" (isso indica que "o Senhor" também é carne), "mas os seus dias serão cento e vinte anos. Naqueles dias havia *gigantes* na terra, e também depois; quando os filhos de Deus conheceram as filhas dos homens, as quais lhes deram filhos; estes tornaram-se homens poderosos, homens de renome, na Antiguidade".

Essa passagem da Bíblia tem sido interpretada de muitas maneiras. Mas quando a vemos à luz do que os registros sumérios afirmam, ela assume um aspecto completamente diferente, especialmente quando se lê a versão mais antiga da Bíblia, que diz como eram chamados os gigantes. Eles eram chamados de "Nephilim" na Bíblia cristã, exatamente a mesma palavra que aparece nos registros sumérios. Há mais de novecentas versões da Bíblia no mundo, e quase todas comentam sobre gigantes, uma grande porcentagem delas especificamente os chamando de Nephilim.

Concebendo a Raça Humana: O Papel de Sírius

Thoth disse que existiram gigantes aqui na Terra. Isso foi tudo o que ele disse. Não comentou sobre como chegaram aqui nem de onde vieram. Ele disse que, quando a nossa raça foi criada, esses gigantes tornaram-se a nossa mãe. Ele disse que sete deles se reuniram, deixaram o seu corpo morrendo conscientemente e formaram um padrão de sete esferas de consciência entrelaçadas, exatamente como o padrão da Gênese (sobre o qual aprenderão no capítulo 5). Essa fusão criou uma chama azul-esbranquiçada, que os antigos chamaram de Flor da Vida, e colocaram essa chama dentro do útero da Terra.

Os egípcios chamam essa matriz de Salões de Amenti, a qual é um espaço quadridimensional que está localizado tridimensionalmente cerca de 1,6 mil quilômetros abaixo da superfície da Terra e está ligado à Grande Pirâmide por meio de uma passagem quadridimensional. Um dos principais usos dos Salões de Amenti é para a criação de novas raças ou espécies. Dentro deles se encontra outro salão, baseado em proporções de Fibonacci, feito de algo que se parece com pedra. No meio do salão há um cubo, e em cima do cubo está a chama criada pelos Nephilim. Essa chama, que tem de 1 a 1,50 metro de altura e cerca de 90 centímetros de diâmetro, tem uma luz azul-esbranquiçada. Essa luz é prana puro, consciência pura, a qual é o "ovo" planetário criado para nós começarmos essa nova trajetória evolutiva a que chamamos seres humanos.

Thoth disse que se existe uma mãe, deve existir um pai em algum lugar. E a natureza do pai — o esperma do pai — deve vir de fora do sistema ou corpo. Assim, quando os Nephilim dispunham os seus frascos e se preparavam para o desenvolvimento dessa nova raça, outra raça de seres de uma estrela muito distante — do terceiro planeta de Sírius B — estava se preparando para viajar à Terra. Houve 32 integrantes dessa raça, 16 do sexo masculino e 16 do sexo feminino, que eram casados, constituindo uma única família. Também eram gigantes da mesma altura dos Nephilim. Embora os Nephilim fossem basicamente seres tridimensionais, os sirianos eram basicamente quadridimensionais.

Trinta e duas pessoas casadas entre si provavelmente soa estranho também. Na Terra, um homem e uma mulher se casam porque estamos refletindo a luz do nosso Sol. O nosso Sol é de hidrogênio, que tem um próton e um elétron. Nós duplicamos esse processo do hidrogênio, e é por isso que nos casamos da maneira como de costume, um com outro. Se visitassem planetas que têm sóis de hélio, os quais têm *dois* prótons, *dois* elétrons e *dois* nêutrons, então encontrariam dois homens e duas mulheres se unindo para gerar os filhos. Quando forem a um velho sol como Sírius B, que é uma anã branca e altamente evoluída, verão que ele tem um sistema de 32 (germânio).

Portanto, os sirianos vieram aqui e souberam exatamente o que fazer. Eles entraram diretamente no núcleo dos Salões de Amenti, justamente dentro da pirâmide e diante da chama. Esses seres tinham a compreensão de que todas as coisas são de luz. Eles entendiam a ligação entre pensamento e sentimento. Assim, simplesmente criaram 32 lajes de quartzo rosa com cerca de 76 centímetros de altura, 90 centímetros ou 1,20 metro de largura e aproximadamente 5,40 a 6 metros de comprimento. Eles as criaram a partir do nada — absolutamente nada mesmo — ao redor da chama. Então eles se deitaram sobre aquelas lajes, alternando-se entre masculino e feminino, olhando para cima e com a cabeça voltada para o centro ao redor dessa chama. Os sirianos conceberam, ou fundiram-se com a chama ou ovo dos Nephilim. No nível da terceira dimensão, os cientistas Nephilim colocaram ovos humanos criados em laboratório no útero de sete mulheres Nephilim, das quais o primeiro ser humano acabou nascendo. A concepção em termos humanos acontece em menos de 24 horas — o processo básico através das primeiras oito células. Mas a concepção em um nível planetário é diferente. De acordo com Thoth, eles permaneceram deitados ali sem mover-se por aproximadamente 2 mil anos, concebendo com a Terra essa nova raça. Finalmente, depois de 2 mil anos, os primeiros seres humanos nasceram em Gondwanalândia, ao largo da costa sudoeste da África.

A Chegada de Enlil

No entanto, a parte da história em que os sirianos são o pai que não parece relacionar-se plenamente com o que os registros sumérios dizem, pelo menos de acordo com a história apresentada por Zecharia Sitchin, até que se observe a sequência de acontecimentos que Sitchin parece não ter entendido. Enlil, que foi o primeiro a vir à Terra e era o chefe no sul africano — não pousou na *terra* quando chegou à Terra. Ele pousou na água. Por que ele foi para a água? Porque era onde estavam os golfinhos e as baleias. Os golfinhos e as baleias eram o nível mais elevado de consciência deste planeta, e ainda são. Em simples termos galácticos, Enlil precisou ir para o oceano para obter permissão para viver e garimpar ouro na Terra. Por quê? Porque este planeta pertencia aos golfinhos e às baleias, e é uma lei galáctica que se deve obter permissão antes que uma raça de fora do planeta possa entrar num sistema diferente de consciência. De acordo com os registros sumérios, Enlil permaneceu com eles por muito tempo, e quando finalmente se decidiu a ir à terra, era *meio humano e meio peixe!* A certa altura Enlil tornou-se inteiramente humano. Isso foi descrito nos registros sumérios.

Vejam, o terceiro planeta a partir de Sírius B que alguns chamam de Oceana por acaso é o planeta de origem dos golfinhos e das baleias. Peter Shenstone, líder do movimento em defesa dos golfinhos da Austrália, canalizou um livro incomum, *The Legend of the Golden Dolphin,* sobre a vinda dos golfinhos e explica exatamente como eles vieram de outra galáxia, como eles passaram a viver na pequena estrela ao redor de Sírius B e como viajaram à Terra. Todo o planeta lá é quase inteiramente de água; há uma ilha de quase o tamanho da Austrália e outra de quase o tamanho da Califórnia, mais nada. Sobre essas massas de terra há seres semelhantes a seres humanos, mas não muitos. O resto do planeta, que é todo de água, é de cetáceos. Há uma ligação direta entre os seres semelhantes aos humanos e os cetáceos, então quando Enlil (um Nephilim) veio aqui, primeiro ele entrou em contato com os golfinhos (sirianos) para receber a sua bênção. *Depois* ele foi para a terra e começou o processo que levou à criação da nossa raça.

Mães Nephilim

Para recapitular e esclarecer: depois da rebelião, quando decidiu-se criar uma nova raça aqui na Terra, foram os Nephilim que assumiram o aspecto mãe. Os registros sumérios dizem que sete fêmeas se apresentaram. Depois os Nephilim tiraram barro da terra, sangue do primata e esperma de um jovem Nephilim, misturaram tudo e colocaram no útero das jovens Nephilim que foram escolhidas para isso. Elas deram à luz bebês humanos. Então sete de nós nasceram de uma vez, não só um Adão e uma Eva, de acordo com as histórias originais — *e éramos estéreis*. Não podíamos nos reproduzir. Os Nephilim continuaram procriando bebês humanos, fazendo um exército de pequenos seres — nós —, acumulando-os na ilha de Gondwanalândia. Se quiserem acreditar nessa história, que em parte vem dos registros sumérios e em parte de Thoth, a mãe da nossa raça é nephilim e o nosso pai é siriano. Agora, não fosse pelos registros sumérios a respeito dos Nephilim, tudo isso pareceria um completo absurdo — e ainda assim parece. Mas existe uma tremenda quantidade de evidências científicas de que isso é verdade se lerem os registros arqueológicos — não sobre o pai siriano, mas definitivamente sobre a mãe Nephilim.

A ciência não entende como chegamos aqui. Vocês sabem que existe um "elo perdido" entre o último primata e nós. Parece que viemos do nada. Eles *realmente* sabem que temos entre 150 mil e 250 mil anos de idade, mas não fazem a menor ideia de onde viemos nem de como evoluímos. Simplesmente, passamos por uma porta mística e chegamos.

Adão e Eva

Outra parte interessante dos registros sumérios é que, depois de terem minerado ouro por um tempo na África, as cidades do norte, próximas ao atual Iraque, tornaram-se bastante refinadas e extremamente belas. Elas situavam-se em florestas tropicais e tinham imensos jardins ao seu redor. Finalmente, decidiu-se, de acordo com os registros sumérios, trazer alguns dos escravos das minas do sul para as cidades, para que eles trabalhassem nos jardins. Evidentemente, nos tornamos ótimos escravos.

Um dia, o irmão mais novo de Enlil, Enki (cujo nome significa *serpente*), aproximou-se de Eva — e os registros dão esse nome, Eva — e lhe disse que o motivo pelo qual o irmão dele não queria que os seres humanos comessem daquela árvore no centro do jardim era porque ela os tornaria iguais aos Nephilim. Enki tentava igualar-se ao irmão por uma disputa que travavam. (A história inteira é muito mais complicada do que essa, mas podem lê-la nos registros.) Então Enki convenceu Eva a comer o fruto da macieira, a árvore do conhecimento do bem e do mal, a qual, de acordo com os registros, incluía mais do que simplesmente um ponto de vista dualista. A árvore deu a ela o poder de procriar, de dar à luz.

Assim, Eva encontrou Adão e eles comeram daquela árvore e tiveram filhos, os quais estão todos relacionados pelo nome nas tabuletas sumérias. Ora, pensem na história de Adão e Eva daqui por diante — ambas as histórias: a dos registros sumérios e a da Bíblia. Deus caminha pelo jardim — ele está *caminhando**, ele está num corpo, de carne, o que é sugerido no Gênesis. Ele caminha pelo jardim chamando Adão e Eva. Ele não sabe onde eles estão. Ele é Deus, mas não sabe onde Adão e Eva estão. Ele os chama e eles vêm. Ele não sabe que comeram da árvore até que os vê se escondendo por estarem envergonhados. Então ele entende o que fizeram.

---

* Aqui o autor faz uma alusão ao processo conhecido como *walk-in*, em que um espírito "caminha para dentro" (tradução literal de *walk in*) de um corpo pertencente a um ser humano, com o consentimento deste. (N. E.)

Eis mais uma coisa: a palavra para Deus, *elohim,* na Bíblia original — na verdade, em todas as Bíblias — não era singular mas plural. Seria o Deus que criou a humanidade uma raça de seres? Quando Enlil descobriu que Adão e Eva tinham feito aquilo, ficou furioso. Ele particularmente não queria que comessem da outra árvore, a árvore da vida, porque então não só eles seriam capazes de procriar, mas também se tornariam imortais. (Não sabemos se essas árvores são verdadeiras ou não. Pode ter sido um símbolo de algo ligado à consciência.) Portanto, naquela altura, Enlil tirou Adão e Eva do seu jardim. Ele os colocou em algum outro lugar e os monitorou. Ele deve tê-los monitorado porque registrou os nomes de todos os filhos e filhas; ele sabia tudo o que estava acontecendo na família inteira. E foi tudo registrado ao longo de 2 mil anos antes mesmo que a Bíblia fosse escrita.

Desde a época de Adão e Eva, a nossa raça se desenvolveu em duas variedades: uma que podia procriar e era livre (embora monitorada) e a outra que não podia ter filhos e era de escravos. De acordo com os cientistas modernos, essa última variedade continuou a garimpar ouro até pelo menos 20 mil anos atrás. Os ossos dessa segunda variedade que foram encontrados nas minas eram idênticos aos nossos; a única diferença é que não podiam ter filhos. Essa variedade foi completamente eliminada na época do Grande Dilúvio, aproximadamente 12,5 mil anos atrás. (Há muito mais sobre esse assunto, que lhes apresentaremos no momento certo.)

Falaremos sobre quatro mudanças de polos da Terra nesta obra — quando Gondwanalândia afundou, quando a Lemúria afundou, quando a Atlântida afundou (o que é o Grande Dilúvio) e o que está agora para acontecer. É importante compreender esta observação marginal: de acordo com Thoth, o grau de inclinação do eixo da Terra e o grau da mudança dos polos — que acontece muito regularmente, de acordo com a ciência — têm uma relação direta com a mudança de consciência no planeta. Por exemplo, a última vez que os polos mudaram de lugar na época do Grande Dilúvio, o Polo Norte estava no Havaí (entendo que isso seja discutível) — pelo menos era onde estava o polo *magnético* — e agora está praticamente a 90 graus de lá. Essa é uma grande mudança. Não foi uma mudança positiva, mas, sim, negativa — a nossa consciência diminuiu, não aumentou.

O Surgimento da Lemúria

De acordo com Thoth, depois de Adão e Eva houve uma importante mudança do eixo, que submergiu a Gondwanalândia. Thoth disse que, quando a Gondwanalândia afundou, outro continente apareceu no oceano Pacífico, o qual chamamos Lemúria, e os descendentes de Adão e Eva foram levados da sua terra natal para a Lemúria.

A ilustração 3-12 não reflete exatamente como era a Lemúria, mas está próxima de certa maneira. Ela se estendia das ilhas havaianas para o sul até a ilha de Páscoa. Não se tratava de uma massa sólida, mas de uma série de milhares de ilhas que estavam muito próximas. Algumas delas eram grandes, outras pequenas, e eram muito mais numerosas em conjunto do que o mostrado nesta ilustração. Ela era como um continente que mal emergia da água — um continente à flor da água.

A raça de Adão foi levada para lá e pôde desenvolver-se por si própria sem a interferência dos Nephilim, até onde eu sei. Permanecemos na Lemúria por 65 mil a 70 mil anos. Enquanto estivemos na Lemúria, fomos muito felizes. Tínhamos poucos problemas. Seguimos aceleradamente pelo nosso caminho evolutivo e avançamos muito bem. Fizemos muitos experimentos em nós mesmos e implementamos muitas mudanças físicas ao nosso corpo. Estávamos mudando a nossa estrutura óssea, trabalhando muito a base da espinha, aumentando o tamanho e a forma da nossa cabeça. Éramos mais orientados pelo hemisfério cerebral direito, feminino por natureza. Um ciclo evolutivo precisa escolher entre ser masculino ou feminino, assim como vocês quando vêm para a Terra. Vocês tiveram que tomar essa decisão. Portanto a nossa raça estava se tornando feminina. Na época em que a Lemúria afundou, como raça equivalíamos a uma menina de 12 anos de idade.

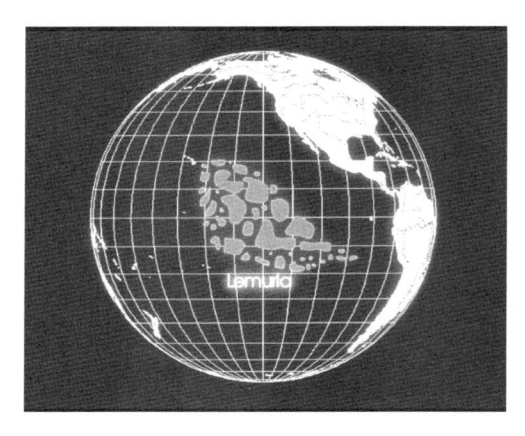

Ilustração 3-12. Lemúria.

As Explorações da Lemúria em 1910

O fato de que a Lemúria provavelmente tenha existido foi estabelecido na nossa sociedade em 1910. Não nos lembramos muito desse conhecimento, porque em 1912 algo aconteceu para mudar o nosso curso de evolução. Em 1912 ocorreram experimentos semelhantes ao Projeto Filadélfia de 1942 e 1943, sobre o qual comentaremos mais adiante. Eles realmente fizeram o experimento em 1913, mas ele se revelou uma enorme catástrofe, e eu pessoalmente acredito que esse experimento tenha sido o que causou a Primeira Guerra Mundial, em 1914. Depois disso, nunca mais fomos os mesmos.

Antes da Primeira Guerra Mundial, o padrão de crescimento espiritual dos Estados Unidos era semelhante ao que está acontecendo neste momento. As pessoas estavam extremamente interessadas no trabalho espiritual e mediúnico, em meditação, na compreensão do passado remoto e em tudo mais dessa natureza. Pessoas como o coronel James Churchward, e Augustus Le Plongeon, da França, estudavam a Atlântida e a Lemúria, e havia padrões de pensamento semelhantes comparados ao presente. Então, quando aconteceu a Primeira Guerra Mundial, adormecemos e só começamos a despertar de novo na década de 1960. Mas a prova que tinham em 1910 sobre a existência da Lemúria era muito notável, e tinha a ver com o coral. O coral pode crescer sob a superfície da água somente até a profundidade de 45 metros. Em 1910, desconfio que o fundo do Pacífico fosse mais alto do que é agora, porque eles foram capazes de ver anéis de coral na superfície do fundo do oceano afastados da ilha de Páscoa até uma grande distância.

A propósito, o fundo do oceano *realmente* sobe e desce. Pode ser que não saibam, mas o fundo do oceano Atlântico subiu mais de 3 mil metros em dezembro de 1969; podem confirmar esse fato na edição de janeiro de 1970 da revista *Life*. Na região das Bermudas, de repente muitas ilhas começaram a aparecer na superfície. Algumas ainda podem ser vistas, mas a maioria delas afundou de novo. O fundo do oceano esteve a mais de 3 mil metros de profundidade antes dessa época.

No tempo em que Platão comentou sobre a Atlântida e o oceano Atlântico, os gregos tinham dificuldade de navegar com os seus navios pelo oceano Atlântico além do estreito de Gibraltar porque a água na região tinha menos de 3 a 4,5 metros de profundidade, às vezes até menos. Atualmente, a água ganhou profundidade novamente.

Estimou-se que os anéis de coral descobertos no Pacífico tinham 540 metros de profundidade. Isso significa que os anéis originalmente tinham ilhas dentro deles, porque o coral precisaria estar próximo da superfície para se desenvolver. Se os anéis estavam a 540 metros de profundidade, isso significava que, uma vez que o coral não pode se desenvolver abaixo de 45 metros, os anéis afundaram muito, muito lentamente. Em 1910, as pessoas podiam ver esses anéis na superfície a distância, então sabiam que devia ter havido uma porção de ilhas ali em alguma época. Provavelmente mais importante, se vocês acompanharem a fauna e a flora das ilhas havaianas, encontrarão as mesmas características em toda uma série de ilhas em um arco desde o Havaí até a ilha de Páscoa. Essas ilhas estão separadas por longas distâncias, mas se olharem no mapa, verão um longo cordão. Esse cordão seguia ao longo da costa da Lemúria. Todas aquelas ilhas, incluindo Taiti e Moorea, faziam parte da Lemúria. Todas as ilhas desse cordão têm exatamente a mesma fauna e flora — não nas outras ilhas, mas justamente nesse único cordão — as mesmas árvores, os mesmos pássaros, as mesmas abelhas, os mesmos besouros, as mesmas bactérias, tudo igual. A ciência poderia explicar esse fenômeno só se houvesse numa época passagens terrestres que aproximassem essas ilhas.

Ay e Tiya e o Início do Tantra

Essa nova civilização da Lemúria estava se desenvolvendo muito bem; tudo seguia da melhor maneira possível. Mas a maior parte da Lemúria acabou afundando. Cerca de mil anos antes de afundar, estiveram lá duas pessoas cujos nomes eram Ay e Tiya. Esse casal fez algo que ninguém mais havia feito antes, pelo menos no nosso ciclo evolutivo. Eles descobriram que, se você faz amor de uma certa maneira e respira de uma certa maneira, consegue resultados diferentes quando tem um filho. Por meio da concepção desse tipo diferente de nascimento, os três envolvidos — a mãe, o pai e o filho — tornam-se imortais. Em outras palavras, tendo um bebê de uma certa maneira, a experiência muda você para sempre.

Ay e Tiya suspeitaram de que tinham se tornado imortais, estou certo, por causa da sua experiência. Quando o tempo passou e todos começaram a morrer enquanto eles permaneciam vivos, as pessoas começaram a entender que eles realmente tinham conseguido alguma coisa. Assim eles finalmente fundaram uma escola. Até onde eu sei, foi a primeira escola de mistérios sobre a Terra neste ciclo. Ela foi chamada Naacal, ou Naakal, ou Escola de Mistérios, onde eles simplesmente tentavam ensinar como fazer essa coisa que chamamos ressurreição ou ascensão por meio do tantra. O tantra é uma palavra hindu para yoga ou união com Deus por meio de práticas sexuais. (Temos uma porção de coisas a aprender antes de entender exatamente o que estavam fazendo.) Enfim, eles fizeram isso e então começaram a ensinar as outras pessoas.

Antes de a Lemúria afundar, eles tinham instruído aproximadamente umas mil pessoas, o que significa que cerca de 333 famílias de três pessoas cada eram capazes de entender o que estavam fazendo e demonstrá-lo. Eles eram capazes de fazer amor daquela maneira incomum. Eles não se tocavam de fato. Na verdade, eles nem mesmo precisavam estar no mesmo aposento. Era uma relação sexual interdimensional. Eles ensinavam os outros sobre como fazê-lo, e isso os estava levando a uma situação em que em mais alguns milhares de anos eles provavelmente teriam transformado a raça toda em uma nova consciência.

Mas Deus evidentemente disse não, não era o momento adequado. Eles mal tinham começado quando a Lemúria afundou. A Lemúria, como eu disse, era feminina, e os lemurianos eram muito mediúnicos. Eles sabiam que a Lemúria afundaria com muito tempo de antecedência. Eles sabiam disso com absoluta certeza; isso não era nem posto em discussão. Então eles se prepararam com muita antecedência. Eles levaram os seus artefatos para o lago Titicaca, para o monte Shasta e outros lugares. Até mesmo o grande disco dourado da Lemúria foi removido. Eles levaram todos os seus objetos de valor para fora do país e se prepararam para o fim. Quando a Lemúria finalmente afundou, eles estavam totalmente fora das ilhas. Eles tinham se transferido do lago Titicaca para a América Central e para o México até mais ao norte no monte Shasta.

A Lemúria Afunda e Surge a Atlântida

De acordo com o que Thoth disse, o afundamento da Lemúria e o surgimento da Atlântida ocorreram ao mesmo tempo, durante outra mudança dos eixos. A Lemúria afundou, e o que seria a Atlântida surgiu.

A Atlântida era um continente bem grande, conforme é mostrado aqui (Ilustração 3-13). A região sudeste dos Estados Unidos não ficava ali; Flórida, Luisiana, Alabama, Geórgia, Carolina do Sul, Carolina do Norte e partes do Texas estavam sob a água. Não sei se a Atlântida era assim tão grande ou não, mas era bem grande. Realmente, ela consistia nesse continente mais nove ilhas: uma ao norte, uma ao leste, uma ao sul e seis a oeste, que se estendiam até onde situam-se hoje os recifes da Flórida.

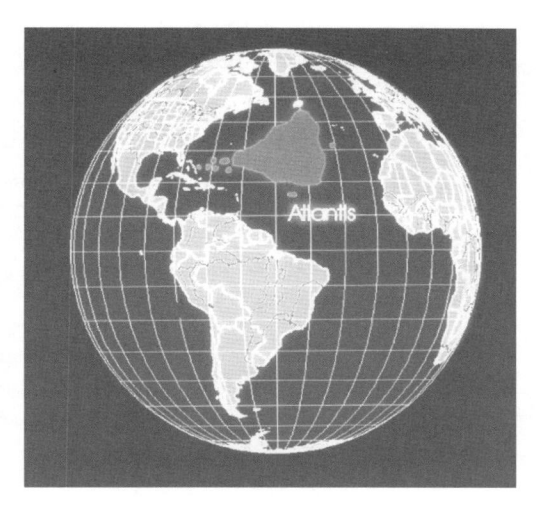

Ilustração 3-13. Atlântida.

Atualização: Em 23 de maio de 1998, Aaron Du Val, presidente da Egyptology Society, de Miami, Flórida, anunciou que a antiga Atlântida fora encontrada próxima a Bimini, e que isso poderia ser cientificamente provado além de qualquer dúvida. Haviam encontrado uma imensa pirâmide submersa e tinham aberto câmaras hermeticamente seladas para expor registros que confirmavam o que Platão dissera sobre a Atlântida durante a época da Grécia antiga. O sr. Du Val disse que apresentaria as suas evidências ao mundo antes do fim de 1998 ou pouco mais adiante.*

---

* De fato, em 23 de maio de 1998, Aaron Du Val anunciou a descoberta de possíveis restos da Atlântida. (N.E.)

QUATRO

A Evolução da Consciência Abortada e a Criação da Rede Crística

Como os Lemurianos Desenvolveram a Consciência Humana

Os seres imortais da Lemúria "voaram" da sua terra natal para uma pequena ilha ao norte do recém-surgido continente da Atlântida. Esperaram por muito tempo na ilha a que chamaram de Udal, então começaram a recriar a sua ciência espiritual. Se pudessem observá-los, vocês não saberiam o que é que eles estavam fazendo; pensariam que estavam malucos. Para descrever o que estavam fazendo, em primeiro lugar preciso explicar mais uma coisa.

A Estrutura do Cérebro Humano

Este círculo (Ilustração 4-1) representa uma cabeça humana vista de cima. Nela, vê-se o nariz (N). O cérebro humano é dividido em dois componentes, o lado esquerdo e o lado direito.

Na Ilustração 4-2, o lado esquerdo é masculino, e o lado direito é feminino, e eles estão ligados pelo *corpo caloso*. De acordo com Thoth, essa é a natureza desses dois hemisférios: o esquerdo, o componente masculino, vê tudo de maneira absolutamente lógica — tal como é, poderão dizer. O direito, o componente feminino, está muito mais preocupado em *sentir* do que entender.

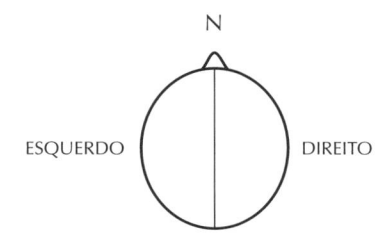

Ilustração 4-1. Os dois hemisférios do cérebro humano.

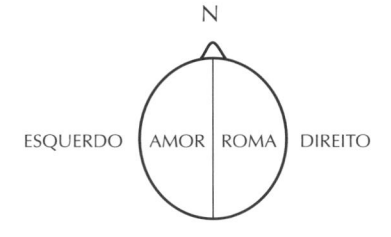

Ilustração 4-2. A dinâmica dos dois hemisférios, refletindo-se lado a lado.

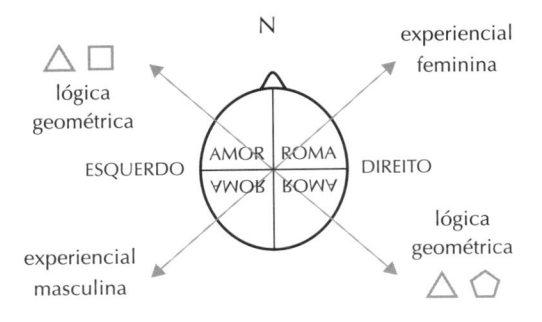

Ilustração 4-3. As regiões refletoras, à frente e atrás.

As percepções feminina e masculina são imagens espelhadas uma da outra — como se houvesse um espelho entre elas. Se considerássemos a palavra AMOR escrita no componente masculino, ele a veria conforme é mostrado. Mas o feminino vê a sua imagem espelhada, também conforme é mostrado. Quando o homem observa a maneira de perceber da mulher, comenta: "Isso não tem lógica". Ela olha para ele e diz: "Onde está o sentimento?"

O cérebro é dividido ainda em quatro lobos por outra divisão sutil. O lado masculino do cérebro tem um componente atrás de si que reflete, ou espelha, o da frente, conforme é mostrado na Ilustração 4-3. Existe outra imagem espelhada atrás do lado feminino que reflete o que está na frente dele. O componente lógico masculino tem um componente totalmente experiencial atrás de si, e o componente experiencial feminino tem um componente totalmente lógico atrás de si. É como se houvesse quatro espelhos se refletindo dessas quatro maneiras possíveis. Quando observarmos as geometrias posteriormente, vocês verão que a parte dianteira do cérebro masculino, o componente lógico, baseia-se no triângulo e no quadrado (em duas dimensões) ou no tetraedro e no cubo (em três dimensões). A parte do cérebro feminino, o componente experiencial, baseia-se no triângulo e no pentágono (em duas dimensões) ou no tetraedro, no icosaedro e no dodecaedro (em três dimensões). Também existem caminhos diagonais ligando a parte lógica dianteira esquerda à parte lógica traseira direita, e a parte experiencial dianteira direita à parte experiencial traseira esquerda. Assim, a característica refletora manifesta-se lado a lado, da frente para trás e de diagonal para diagonal. É assim que somos feitos, de acordo com Thoth.

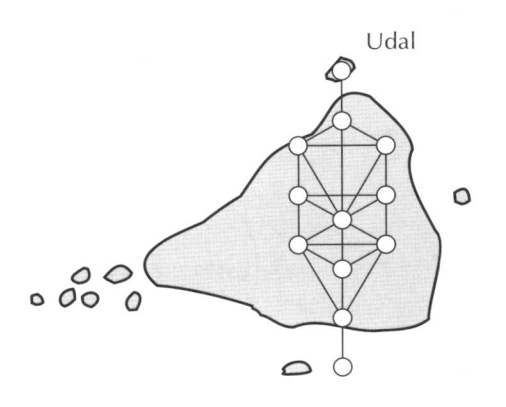

A Tentativa de Gerar uma Nova Consciência na Atlântida

Quando chegou o momento certo, os naacals da Lemúria criaram uma representação espiritual do cérebro humano sobre a superfície da sua ilha da Atlântida. O seu propósito era gerar uma nova consciência baseada no que tinham aprendido durante a fase da Lemúria. Acreditavam que o cérebro precisava vir primeiro, antes do surgimento do corpo da nova consciência da Atlântida. Com a imagem de Thoth do cérebro humano em mente, vocês podem começar a entender o sentido das

Ilustração 4-4. A Árvore da Vida na Atlântida.

ações deles. Primeiro eles construíram um muro no meio da ilha com cerca de 12 metros de altura por 6 metros de largura, isolando um lado da ilha do outro lado. Literalmente, era preciso ir pela água para chegar do outro lado. Depois eles posicionaram um muro menor a 90 graus do primeiro muro, dividindo a ilha em quatro partes.

Então, metade daquelas mil pessoas, que eram da Escola de Mistérios de Naacal, passou para um lado e metade permaneceu no outro, dependendo da sua natureza. Isso poderia significar que todas as mulheres permaneceram de um lado e todos os homens foram para o outro lado, mas conforme eu entendo, o lado para onde a pessoa ia não dependia do corpo físico, mas da sua dependência de um lado do cérebro ou do outro. Dessa maneira, aproximadamente metade tornou-se o componente masculino do cérebro e a outra metade tornou-se o componente feminino.

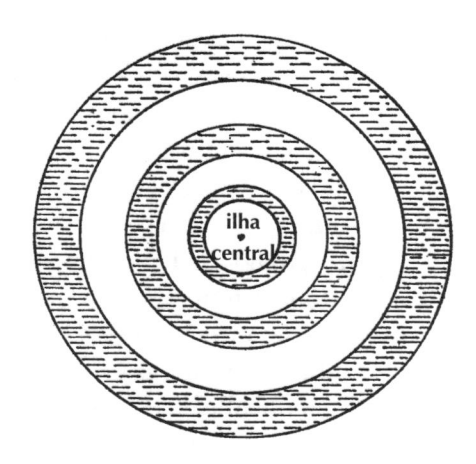

Ilustração 4-5. A cidade atlante de Posseidon.

Eles passaram milhares de anos nesse estado físico até que acreditaram estar prontos para a etapa seguinte. Três pessoas foram escolhidas para representar o corpo caloso, a parte do cérebro que faz a ligação entre os hemisférios esquerdo e direito. O pai de Thoth, Thome, foi uma dessas pessoas. Ele e duas outras pessoas eram as únicas que tinham permissão de ir a qualquer lugar da ilha. Sob outros aspectos, os dois lados precisavam permanecer completamente separados um do outro. Então os três começaram a alinhar as suas energias, pensamentos, sentimentos e todos os aspectos humanos em um cérebro humano integrado, não com células humanas, mas com corpos humanos.

O passo seguinte foi projetar sobre a superfície da Atlântida a forma da Árvore da Vida. Eles usaram esta forma aqui (Ilustração 4-4), com 12 círculos em vez de 10, mas o 11º e o 12º círculos ficavam fora da ilha principal; um dos pontos ficava em Udal e um caía sobre a água ao sul. Assim, havia dez componentes na ilha principal, que é a configuração com que estamos familiarizados. Embora ela se estendesse por centenas de quilômetros sobre a superfície dessa ilha, eles a projetaram com a precisão ao nível do próprio átomo, de acordo com Thoth. Há uma indicação de que até mesmo as esferas da Árvore da Vida foram usadas para designar o tamanho e a forma das cidades da Atlântida. Platão diz no seu livro *Critias* que a cidade principal da Atlântida era feita de três anéis de terra separada por água, conforme é mostrado neste desenho (Ilustração 4-5). Ele também diz que a cidade era construída com pedras vermelhas, pretas e brancas. A última afirmação fará sentido assim que falarmos sobre a Grande Pirâmide.

Os Filhos da Lemúria São Convocados

De repente, em um único dia, o cérebro da Atlântida, a Escola de Mistérios de Naacal, ganhou vida dentro da Árvore da Vida sobre a superfície da Atlântida. Isso criou vórtices de energia girando em cada um dos círculos sobre a Árvore da Vida. Depois que os vórtices foram estabelecidos, então o cérebro da Atlântida convocou psiquicamente os filhos da Lemúria. Milhões e milhões de lemurianos, que na época tinham se estabelecido ao longo da costa ocidental da América do Norte e da América do Sul e em outros lugares, começaram a ser atraídos para a Atlântida. Teve início uma grande migração, e as pessoas comuns da Lemúria afundada começaram a dirigir-se para a Atlântida. Lembrem-se, eram seres com predominância do hemisfério cerebral direito feminino, e a comunicação espiritual era fácil. Entretanto, o corpo de consciência lemuriano chegara apenas à idade de 12 anos como consciência planetária. Era ainda uma criança, e alguns dos seus centros ainda não estavam funcionando; eles tinham trabalhado com aquelas energias e dominavam apenas oito das dez. Assim, cada migrante lemuriano foi atraído para um desses oito centros da Atlântida, dependendo da natureza da pessoa. Ali eles se instalaram e começaram a construir cidades.

Aquilo deixou dois vórtices sem ninguém — nem uma única pessoa — para usá-los. Esses dois vórtices atraíam a vida para si, e na vida não se pode simplesmente ter um espaço vazio. A vida encontra um meio de preenchê-lo. Por exemplo, se estiverem dirigindo por uma estrada atrás de outro carro e ficarem longe demais dele, alguém vai entrar nesse espaço, certo? Se deixarem um espaço vazio, a vida entra nele e o preenche. Isso foi exatamente o que aconteceu na Atlântida.

Embora os lemurianos tenham se estabelecido em apenas oito das áreas dos vórtices, os registros maias afirmam claramente que havia dez cidades na Atlântida quando ela afundou. Na verdade, podem ver esses registros no documento Troano, que atualmente se encontra no Museu Britânico. Estima-se que esse documento exista há pelo menos 3,5 mil anos, e ele explica em detalhes o afundamento da Atlântida. É maia, e contém um relato autêntico do cataclismo, de acordo com Le Plongeon, o historiador francês que o traduziu. Eis o que ele diz:

No 11º Muluc do mês Zak do ano 6 Kan, ocorreram terríveis terremotos que continuaram sem interrupção até o 13º Chin. O país das colinas de Mud, a terra de Mu, foi sacrificado, sendo sublevado duas vezes. Ele desapareceu subitamente durante uma noite, a enseada continuamente sacudida por forças vulcânicas. Por serem confinadas, essas forças fizeram com que a terra afundasse e emergisse diversas vezes e em vários lugares. Por fim, a superfície desapareceu e dez países foram feitos em pedaços e estraçalhados, incapazes de resistir à força das convulsões. Eles afundaram com os seus 64 milhões de habitantes.

Os dez países mencionados referem-se aos dez pontos da Árvore da Vida. Se virem esse documento, ele mostra uma cidade extremamente sofisticada, com vulcões em erupção dentro dela e em toda a sua volta, pirâmides e tudo o mais sendo destruído e as pessoas entrando em barcos e tentando escapar. Ele descreve o incidente na linguagem maia, que usa imagens.

A Evolução Abortada

Dois Vórtices Vazios Atraíram Raças Extraterrestres

Para preencher aqueles dois vórtices vazios, de acordo com Thoth, duas raças extraterrestres se apresentaram — não uma, mas duas raças completamente diferentes. A primeira raça era a dos hebreus, que veio do nosso futuro. Thoth diz que eles vieram de fora do planeta, mas não sei especificamente de onde. Os hebreus eram uma espécie do tipo de uma criança que passou para o quinto grau e ainda não conseguiu passar de ano e precisava cursá-lo de novo. Eles não passaram para o nível seguinte da evolução, então precisavam repetir de ano. Em outras palavras, eles eram como uma criança que ainda não tivesse aprendido matemática. Eles sabiam uma porção de coisas que não conhecíamos ainda. Receberam permissão legal do Comando Galáctico para ingressar no nosso caminho evolutivo naquela época. Eles trouxeram consigo, de acordo com Thoth, muitos conceitos e ideias de que não tínhamos a menor noção ainda porque não tínhamos entrado naqueles níveis de consciência. Essa interação realmente beneficiou a nossa evolução, creio eu. Não houve nenhum problema com a vinda e estabelecimento deles na Terra. Provavelmente, não haveria nenhum problema se apenas essa raça tivesse vindo para aqui.

A outra raça que se apresentou na ocasião causou grandes problemas. Esses seres vieram do planeta Marte, nosso vizinho. (Sei que isso pode parecer estranho, mas pareceu ainda mais estranho quando comentei a respeito disso em 1985, antes que pessoas como Richard Hoagland começassem a falar.) Tornou-se evidente, por causa da situação que se desenvolveu no mundo, que essa mesma raça ainda cause problemas de grandes proporções. O governo secreto e os trilionários do mundo são de origem marciana ou têm a maioria de genes marcianos e pouco ou nenhum corpo emocional/sensível.

Marte Depois da Rebelião de Lúcifer

De acordo com Thoth, Marte se parecia muito com a Terra há pouco menos de 1 milhão de anos. Era um planeta lindo. Tinha oceanos, água, árvores, e era simplesmente um lugar fantástico. Mas aconteceu uma coisa com eles, e isso teve a ver com a antiga "rebelião de Lúcifer".

Desde o mais remoto começo deste experimento em que nos encontramos — e toda a criação de Deus é um experimento —, experimentos semelhantes à rebelião de Lúcifer (se quiserem chamá-los de rebeliões) foram realizados quatro vezes. Em outras palavras, três outros seres além de Lúcifer tentaram fazer a mesma coisa, e a cada vez o resultado foi o mais completo caos em todo o universo.

Mais de 1 milhão de anos atrás, os marcianos tinham se aliado à terceira rebelião, a terceira vez que uma forma de vida decidiu tentar o seu experimento. E o experimento fracassou radicalmente. Planetas em toda parte foram destruídos, e Marte foi um deles. A forma de vida tentou criar uma realidade separada de Deus, que é a mesma coisa que está acontecendo agora. Em outras palavras, uma parte da vida tentou se separar de todas as outras formas de vida e criar a sua própria realidade independente. Uma vez que todos somos Deus de qualquer maneira, não há problema quanto a isso — pode-se fazer isso. A única coisa é que até agora isso nunca funcionou. Não obstante, eles tentaram de novo.

Quando alguém tenta separar-se de Deus, rompe a sua ligação de amor com a Realidade. Assim, quando os marcianos (e muitos outros) criaram uma realidade separada, eles cortaram a ligação de amor — desconectaram o corpo emocional — e ao fazer isso tornaram-se puramente masculinos, com pouco ou nenhum aspecto feminino em si. Eles eram seres puramente lógicos, sem nenhuma emoção. Assim como o Sr. Spock, de *Jornada nas Estrelas,* eles eram pura lógica. O que aconteceu em Marte, e em milhares e milhares de outros lugares, foi que eles terminaram lutando o tempo todo porque não tinham compaixão nem amor. Marte tornou-se um campo de batalha onde as lutas se sucediam interminavelmente, até que finalmente ficou claro que Marte não sobreviveria. Finalmente, eles explodiram a própria atmosfera e destruíram a superfície do planeta.

Antes de Marte ser destruído, eles construíram imensas pirâmides tetraédricas, que vocês verão em fotografias no segundo volume. Então eles construíram pirâmides de três, quatro e cinco lados, até finalmente construírem um complexo que foi capaz de criar um Mer-Ka-Ba sintético. Vejam, é possível ter um veículo de espaço-tempo que se pareça com uma nave espacial, ou é possível ter outras estruturas que fazem a mesma coisa. Eles construíram uma estrutura com a qual eram capazes de ver adiante e para trás no tempo e no espaço a distâncias e períodos de tempos enormes.

Um pequeno grupo de marcianos tentou sair de Marte antes que o planeta fosse destruído, então se trasladaram para o futuro e encontraram um lugar perfeito para restabelecer-se antes de Marte ser destruído. Esse lugar foi a Terra, mas isso aconteceu há mil anos atrás no nosso passado. Eles viram um pequeno vórtice localizado na Atlântida sem ninguém que o ocupasse. Eles não pediram permissão. Por fazerem parte da rebelião, não passaram pelo procedimento normal. Simplesmente disseram: "Tudo bem, vamos fazê-lo". Eles entraram direto naquele vórtice, e com isso passaram a participar da nossa trajetória evolutiva.

Os Marcianos Violam a Consciência da Criança Humana e Tomam o Poder

Foram apenas alguns milhares desses marcianos que realmente usaram a máquina, ou construção, de consciência tempo-espaço-dimensão. A primeira coisa que fizeram imediatamente depois de chegar aqui na Terra foi tentar assumir o controle da Atlântida. Queriam declarar guerra e assumir o comando. Entretanto, eles estavam vulneráveis por causa do seu número reduzido e talvez por outras razões, então não puderam fazer isso. Finalmente, acabaram sendo subjugados pelos atlantes-lemurianos. Fomos capazes de impedi-los de nos conquistar, mas não conseguimos mandá-los de volta. Na época em que isso aconteceu no nosso caminho evolutivo, estávamos em torno da idade de uma garota de 14 anos. Então, o que tínhamos aqui era semelhante a uma garota de 14 anos de idade sendo assediada por um homem muito mais velho, um homem de uns 60 ou 70 anos de idade que simplesmente se impôs à força sobre ela. Em outras palavras, foi um estupro. Fomos estuprados, não tínhamos escolha. Os marcianos simplesmente apareceram e disseram: "Gostem ou não, estamos aqui". Eles não se importavam com o que pensávamos ou sentíamos quanto a isso. Realmente, não foi diferente com o que se fez na América contra os índios nativos.

Depois de terminado o conflito inicial, foi decidido que os marcianos tentariam entender esse lado feminino que lhes faltava, esse sentimento emocional, de que eles não tinham absolutamente nada. As coisas mais ou menos se assentaram por um longo período. Mas os marcianos lentamente começaram a implementar a sua tecnologia do hemisfério cerebral esquerdo, sobre a qual os lemurianos não conheciam nada. Tudo o que os lemurianos conheciam era tecnologia do hemisfério cerebral *direito* sobre a qual sabemos muito pouco hoje. Máquinas psicotrônicas, varetas de radiestesia e outras coisas desse tipo são tecnologias do hemisfério cerebral direito. Muitas das tecnologias femininas do hemisfério cerebral direito os surpreenderiam se vocês as vissem em ação. Vocês podem fazer absolutamente tudo o que puderem imaginar com a tecnologia do hemisfério cerebral direito, assim como podem com a tecnologia do hemisfério cerebral esquerdo, se elas forem usadas no seu pleno potencial. Mas na ocasião nós realmente não precisávamos nem de uma nem de outra — esse é o grande segredo de que nos esquecemos!

Os marcianos continuaram produzindo aquelas invenções do hemisfério cerebral esquerdo, uma após a outra, até que finalmente mudaram a polaridade do nosso caminho evolutivo porque começamos a "ver" através do hemisfério cerebral esquerdo, e mudamos do feminino para o masculino. Mudamos a natureza de quem éramos. Os marcianos obtiveram o controle parte por parte, até que finalmente controlaram tudo sem uma batalha. Eles tinham todo o dinheiro e todo o poder. A animosidade entre os marcianos e os lemurianos — e incluo os hebreus ao lado dos lemurianos — nunca desapareceu, nem mesmo até o fim derradeiro da Atlântida. Eles se odiavam. Os lemurianos, o aspecto feminino, eram basicamente humilhados e tratados como inferiores. Não era uma situação muito agradável. Era um casamento de que o componente feminino não gostava, mas não acho que os homens marcianos realmente se importassem se elas gostavam ou não. Isso perdurou por um longo período de tempo, até aproximadamente 26 mil anos atrás, quando a fase seguinte começou vagarosamente.

Uma Mudança Secundária dos Polos e o Debate Subsequente

Foi cerca de 26 mil anos atrás que tivemos outra mudança secundária dos polos e uma pequena alteração na nossa consciência. Essa mudança dos polos aconteceu no mesmo ponto do movimento polar chamado de precessão dos equinócios a que retornamos agora (vejam a pequena oval inferior em A na Ilustração 4-6. Não foi grande coisa, embora tenha sido registrado pela ciência. Essas duas pequenas ovais sobre o ciclo são onde essas mudanças sempre acontecem, e neste exato momento estamos de volta novamente ao ponto A.

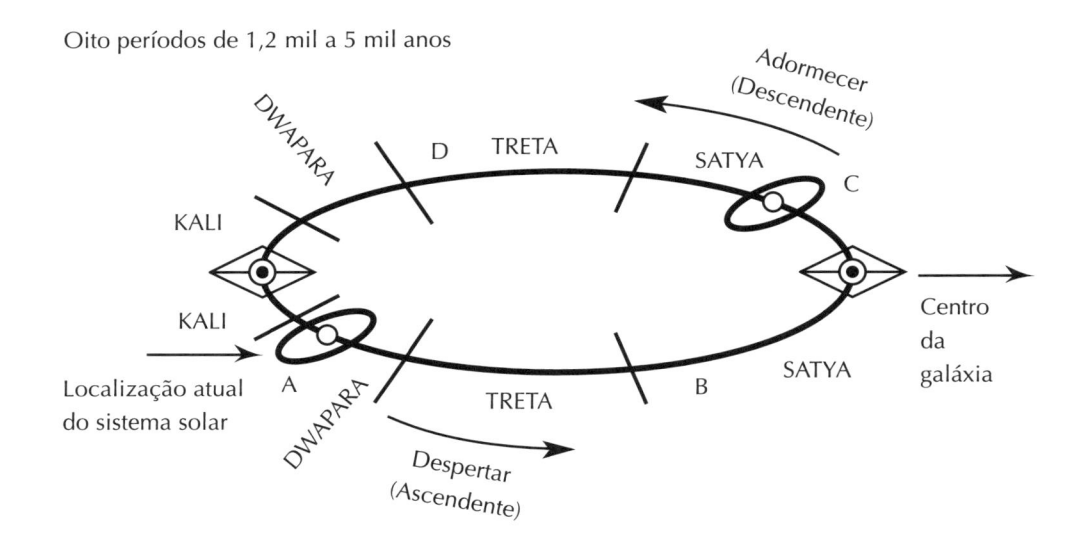

Ilustração 4-6. O ciclo da precessão dos equinócios; A é o ponto da mudança dos polos.

Na ocasião dessa mudança dos polos, uma parte da Atlântida, provavelmente cerca de 2 mil km², afundou no oceano. Isso causou uma tremendo medo na Atlântida, porque pensaram que perderiam todo o continente, assim como acontecera com a Lemúria. Nessa época, haviam perdido grande parte da capacidade de ver o futuro. Ficaram tremendo nas bases por muito tempo, simplesmente porque não sabiam com certeza o que aconteceria. Ainda sentiam medo uma centena de anos depois, depois pouco a pouco o medo começou a passar. Foram precisos mais de duzentos anos para que se sentissem seguros outra vez.

A Atlântida encontrava-se um pouco além da pequena oval em A quando finalmente os seus habitantes relaxaram e passou o medo das mudanças na Terra. Mas a lembrança continuava presente. Eles seguiram bem por uns tempos, então de repente, aproximadamente 13 mil a 16 mil anos atrás, um cometa se aproximou da Terra. Quando esse cometa ainda se encontrava longe no espaço, os atlantes já sabiam sobre ele porque eram mais avançados tecnologicamente do que somos agora. Então observaram a sua aproximação.

Um grande conflito começou a ocorrer na Atlântida. Os marcianos, que eram em minoria, muito embora estivessem no controle, queriam explodi-lo no céu com a sua tecnologia a laser. Mas havia um enorme movimento entre a população lemuriana contra o uso da tecnologia do hemisfério cerebral esquerdo dos marcianos. O aspecto feminino disse: "Esse cometa segue uma ordem divina, e devemos permitir que isso aconteça naturalmente. Deixem que ele atinja a Terra. É isso que se espera que aconteça".

É claro que os marcianos replicaram: "Não! Vamos explodi-lo no céu. Resta-nos pouco tempo, ou todos seremos mortos". Depois de muita discussão, os marcianos finalmente e relutantemente concordaram em permitir que o cometa atingisse a Terra. Quando ele chegou, entrou rugindo pela atmosfera e mergulhou no oceano Atlântico, ao largo da costa ocidental da Atlântida, próximo a onde se situa atualmente Charleston, na Carolina do Sul, só que na época essa região estava no fundo do oceano. Os remanescentes daquele cometa encontram-se atualmente espalhados por quatro Estados. A ciência determinou definitivamente que ele atingiu a região em algum momento entre 13 mil e 16 mil anos atrás. Ainda são encontrados pedaços dele. Embora a maior parte dos fragmentos estivesse em Charleston, um dos dois maiores pedaços atingiu o território principal da Atlântida, na sua região sudoeste. Isso deixou dois imensos buracos no fundo do oceano Atlântico e pode ter sido a verdadeira causa do afundamento da Atlântida. O verdadeiro afundamento não aconteceu naquela época, mas sim pelo menos várias centenas de anos depois.

A Decisão Fatídica dos Marcianos

Os pedaços do cometa que atingiram a região sudoeste da Atlântida, por sinal, justamente onde viviam os marcianos, mataram uma parte considerável da sua população. Os marcianos ressentiram-se ao máximo por terem consentido na chegada do cometa. Bem, aquilo foi humilhante e doloroso demais para eles. Esse foi o começo de uma grande perda de consciência para a Terra. O que estava para acontecer foi a semente de uma árvore amarga, a mesma árvore em que vivemos hoje. Os marcianos declararam: "Acabou-se. Nós nos divorciamos de vocês. Daqui para a frente vamos fazer o que quisermos. Podem fazer o que quiserem, mas vamos comandar a nossa própria vida e tentar controlar o nosso próprio destino. E não vamos mais lhes dar ouvidos". Vocês conhecem essa cena. Temos visto acontecer em famílias divorciadas em todo o mundo. E quanto aos filhos? Olhem para o nosso mundo! *Nós* somos os filhos!

Os marcianos decidiram assumir o comando da Terra, é claro. O controle, a interface básica dos marcianos com a Realidade, surgiu para atender à sua raiva. Eles começaram a criar um complexo de construções como o que construíram em Marte muito tempo antes, para criar outra vez um Mer-Ka-Ba sintético. O problema era que cerca de 50 mil anos terrestres haviam se passado desde que eles haviam criado um, e eles não se lembravam exatamente sobre como fazê-lo — mas eles pensavam que sabiam. Então eles construíram os prédios e começaram o experimento. Esse experimento está diretamente vinculado à cadeia de Mer-Ka-Bas que começaram com os experimentos marcianos um pouco menos de 1 milhão de anos antes. Posteriormente, um foi feito na Terra em 1913, outro em 1943 (chamado Experimento Filadélfia), outro em 1983 (chamado Experimento Montauk), e outro que, acredito, estão tentando fazer neste ano (1993) próximo à ilha de Bimini. Essas datas são janelas de tempo que se abrem e são ligadas aos harmônicos da situação. Os experimentos devem coincidir no tempo com essas janelas para ser bem-sucedidos.

Se os marcianos tivessem sucesso em estabelecer um Mer-Ka-Ba harmônico sintético, eles teriam conseguido obter o controle absoluto do planeta, se essa fosse a sua intenção. Eles teriam sido capazes de obrigar todas as pessoas do planeta a fazerem tudo o que eles quisessem, ainda que isso finalmente acabasse por significar a própria extinção deles. Nenhum ser de ordem superior colocaria esse tipo de controle sobre outro se compreendesse verdadeiramente a Realidade.

Fracasso da Tentativa do Mer-Ka-Ba Marciano

Os marcianos construíram os prédios na Atlântida, montaram todo o experimento, então ligaram a chave para dar início ao fluxo de energia. Quase imediatamente, eles perderam o controle do experimento, como um aborto no espaço e no tempo. O grau de destruição foi mais horrível e condenável do que posso descrever. Nesta Realidade, praticamente não se pode cometer um erro maior do que criar um Mer-Ka-Ba sintético descontrolado. O que o experimento fez foi dar início a um rompimento dos níveis dimensionais inferiores da Terra — não nos superiores, mas nos inferiores. Fazendo uma analogia, o corpo humano tem membranas entre as diferentes partes, como no coração, no estômago, no fígado, nos olhos, e assim por diante. Se pegarem uma faca e abrirem o seu estômago, isso seria como rasgar os níveis dimensionais da Terra. Diversos aspectos são separados de outros aspectos do espírito por essas membranas e eles não devem se misturar. Vocês não devem ter sangue no seu estômago, mas nas artérias. O propósito de uma célula sanguínea é diferente de uma célula do estômago.

Aqueles marcianos fizeram algo que quase matou a Terra. O desastre ambiental que estamos vivendo hoje não é nada em comparação com aquilo, embora os problemas que temos sejam um resultado direto do que fizemos muito tempo atrás. Com a compreensão certa e amor suficiente, o ambiente pode ser reparado em um único dia. No entanto, se o experimento dos marcianos tivesse continuado, teria destruído a Terra para sempre. Nunca mais seríamos capazes de usar a Terra como uma base de procriação.

Os marcianos cometeram um erro muito, muito grave. Aquele campo de Mer-Ka-Ba descontrolado liberou, antes de mais nada, um número enorme de espíritos infradimensionais nos planos supradimensionais da Terra. Esses espíritos foram forçados a entrar em um mundo que não compreendiam ou conheciam, e estavam completamente apavorados. Eles precisavam viver — eles precisavam de um corpo — então entraram direto nas pessoas, centenas deles em cada pessoa da Atlântida. Os atlantes não conseguiram impedi-los de entrar nos seus corpos. Finalmente, quase todas as pessoas do mundo estavam totalmente possuídas por esses seres de outras dimensões. Esses espíritos eram realmente criaturas terrenas como nós, mas muito diferentes, pois não vinham deste nível dimensional. Foi uma catástrofe total — a maior catástrofe que a Terra provavelmente já testemunhou.

Uma Herança Destrutiva: O Triângulo das Bermudas

A tentativa marciana de controlar o mundo aconteceu nas proximidades de uma das ilhas atlantes na região que hoje conhecemos como o Triângulo das Bermudas. Existe uma construção real situada no fundo do oceano que contém três campos eletromagnéticos de estrelas tetraédricas rotatórias sobrepostas uma sobre a outra, criando um imenso Mer-Ka-Ba sintético, que se estende pelo oceano e pelas profundezas do espaço. Esse Mer-Ka-Ba está completamente descontrolado. É chamado *Triângulo das Bermudas* porque o vértice de um dos tetraedros — o que é estacionário — se projeta para fora da água na região. Os outros dois campos são contrarrotatórios — e o campo de rotação mais rápida às vezes se move no sentido horário, o que é uma condição muito perigosa. (Quando dizemos sentido horário, estamos nos referindo à *fonte* do campo, não ao campo propriamente dito. O campo em si parece estar girando no sentido anti-horário.) Vocês entenderão isso quando aprenderem mais sobre o Mer-Ka-Ba. Quando o campo mais rápido gira *no sentido anti-horário* (desde a sua fonte), está tudo bem; mas quando o mais rápido gira *no sentido horário* (desde a sua fonte), é quando acontecem as distorções do tempo e do espaço. Muitos dos aviões e das embarcações que desapareceram no Triângulo das Bermudas literalmente foram para outros níveis dimensionais por causa do campo descontrolado que existe ali.

Nota: Para aqueles que acreditam que estaremos fora desta dimensão antes de 2012, vocês provavelmente estão certos. A correção desse campo atlante, muito embora a Terra provavelmente estará pelo menos na quarta dimensão na época, será concluída nesse ano tridimensional, de acordo com Thoth.

Uma das causas principais de grande parte da distorção no mundo — a distorção entre os seres humanos como guerras, problemas conjugais, perturbações emocionais, etc. — é esse campo desequilibrado. Esse campo não é o único que está causando distorções na Terra, ele está causando distorções muito, mas muito longe, nas regiões mais remotas do espaço, por causa da maneira como a Realidade é construída. Essa é uma das razões pelas quais essa raça de seres chamada de Cinzentos, e outros seres extraterrestres de que falaremos no momento adequado, estão tentando corrigir o que aconteceu aqui há muito tempo. Esse é um grande problema que se estende muito além da Terra. O que eles fizeram na Atlântida foi contra todas as leis galácticas. Foi ilegal, mas eles o fizeram de qualquer maneira. Isso será resolvido, mas não antes do ano de 2012. Não há muita coisa que os ETs possam fazer enquanto isso, mas eles provavelmente continuarão tentando. Finalmente, eles serão bem-sucedidos.

A Solução: Uma Rede de Consciência Crística

Os Mestres Ascensionados Ajudam a Terra

Na época do fracasso do Mer-Ka-Ba sintético, havia cerca de 1,6 mil mestres ascensionados na Terra, e eles fizeram tudo o que puderam para tentar resolver a situação. Tentaram selar os níveis dimensionais e tirar quantos daqueles espíritos puderam das pessoas e levá-los de volta para os seus mundos. Eles fizeram tudo o que puderam em todos os níveis. Finalmente, conseguiram tirar a maioria dos espíritos e resolveram praticamente 90 a 95 por cento ou mais da situação, mas as pessoas ainda encontram muitos desses seres incomuns vivendo nos seus corpos.

A situação naquela ocasião começou a deteriorar-se com extrema rapidez. Todos os sistemas da Atlântida — financeiro, social e todos os conceitos de como devia ser a vida — se degeneraram e entraram em colapso. O continente da Atlântida e todas as pessoas que ali viviam adoeceram. Eles começaram a ter doenças estranhas. Todo o continente entrou em um estado de sobrevivência, tentando viver um dia de cada vez, como se fosse o último. A situação foi piorando cada vez mais. Por um longo período de tempo foi o inferno sobre a Terra, horrível. Se a situação não fosse atenuada pelos mestres ascensionados, teria sido verdadeiramente o fim deste mundo.

Os mestres ascensionados (os níveis mais elevados da nossa consciência na época) não sabiam o que fazer para ajudar a devolver-nos o estado de graça. Quero dizer que eles *realmente* não sabiam o que fazer. Eles eram crianças em comparação com os acontecimentos que lhes foram impostos à força, e não faziam ideia de como controlá-los. Então eles rezaram. Invocaram os níveis superiores da consciência. Invocaram a todos que pudessem ouvir as suas preces, incluindo o grande Comando Galáctico. Eles rezaram e rezaram. Então o problema foi revisto em muitos níveis superiores da vida.

Acontecimentos semelhantes tinham ocorrido antes em outros planetas; aquela não era a primeira vez. Assim, antes que isso realmente acontecesse, os nossos mestres ascensionados e os amigos galácticos souberam que iríamos cair em desgraça, ficar de fora do alto nível de consciência que tínhamos na época. Eles souberam que íamos cair em demérito perante o espectro da vida. A sua preocupação era descobrir algum meio de nos trazer de volta para o caminho certo apesar de tudo, e eles sabiam que isso precisava ser feito rapidamente. Estavam procurando por uma solução que curasse toda a Terra, tanto as trevas quanto a luz. Não estavam preocupados com uma solução em que apenas os marcianos fossem curados, ou apenas os lemurianos ou apenas *parte* da Terra. Eles buscavam uma situação que curasse a Terra como um todo e todos os seus habitantes.

Os níveis superiores de consciência não têm esse ponto de vista "nós e eles". Só existe *uma* consciência entremeando toda a vida, e eles estavam tentando conseguir que todos retornassem ao estado de amor e respeito mútuos. Eles sabiam que a única maneira de fazerem isso era levar-nos de volta à consciência crística, um nível de existência em que podemos ver a unidade, e eles sabiam que continuaríamos a partir daquele ponto com amor e compaixão. Eles sabiam que se recuássemos no caminho, precisaríamos estar na consciência crística como planeta no fim do ciclo de 13 mil anos — que é agora. Se não estivéssemos na consciência crística então, não conseguiríamos. Poderíamos nos destruir. Embora o espírito seja eterno, as interrupções da vida podem ser temporariamente perdidas.

O único problema era que não poderíamos voltar à consciência crística sozinhos, pelo menos por algum tempo. Depois de termos caído até esse nível, passaria um tempo muito, muito longo antes de conseguirmos voltar a subir naturalmente. Então o problema era realmente de tempo. Fazíamos parte de uma consciência maior que nos amava, e por amor ela queria ajudar-nos a recuperar a imortalidade consciente o mais rápido possível. Era como ter um filho que bateu a cabeça com muita força e perdeu a consciência. Vocês iam querer que ele recobrasse a consciência o mais rápido possível.

Finalmente, decidiram tentar um tipo de procedimento operacional padrão que normalmente funciona nessas situações, embora nem sempre. Em outras palavras, era um experimento. O povo da Terra estava prestes a ser cobaia de um projeto experimental galáctico cujo propósito era nos ajudar. Faríamos o experimento em nós mesmos. Não seria feito por extraterrestres ou nada parecido; eles simplesmente nos mostrariam como fazê-lo. Recebemos instruções sobre como proceder nesse experimento e realmente o executamos... com sucesso.

E quanto aos sirianos? Os nossos salvadores acreditaram francamente que conseguiríamos, embora soubessem que seria por pouco. Na verdade, eles não teriam permissão do Comando Galáctico para fazer o experimento se não acreditassem francamente que conseguiríamos. Não se pode mentir para o Comando Galáctico.

Uma Rede Planetária

A esta altura, para que vocês entendam o procedimento pelo qual eles se decidiram, preciso falar sobre redes. Uma rede planetária é uma estrutura etérica cristalina que envolve o planeta e guarda a consciência de cada uma das espécies da vida. Sim, ela tem um componente eletromagnético associado com a terceira dimensão, mas também tem um componente supradimensional adequado para cada dimensão. A ciência acabará descobrindo que há uma rede para cada espécie diferente no mundo. Existiam originalmente 30 milhões de redes ao redor da Terra, mas agora há cerca de 13 a 15 milhões, e o seu número está decrescendo rapidamente. Se houvesse apenas dois besouros sobre o planeta, e eles estivessem localizados em algum lugar de Iowa, então teriam uma rede que se estenderia ao redor de todo o planeta, ou não poderiam existir. Simplesmente é essa a natureza do jogo.

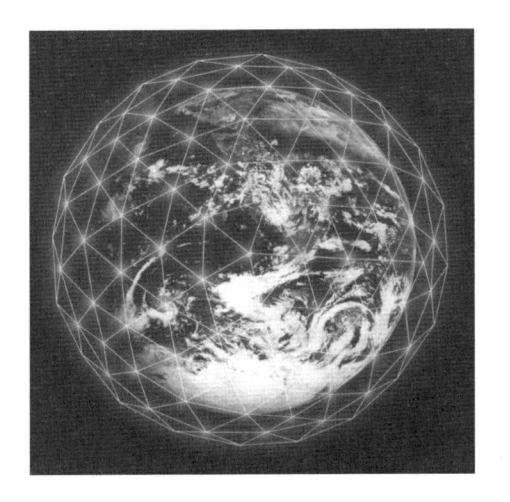

Cada uma dessas redes tem a sua própria geometria e é única; não existe outra como ela. Assim como o corpo das espécies é único, o seu ponto de vista para interpretar a Realidade é único. A rede de consciência crística mantém a consciência crística para o planeta, e se essa rede não existisse, não poderíamos atingir a consciência crística. Essa rede existia durante a época atlante, embora fôssemos muito jovens, e ela estava começando a funcionar em certas ocasiões durante a precessão dos equinócios. Eles sabiam que ela seria colocada no estado passivo pelas ações marcianas, então decidiram ativar sinteticamente a rede de consciência crística sobre a Terra. Seria uma rede viva, mas seria feita sinteticamente — como criar um cristal sintético a partir de uma célula viva de um cristal vivo. Então no momento certo, de preferência antes que nos eliminássemos, a nova rede estaria pronta, e poderíamos ascender outra vez ao nosso nível anterior. Um exemplo do efeito de uma rede é mostrado na teoria do centésimo macaco.

O Conceito do Centésimo Macaco

Provavelmente, vocês conhecem o livro *The Hundredth Monkey**, de Ken Keyes Jr., ou talvez o livro anterior de Lyall Watson, *Lifetide: The Biology of the Unconscious,* que trata sobre um projeto de pesquisa científica de trinta anos sobre o macaco japonês *Macaca fuscata*. A ilha de Koshima, no Japão, tem uma colônia selvagem, e os cientistas forneciam aos macacos batatas-doces atiradas na areia. Os macacos gostavam das batatas-doces, mas não da areia e da sujeira. Uma fêmea de dezoito meses de idade a quem chamaram de Imo descobriu que podia resolver o problema lavando as batatas. Ela ensinou o truque para a mãe. As suas colegas também aprenderam esse novo procedimento e também ensinaram às mães. Em pouco tempo, todos os macacos jovens lavavam as suas batatas-doces, mas apenas os adultos que imitavam

---

* *O Centésimo Macaco*, Editora Pensamento, SP, 1990.

os filhos aprenderam esse comportamento. Os cientistas registraram esses eventos entre 1952 e 1958.

Então, de repente, quase no fim do ano de 1958, alguns macacos que agiam dessa maneira na ilha de Koshima atingiram uma massa crítica, que o dr. Watson arbitrariamente calculou em cem, e pronto! — quase todos os macacos da ilha começaram a lavar as batatas sem interferência nenhuma. Se aquilo tivesse acontecido apenas naquela ilha, eles provavelmente teriam imaginado que havia algum tipo de comunicação e procurariam compreendê-lo. Mas simultaneamente os macacos das ilhas vizinhas também começaram a lavar as batatas. Até mesmo em Takasakiyama, os macacos estavam lavando as batatas. Não havia um meio possível de aqueles macacos terem se comunicado de alguma maneira que conhecemos. Foi a primeira vez na vida que os cientistas observaram algo parecido. Eles postularam que devia existir algum tipo de estrutura ou campo morfogenético que se estendia por todas as ilhas e pelo qual os macacos seriam capazes de comunicar-se.

O Centésimo Humano

Muitas pessoas refletiram bastante sobre o fenômeno do centésimo macaco. Então, alguns anos depois, uma equipe de cientistas da Austrália e da Grã-Bretanha imaginou se os seres humanos possuiriam uma rede semelhante à dos macacos. Fizeram um experimento. Tiraram uma fotografia contendo centenas de rostos humanos, pequenos e grandes, faces até dentro dos olhos. Tudo era feito de rostos, mas quando se olhava pela primeira vez, só se viam cerca de seis ou sete. Era preciso treinamento para ver os outros rostos. Normalmente, alguém precisava indicar onde eles estavam.

Essas pessoas levaram a fotografia para a Austrália e conduziram um estudo lá. Escolheram um determinado número de pessoas de um espectro da população, depois mostraram a fotografia a cada uma delas, dando-lhes um determinado tempo para admirá-la. Mostravam-lhes a fotografia e perguntavam: "Quantos rostos você vê nesta fotografia?" Durante o tempo que davam aos indivíduos, geralmente eles respondiam seis, sete, oito, nove ou até dez rostos. Poucas pessoas viam mais. Depois de terem submetido uma centena de pessoas à amostra básica e de registrar exatamente o que fora observado, alguns dos pesquisadores foram à Inglaterra — do outro lado do planeta — e mostraram a fotografia em uma emissora de canal a cabo da BBC, que a transmitiu para toda a Inglaterra. Eles mostraram cuidadosamente onde estavam os rostos, cada um dos rostos, todos eles. Então, *alguns minutos depois,* outros pesquisadores repetiram o experimento original com novos indivíduos na Austrália. De repente, as pessoas conseguiam ver sem dificuldade a maioria dos rostos.

Daquele momento em diante se soube com certeza que havia algo sobre os seres humanos que não era conhecido até então. Ora, os aborígines da Austrália sabiam sobre esse nosso aspecto "desconhecido" havia muito tempo. Eles sabiam que há um campo de energia conectando as pessoas. Até mesmo na nossa sociedade, observamos que alguém de um lado do planeta inventa algo muito complexo no mesmo momento que alguém do outro lado da Terra inventou a mesma coisa, com os mesmos princípios e ideias. Cada inventor diria: "Você roubou a minha ideia. Ela era minha. Eu a tive primeiro". Isso tem acontecido muitas, muitas vezes, e já faz muito tempo. Então, depois do experimento australiano, começou-se a entender que *alguma coisa* nos liga de maneira muito definida.

A Descoberta da Rede pelo Governo e a Corrida pelo Controle

No início da década de 1960, os governos soviético e norte-americano descobriram esses campos eletromagnéticos, ou redes, que se estendem ao redor do mundo. As redes humanas — sim, há mais do que uma — estão bem acima da Terra, a cerca de 100 quilômetros ou mais.

Lembrem-se, não lhes falei sobre os cinco níveis de consciência na Terra que correspondem a números de genes diferentes e alturas diferentes? Bem, existem apenas três níveis de consciência sobre a Terra atualmente. Os outros dois estão muito além do nosso tempo. O primeiro nível é o primitivo; o segundo nível é a nossa consciência atual; e o terceiro nível é o crístico, ou a consciência da unidade, no qual estamos prestes a entrar. Depois da Queda, cerca de 13 mil anos atrás, houve apenas duas redes humanas ativas ao redor da Terra; as do primeiro e segundo níveis. Os aborígines da Austrália estavam no primeiro nível, por exemplo, e nós, os mutantes, estávamos no segundo nível. (É assim que nos chamam — os mutantes —, porque mudamos para onde nos encontramos agora.) A ciência tem feito muito poucas pesquisas sobre os aborígines australianos, assim os nossos países não tomaram conhecimento da rede deles. Mas os governos fizeram uma porção de pesquisas sobre nós e descobriram exatamente como é a nossa rede: ela se baseia em triângulos e quadrados. É uma rede muito masculina que se estende ao redor de todo o planeta. Agora, temos uma terceira rede lá em cima, a que chamaremos de rede de consciência da unidade, ou simplesmente "o próximo passo". Ela está lá, concluída, desde 4 de fevereiro de 1989. Sem essa rede estaria tudo acabado para nós, pessoal. Mas ela está lá.

Os governos começaram a tomar consciência da nossa rede de segundo nível talvez já na década de 1940. Entendo que essa afirmação está em contradição com o que foi dito acima. Mas assim mesmo eu acredito que a rede foi descoberta ainda antes que a teoria do centésimo macaco fosse divulgada. Por causa da Segunda Guerra Mundial, os governos começaram a lançar bases militares em todo o mundo, em lugares longínquos e pouco visitados, em ilhas obscuras como Guam. Por que escolheram esses lugares em especial para as suas bases? Provavelmente não foi pelas razões que alegaram. Quando se estende a rede e as bases militares por todo o mundo, especialmente as da antiga URSS e dos Estados Unidos, bem, filhos das armas, as bases são *quase sempre* localizadas exatamente nos pontos nodais da rede — exatamente em cima ou nas pequenas espirais que saem dos pontos nodais. Não seria possível que fosse uma coincidência que eles simplesmente espalhassem o seu império de bases militares nesses lugares exatos. Eles estavam tentando ter o controle dessa rede, porque se pudessem controlá-la, saberiam que poderiam controlar o que pensamos e sentimos. Uma guerra sutil estava sendo travada entre esses dois governos. Entretanto, a natureza dessa guerra mudou consideravelmente em 1970, embora eu vá explicar isso depois. É claro que por trás tanto dos Estados Unidos quanto da URSS havia o governo secreto, que controlava a aparência exterior e o ritmo desse conflito.

Nota: No filme *Stargate*, Rá não recebeu o devido respeito. Ele era um dos mestres ascensionados e um ser de luz, não um demônio.

Como a Rede Foi Construída, e Onde

Agora que temos os conhecimentos necessários, podemos continuar com o drama da Atlântida. O projeto para reconstruir a rede foi iniciado por três homens: Thoth, um ser chamado Rá e um ser chamado Araragat. Esses homens voaram para um lugar onde hoje é o Egito, para a região atualmente chamada de planalto de Gizé. Naquela época ali não era um deserto, mas uma floresta tropical, e era chamada a Terra de Khem, que significa a terra dos bárbaros peludos. Os três homens foram para aquele determinado lugar porque o eixo da antiga rede de consciência da unidade estendia-se para fora da Terra a partir daquele ponto. Eles iriam reconstruir uma nova rede sobre o velho eixo, de acordo com instruções dadas pela consciência superior.

Eles precisaram esperar o momento certo — quando a precessão dos equinócios passasse pela maré baixa da consciência — antes de poder agir, e essa maré baixa ainda estava num futuro distante para eles. Depois disso, eles teriam um pouco menos do que meio ciclo, cerca de 12,9 mil anos mais ou menos, para concluir tudo até o fim do século XX. Não poderíamos ir além disso, ou destruiríamos a nós mesmos e o nosso planeta.

Primeiro, eles precisavam concluir a rede sobre as dimensões superiores, depois precisariam construir fisicamente os templos nessa dimensão antes que a nova rede da unidade se manifestasse. Depois de manifestada e equilibrada, eles deveriam ajudar-nos a começar a entrar conscientemente nos mundos superiores da existência e recomeçar o nosso caminho de volta para Deus.

Assim, Thoth e os seus amigos foram para o lugar exato onde o vórtice da consciência da unidade saía da Terra. Esse ponto ficava a quase dois quilômetros de onde se encontra hoje a Grande Pirâmide no deserto, mas nessa época ela se encontrava no meio do nada, no meio de uma floresta tropical. Centrados no eixo desse vórtice sobre a Terra, eles abriram uma cova que se aprofundava por quase dois quilômetros Terra adentro, alinhando-a com tijolos. Foram necessários apenas alguns minutos para isso, porque eles eram seres da sexta dimensão, e o que quer que pensassem sempre acontecia. Era simples assim.

Depois de feita a cova alinhada com o eixo da unidade, eles mapearam as dez espirais de Proporção Áurea que se projetavam da cova e se estendiam pela Terra. Usaram a cova como eixo, começando a partir do fundo, e mapearam as espirais de energia à medida que subiam pela cova, estendendo-se na direção do espaço. Uma das espirais saía da Terra não muito longe da atual Grande Pirâmide. Depois que a encontraram, eles construíram um pequeno edifício de pedra na frente da cova; esse prédio é a chave de todo o complexo de Gizé. Depois construíram a Grande Pirâmide.

De acordo com Thoth, a Grande Pirâmide foi construída por ele mesmo, não por Quéops. Thoth afirma que ela foi concluída cerca de duzentos anos antes da mudança dos eixos. O vértice da Grande Pirâmide situava-se exatamente sobre a curva da espiral, se a pedra do topo da pirâmide estivesse no lugar. Eles alinharam o centro da cova com a face sul do edifício de pedra e a face norte da Grande Pirâmide. Isso deixou assombrados os topógrafos que fizeram essa observação. Embora essas estruturas estejam a quase 2 quilômetros umas das outras, a face sul do edifício de pedra e a face norte da Grande Pirâmide estão em perfeito alinhamento. Eles não acreditam que nós pudéssemos fazê-lo melhor agora, mesmo com a nossa tecnologia moderna.

Mais tarde, outras duas pirâmides também foram construídas diretamente sobre essa espiral. Na verdade, foi assim que a cova foi descoberta, por meio da fotografia aérea. Deram-se conta de que as três pirâmides foram dispostas em uma espiral logarítmica. Depois traçaram a espiral até a sua origem e chegaram àquele ponto e ali estavam a cova e o edifício de pedra. Essa descoberta foi feita, creio eu, no início da década de 1980. Foi registrado na pesquisa de McCollum, que foi concluída em 1984 por Rocky McCollum.

Vi a cova do eixo e o prédio com os meus próprios olhos. Considero esse o lugar mais importante de todo o Egito, e assim se pensa também na ARE (Association for Research and Enlightenment — Associação para Pesquisa e Iluminação), de Edgar Cayce. Existe ainda uma outra cova à distância de cem metros da primeira espiral, e essa espiral começa de maneira um pouco diferente, mas então lentamente, assintoticamente, sobrepõe-se à primeira espiral. Para serem capazes de construir ao redor dessa cova nesse padrão espiral, os projetistas precisariam ter uma compreensão muito sofisticada da vida. (Explicarei essa compreensão também posteriormente.) Assim, essas duas espirais completas definiam o eixo do que acabaria se tornando a rede de consciência da unidade ao redor da Terra.

Lugares Sagrados

Depois de iniciar uma nova rede sobre a já existente, danificada, e de construir uma pirâmide sobre a linha da espiral, Thoth, Rá e Araragat mapearam onde essas duas linhas de energia se curvavam e se cruzavam em mais de 83 mil lugares sobre a superfície da Terra. Quadridimensionalmente, uma dimensão acima desta, eles construíram toda uma rede de construções e estruturas sobre todo o planeta, localizando-os sobre os nodos dessa matriz de energia. Todas essas estruturas foram dispostas de acordo com as proporções, seja nas da proporção áurea, seja nas das espirais de Fibonacci, e todas se referiam matematicamente àquele ponto original no Egito chamado atualmente de Cruz Solar.

A localização dos lugares sagrados do mundo não é acidental. Foi uma consciência única que criou cada uma delas — de Machu Picchu a Stonehenge e a Zaghouan — como quer que as chamem. Quase todas (com poucas exceções) foram criadas por uma consciência única. Hoje estamos nos conscientizando mais disso. A obra de Richard Hoagland trata disso, embora ele não seja o primeiro. Elas mostram como um lugar sagrado extrapola-se a partir de outro, depois de outro e ainda de outro. Esses lugares vão além do tempo, uma vez que foram construídos em épocas diferentes, e vão além de qualquer cultura em particular ou localização geográfica. Obviamente, foram feitos por uma consciência que coordenou o empreendimento como um todo. Finalmente, os pesquisadores verão que esse local no Egito é o ponto a partir do qual todos os outros lugares sagrados foram calculados.

Essa região egípcia é o polo norte da rede de consciência da unidade. Do outro lado do planeta, no Pacífico Sul e nas ilhas da Tailândia, acha-se uma ilhota chamada Moorea, onde se localiza o polo sul da rede. Aqueles de vocês que estiveram no topo do Wayna Picchu para ter uma visão do alto, Machu Picchu, a cerca de 2,7 mil metros de altura nas montanhas peruanas, sabem que ela parece rodeada por um círculo perfeito de montanhas. É como um círculo feminino circundando um falo erigindo-se no meio. Bem, a ilha de Moorea é semelhante a isso, só que ela tem o formato de um coração. Cada casa em Moorea tem um coração com o número da casa. A montanha fálica de Moorea no centro do coração é muito maior do que o Wayna Picchu no Peru, mas vocês verão o mesmo anel de montanhas rodeando esse polo terrestre. Esse é o exato polo sul de toda a rede de consciência da unidade. Se atravessarem a Terra diretamente a partir de Moorea, vocês sairão no Egito. Ela se desvia só um pouquinho — há uma ligeira curva, o que é natural. O polo de Moorea é negativo, ou feminino, e o polo egípcio é positivo, ou masculino. Todos os lugares sagrados estão ligados ao polo egípcio, e eles estão todos interligados através do eixo central que leva a Moorea. É um toro, é claro.

A Plataforma de Pouso da Pirâmide e a Nave sob a Esfinge

Esta é a Grande Pirâmide (Ilustração 4-7). Ela tem uma cúpula ou "pedra do topo perdida" e têm sido feitos todos os tipos de especulação a respeito. De acordo com Thoth, a verdadeira pedra do topo perdida tem 14 centímetros de altura e é de ouro maciço; é uma imagem holográfica da pirâmide inteira. Em outras palavras, ela tem todos os pequenos aposentos nela e tudo em proporção, e está situada na Sala dos Registros. As outras duas pirâmides elevam-se até uma extremidade aguda; só a Grande Pirâmide tem uma superfície plana no topo. Essa peça que falta não é pequena — tem cerca de 7 metros quadrados na base. Se chegarem até o topo, encontrarão uma plataforma enorme. Essa área plana é na verdade uma plataforma de pouso para uma aeronave muito especial que existe na Terra.

Ilustração 4-7. A Grande Pirâmide.

A Esfinge não fica muito distante da Grande Pirâmide. De acordo com *A Tábua de Esmeralda* e Thoth, a Esfinge é muito, muito mais velha do que os 10 mil a 15 mil anos estimados por John Anthony West. Um fator que muitos pesquisadores atuais têm deixado de considerar é que a Esfinge esteve sob a areia durante a maior parte da sua existência recente. Na verdade, quando Napoleão avistou a Esfinge, nem sequer sabia que ela estava lá porque tudo o que viu foi a cabeça dela. Ela estava completamente enterrada, e permaneceu enterrada por grande parte das últimas centenas de anos pelo menos. Levando em consideração esse fator, que poderia ser muito importante, o desgaste causado pela chuva e pelo vento precisaria atuar por muito mais tempo do que se supõe atualmente.

De acordo com Thoth, a Esfinge remonta a pelo menos 5,5 *milhões* de anos. Imagino que isso acabará vindo à tona, porque ele nunca se enganou a respeito de nada. Até mesmo John Anthony West suspeita secretamente de que ela é muito mais velha do que 10 mil a 15 mil anos. Ele não estava preocupado em fazer especulações sobre os milhões de anos; ele simplesmente queria que ela fosse mais antiga que o limite de 6 mil anos, porque isso romperia a nossa história da Terra aceita até então. Ele e a sua equipe já conseguiram isso, e depois, creio eu, tentarão recuar a data à medida que tiverem mais evidências.

De acordo com Thoth, quase dois mil metros abaixo da Esfinge existe um aposento redondo com piso plano e teto plano. Dentro desse aposento, encontra-se o objeto sintético mais antigo do mundo — mais velho do que qualquer outro objeto material construído existente na Terra. De acordo com Thoth, embora nem ele mesmo possa provar, esse objeto remonta a 500 milhões de anos quando começou "aquilo que levou à vida humana". O objeto tem o tamanho de dois quarteirões; é redondo como um disco e é plano em cima e embaixo. O que há de incomum nele é que o seu revestimento tem apenas de três a cinco átomos de espessura. As suas superfícies superior e inferior têm um determinado padrão que é mostrado na Ilustração 4-8.

O padrão em si tem cinco átomos de espessura; por toda a parte restante ele tem apenas três átomos de espessura. E é transparente — pode-se ver perfeitamente através dele — quase como se não existisse. Isso é uma nave, mas não tem motores nem uma forma visível de energia. Muito embora a interpretação de Doreal de *A Tábua de Esmeralda* afirme que essa nave tem motores atômicos dentro dela, de acordo com Thoth ela não tem. Doreal traduziu *A Tábua de Esmeralda* em Yucatán em 1925, e não conseguiu entender a explicação sobre como a nave obtinha a sua força propulsora. A ideia de motores atômicos foi a mais avançada que ele pôde conceber para uma fonte de energia. Mas ela é na verdade propelida por pensamentos e sentimentos, e foi projetada para conectar-se ao próprio Mer-Ka-Ba de vocês e expandi-lo. Essa nave está diretamente conectada com o espírito da Terra, e em *A Tábua de Esmeralda* ela é chamada de nave de guerra. Era o protetor da Terra.

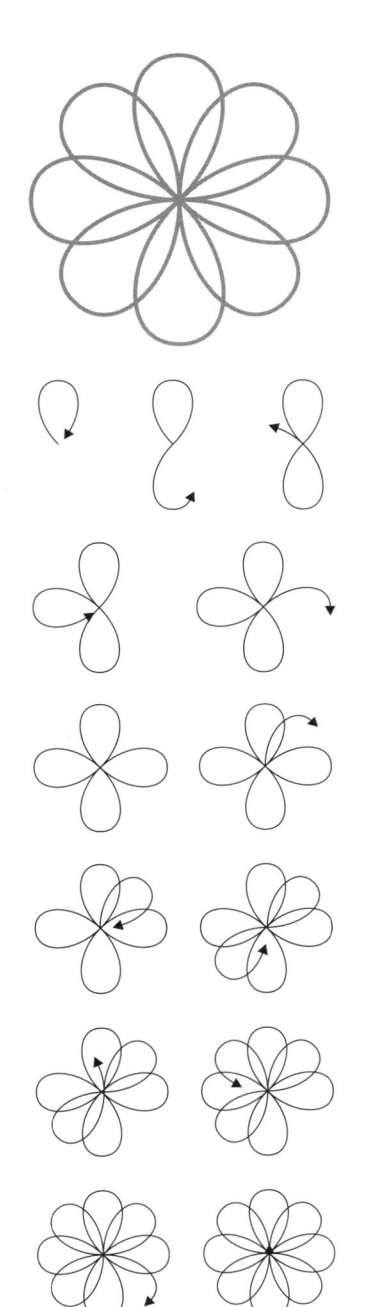

Ilustração 4-8. O padrão do disco embaixo da Esfinge.

A Vulnerabilidade deste Período e a Aparição da Heroína

De acordo com *A Tábua de Esmeralda,* toda vez que alcançamos aquele ponto vulnerável da precessão dos equinócios, quando os nossos polos fazem aquelas pequenas mudanças, os extraterrestres tentam dominar o planeta. Isso tem acontecido por milhões e milhões de anos, e ainda está acontecendo. Quando li isso na *Tábua*, não sabia ainda sobre os Cinzentos nem de nenhum desses seres, e pensei: "Alguém vindo de algum outro lugar para se apossar da Terra? Ora, isso é tolice!" Mas até mesmo hoje, é exatamente isso que está acontecendo. Nunca para; simplesmente continua. É chamado, simplesmente, a batalha das trevas contra a luz.

Toda vez que um golpe pelo poder desses parece iminente, aparece uma pessoa muito pura que descobre como passar para o próximo nível de consciência, depois encontra a nave e a eleva no ar. A Terra e o Sol se conectam com essa pessoa e lhe dão uma grande força, então tudo o que essa pessoa pensar e sentir acontece. É assim que essa aeronave é uma nave de guerra: sejam quais forem as raças que estejam tentando dominar a Terra, essa pessoa simplesmente pensa em afastá-las — pensa numa situação que as força a partir. Isso mantém a continuidade do nosso processo evolutivo sem nenhum tipo de interferência ou influência externa. Pelo menos isso é o que *deveria* acontecer.

No momento, não há dúvida de que nós temos sido ameaçados. Aquela pessoa pura apareceu, e aquele evento já aconteceu aqui na Terra. É por isso que os Cinzentos estão partindo. Os problemas que eles estão tendo são causados por uma única mulher — uma mulher de 23 anos do Peru (ela estava com 23 anos em 1989 quando fez isso). Ela realizou o primeiro processo ascensional para a nova rede e se conectou com ela, conectou-se com a Terra, encontrou a nave e elevou-a no ar. Primeiro ela fez algumas conexões básicas que precisavam ser feitas com cristais sobre a Terra, depois executou a programação que precisou ser recalculada. A coisa imediatamente posterior que ela fez foi *pensar* que os Cinzentos e outros relacionados com essa tentativa de tomada do controle da Terra começariam a adoecer se permanecessem aqui, e não haveria cura.

Dentro de um mês, todos os Cinzentos começaram a ficar doentes, e todo o processo que ela visualizara começou a acontecer. Os Cinzentos foram forçados a deixar a Terra imediatamente. As suas bases foram abandonadas, e eles foram forçados a alterar os seus planos. A presença de todo aquele exército de seres do espaço agora foi reduzida a praticamente nada, tudo por causa de uma frágil mas santa mulher. É impressionante [*risos*]. Nós homens sabemos como é isso — eu fui inúmeras vezes reduzido a nada por minha esposa.

Esperando a Catástrofe Atlante

Thoth e os seus associados terminaram o complexo no Egito para ajudar a reconstruir a rede. Depois eles o abandonaram no meio da floresta tropical e voltaram para a Atlântida para se preparar. O complexo ficou lá por duzentos anos, porque eles sabiam que, no ponto crítico da precessão dos equinócios, os polos mudariam. Eles sabiam que a Atlântida afundaria, então esperaram.

Um dia isso finalmente aconteceu. A catástrofe realmente durou apenas uma noite. A ciência comprova que, quando os polos mudam, isso leva apenas 20 horas. Acontece exatamente assim [estalar de dedos]. Vocês acordam num dia normal e naquela noite há um mundo totalmente diferente. O processo inteiro tem a duração de cerca de três dias e meio, mas a mudança dos polos acontece em cerca de 20 horas. Vamos todos passar por essa enorme mudança quando virmos grandes pedaços dos Estados Unidos começarem a afundar na água — então vocês saberão com certeza. Existem outros sinais iniciais que indicarão a vocês que a mudança está para acontecer. Depois que dermos informações suficientes, vou lembrá-los do que vocês já guardam na sua memória.

Quando viram os primeiros sinais da mudança que se avizinhava, Thoth, Rá e Araragat retornaram à Esfinge e elevaram a nave de guerra para o céu. Tudo o que eles fizeram foi aumentar a vibração das moléculas apenas um som harmônico acima do que o existente na Terra. Isso capacitou a eles e à nave atravessar a Terra em direção ao céu. Então eles se encaminharam para a Atlântida, baixaram a nave até a superfície e pegaram as pessoas da Escola de Mistérios de Naacal, entre os quais se encontravam os imortais originais da Lemúria assim como aqueles que haviam se tornado iluminados durante a época da Atlântida (na ocasião cerca de outras seiscentas pessoas haviam ascendido). Assim, os mil originais da Lemúria e mais os seiscentos da Atlântida haviam aumentado o número de mestres ascensionados para cerca de 1,6 mil, os únicos ocupantes da antiga nave aérea.

Agora, as pessoas dessa nave não eram apenas passageiros, elas criavam um Mer-Ka-Ba grupal vivo, que envolveu a nave num campo bastante grande, na forma de um disco voador — a mesma forma que existe ao redor da galáxia e ao redor do seu corpo quando o seu Mer-Ka-Ba está girando. Eles tinham um campo protetor muito poderoso ao redor de si mesmos quando se encaminharam para Khem, que em breve se tornaria o novo Egito. Thoth disse que eles haviam subido cerca de 400 metros acima do planeta, com os integrantes da escola de mistérios a bordo, quando viram a ilha de Udal afundar. Essa foi a última parte da Atlântida a desaparecer na água, com a exceção de algumas ilhotas. Depois eles voaram na nave para o Egito e pousaram no topo da Grande Pirâmide. Vista de lado ela se parecia com o desenho do meio na Ilustração 4-9.

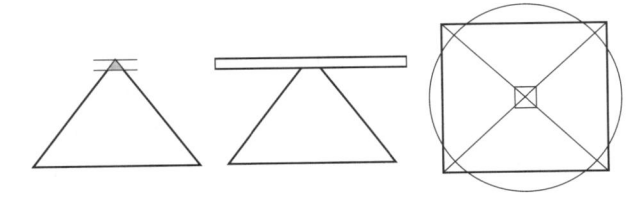

Ilustração 4-9. A nave de guerra no topo da Grande Pirâmide.

Se estendessem a Grande Pirâmide até onde terminaria a pedra do cume, descobririam que a nave e a pirâmide foram construídas uma para a outra. Se a vissem do alto, ela se pareceria como a figura da direita. O círculo é a nave, e o quadrado é a Grande Pirâmide. O perímetro da Grande Pirâmide e a circunferência da nave são iguais. É discutível se isso é possível ou não, mas eles podem ser muito, muito próximos. Sempre que essa relação matemática acontece, aparece a vida. É a relação básica da vida por todo o universo. (Vamos explicar isso geometricamente em breve.) Se os mestres ascensionados não tivessem campos giratórios de Mer-Ka-Ba ao redor deles, eles não estariam aqui hoje (e provavelmente nem nós estaríamos), porque o Mer-Ka-Ba deles os protegeu de tudo o que aconteceu em seguida.

Depois que eles pousaram sobre a pirâmide, os polos começaram a mudar, e a consciência humana da Terra começou a mergulhar verticalmente. Ao mesmo tempo, os campos eletromagnético e magnético da Terra entraram em colapso, e toda a vida deste planeta foi para o Grande Vazio, os três dias e meio de absoluta escuridão mencionado por muitas culturas ao redor do mundo.

Os Três Dias e Meio do Vazio

A Tábua de Esmeralda diz que, todas as vezes que passamos pela precessão dos equinócios e os nossos polos passam por essas mudanças, nós atravessamos um espaço vazio por cerca de três dias e meio. Os maias explicaram o Vazio no documento Troano. A certa altura da história, três pedras e meia são pintadas de preto. Isso se refere ao tempo em que passamos pelo que atualmente chamamos de *zona eletromagnética nula*. Quando os polos mudam, acontece um fenômeno (entraremos em muito mais detalhes sobre isso mais tarde) no qual, por cerca de três dias e meio, ficamos na escuridão (na verdade, poderia ser algo entre dois ou dois dias e meio até quatro dias). Da última vez, foram evidentemente três dias e meio. É mais do que apenas escuridão; é nada, é vazio. E, a propósito, quando estiverem no Vazio, perceberão que vocês e Deus são um, que não há diferença nenhuma. Tornaremos a falar sobre o Vazio no momento certo.

Memória, Campos Magnéticos e Mer-Ka-Bas

Se as pessoas na nave de guerra não estivessem protegidas pelo Mer-Ka-Ba durante aquela mudança, elas teriam perdido completamente a memória. Vejam, a nossa memória é mantida basicamente por um campo magnético que existe ao redor do cérebro — dentro do crânio e ao redor da cabeça. Esse campo se conecta depois com todas as células do cérebro por campos magnéticos individualizados dentro de cada célula. A ciência primeiro encontrou as partículas magnéticas internas dentro de cada célula e depois encontrou o campo externo maior. Essa foi a principal descoberta na fisiologia humana nos últimos trezentos anos. A memória depende de um campo magnético constante e ativo, de maneira muito semelhante a um computador. Essa conexão com o campo magnético da Terra não é compreendida pela ciência da nossa época. Se não tiverem meios de proteger a sua memória, ela será apagada, extinta. Foi exatamente o que aconteceu com os atlantes e outros que sobreviveram à catástrofe mas não tinham seus Mer-Ka-Bas girando. Aquelas pessoas muito sofisticadas, que eram mais avançadas do que vocês e eu, de repente se viram em uma situação em que não sabiam nada. Elas tinham um corpo superdesenvolvido e uma mente superdesenvolvida, mas foi como ter um ótimo PC sobre a mesa sem nenhum *software*, nada ali dentro.

Então a população que sobreviveu, e foram uns poucos, precisou começar tudo de novo. Eles precisaram começar do zero para descobrir como aquecer-se, como fazer fogo, e assim por diante. Essa perda de memória foi o resultado do seu esquecimento de como respirar, o esquecimento dos seus Mer-Ka-Bas, o esquecimento de tudo — caindo através das dimensões, entrando em um estado totalmente desprotegido e terminando neste mundo muito denso — precisando ingerir alimentos de novo, fazer todos os tipos de coisas que não faziam parte da sua vida por um período muito longo da existência. Eles foram atirados em um aspecto muito denso do planeta e precisaram aprender a sobreviver desde o começo de novo. Isso tudo foi o resultado do experimento com o Mer-Ka-Ba sintético feito na Atlântida.

Sem aquele pequeno grupo de mestres ascensionados não teríamos sobrevivido — definitivamente, todos teríamos deixado para trás a experiência humana. Todo o experimento terrestre teria terminado para sempre. Mas eles mantiveram o campo vivo, precariamente, enquanto tudo mais desmoronava ao redor deles. Além dos mestres ascensionados, havia também dois outros grupos na Terra que tinham campos de Mer-Ka-Ba intatos na ocasião. Os Nephilim e os sirianos, a nossa mãe e o nosso pai, mantiveram os seus campos funcionando. Não sei para onde os Nephilim se retiraram para dentro dos mundos dimensionais deste planeta, mas os sirianos permaneceram nos Salões de Amenti, no interior da Terra. Esses dois grupos ainda se encontram aqui no planeta, escondidos dentro de mundos dimensionais.

O que Fez o Grupo de Thoth depois do Retorno da Luz

Depois dos três dias e meio de escuridão, a Terra reapareceu, a luz reapareceu, os campos se estabilizaram e nós nos encontrávamos neste mundo tridimensional onde estamos agora. Tudo era novo e diferente — tudo. Tudo mudara por completo no plano perceptível. Considerando-se o continente da Atlântida, os atlantes realmente se achavam em um nível muito superior de interpretação naquele continente. Eles não sentiam como nós. Viviam de uma maneira tão inteiramente diferente que é bem difícil explicar do nosso ponto de vista tridimensional.

Depois de pousarem no topo da Grande Pirâmide, Rá e cerca de um terço das pessoas da nave desceram por um túnel que vai até um aposento a dois terços da altura do solo, o qual algum dia será descoberto. (Foram descobertos quatro novos aposentos na Grande Pirâmide só nos últimos anos.) Quando esse aposento for descoberto, verão que é feito de pedras vermelhas, pretas e brancas, que eram as cores arquitetônicas primárias da Atlântida. Isso foi o que Thoth me falou para dizer. Desse aposento sai um canal que eles usaram para descer até uma cidade ou templo muito abaixo da Pirâmide, que Thoth e os amigos construíram quando fizeram a pirâmide. Ele foi projetado para conter aproximadamente 10 mil pessoas, porque eles sabiam que um grande número ascenderia nos 13 mil anos seguintes, até o Dia da Purificação.

Depois que os campos se estabilizaram e um terço das pessoas seguiu Rá para o aposento feito de pedras vermelhas, pretas e brancas, dali eles entraram na cidade subterrânea e deram início à raiz da nossa civilização atual. Outra parte da raiz da nossa civilização atual estava sendo formada ao mesmo tempo na Suméria (outra história). No mesmo momento no tempo, os aproximadamente 1.067 mestres ascensionados remanescentes elevaram a nave de guerra acima da Grande Pirâmide e voaram para o lugar atualmente chamado lago Titicaca, onde pousaram na ilha do Sol (na Bolívia). Thoth partiu de lá, acompanhado por cerca de um terço das pessoas. Então eles decolaram novamente e voaram para as montanhas do Himalaia, onde Araragat partiu com o terço restante das pessoas. Sete pessoas, porém, permaneceram na nave, voaram de volta à Esfinge e baixaram-na naquele aposento, onde ela permaneceu nos últimos 13 mil anos — até recentemente, quando a jovem do Peru a elevou novamente aos céus da atmosfera da Mãe Terra.

Lugares Sagrados na Rede

O Egito tornou-se o componente masculino da rede. Foi lá que as estruturas masculinas foram lançadas. Lá dificilmente existe uma feminilidade que se compare com as regiões femininas do mundo. É claro que existe a polaridade para a masculinidade — Ísis é essa contrapartida — mas o fluxo de energia global é masculino. A América do Sul, especialmente o Peru, a América Central e também regiões do México tornaram-se o componente feminino da rede. Entretanto, ultimamente o aspecto feminino inteiro da rede centrou-se no complexo de Uxmal, em Yucatán, onde muitos sobreviventes da Atlântida encontraram refúgio.

Partindo de Uxmal, sete templos foram dispostos em uma espiral, provavelmente uma espiral de Fibonacci, e eles são os sete templos principais do componente feminino da rede. Esses são os centros dos chakras, assim como os centros dos chakras que estão dispostos por toda a extensão do Nilo. Esses centros femininos começam em Uxmal, depois vão para Labna, então para Kabah, depois sobem para Chichén Itzá, então sobem para Tulum, próximo ao oceano, e em seguida descem para próximo de Belize até Kohunlich, curvando-se de volta para o interior até Palenque. Esses sete lugares formaram a espiral primária do aspecto feminino da rede criada para a nova consciência crística, à qual só agora somos capazes de ter acesso.

De Palenque, o aspecto feminino da rede se divide para o norte e para o sul. Aqui vemos outra polarização da energia. O componente feminino da espiral feminina da rede se dirige para o sul e salta sobre o Tikal, na Guatemala, e isso dá início a uma nova oitava. Quando a comparamos à música, o sétimo ponto faz uma ponte para a oitava nota, ou para o início da próxima oitava da espiral seguinte. E a espiral continua seguindo para o sul através do componente feminino da rede. Finalmente, ela passa por lugares como Machu Picchu e Sacsayhuaman, próximo a Cuzco, no Peru.

Uma das principais espirais termina em um lugar chamado Chavín, no Peru, que foi o principal centro religioso do império inca. De lá, ela segue para o lago Titicaca para um lugar cerca de 800 metros ao largo da ilha do Sol, na Bolívia. Então, dá uma guinada de 90 graus e se dirige para a ilha de Páscoa, e finalmente para Moorea, onde ancora no interior da Terra.

Dirigindo-se ao norte a partir de Palenque, segue o componente masculino do aspecto feminino da rede. Ele atravessa as ruínas astecas e sobe através das pirâmides dos índios americanos. (Os índios americanos fizeram pirâmides concretas, alguns remanescentes delas podem ser vistos nas proximidades de Albuquerque, e na própria cidade, no Novo México.) Então, a espiral continua até o lago Blue, próximo a Taos, no Novo México, que é a contrapartida do lago Titicaca. Essa é uma das regiões mais importantes dos Estados Unidos, protegida durante muito tempo pelos índios taos. De novo, há uma guinada de 90 graus no lago Blue. De lá, a espiral prossegue através das montanhas, atravessando a montanha Ute (no lado do Novo México da fronteira com o Colorado) e através de muitas montanhas e estruturas que foram construídas.

Em conjunção com os lugares sagrados, os criadores também usaram as montanhas por causa do seu vórtice de energia. Finalmente, antes que a espiral deixe a costa da Califórnia, atravessa o lago Tahoe, o lago Donner e o lago Pyramid. De lá segue por complexos montanhosos submersos até alcançar as ilhas havaianas, onde a cratera do Haleakala é um dos principais componentes, então segue para o sul novamente. Ela atravessa o arquipélago das ilhas havaianas, que se liga por milhares de quilômetros de volta a Moorea.

Portanto, esse é um imenso círculo aberto que dá a volta na Terra, partindo de Uxmal e ligando-se ao polo sul da rede crística. O componente feminino da rede é um círculo imenso de complexos. Entendam que entre cada um dos principais lugares mencionados acima há literalmente centenas de locais menores — igrejas e templos de muitas religiões, locais sagrados da natureza como picos de montanhas e cordilheiras, lagos, cânions, e assim por diante. Se pudessem observar o plano todo, veriam como eles formam espirais perfeitas, primeiramente seguindo o sentido horário, depois seguindo o anti-horário até chegarem ao seu destino, Moorea, no Pacífico Sul.

As pirâmides construídas nas montanhas do Himalaia eram originariamente cristalinas por natureza, significando que foram construídas com o uso de cristais tridimensionais nos vértices, visando formar uma pirâmide. Eles construíram pirâmides concretas lá também — uma porção delas. A maioria delas não é conhecida, embora algumas sejam. A maior pirâmide conhecida do mundo até agora está nas montanhas ocidentais do Tibete. É uma pirâmide toda branca que se encontra em condições quase perfeitas, com um imenso cume de cristal sólido. Pelo menos duas equipes de cientistas estiveram lá, e ela também foi fotografada do ar. Ela só é visível durante três semanas do ano, quando o seu cume de cristal se projeta da neve espessa de frente para um vale há muito tempo abandonado pelo esforço humano.

Conversei com o chefe da equipe que foi até essa pirâmide. Ele disse que ela se parece com uma pirâmide nova em folha e que não há nada escrito nas paredes. Ela é branca, suave e dura, como o mármore. Quando entraram nela, desceram por um túnel comprido, onde encontraram um grande aposento no centro. Não há nada escrito em lugar nenhum, nem desenhos, nada — exceto que no meio, bem no alto de uma parede, há uma inscrição — a Flor da Vida! É só isso. Quando se quer dizer qualquer coisa, tudo o que é preciso fazer é colocar isso numa parede. Isso diz tudo. No fim deste livro vocês entenderão por quê.

Todos os lugares sagrados da Terra, com poucas exceções, foram planejados no nível quadridimensional pela consciência superior, e atualmente a maioria deles tem contrapartidas tridimensionais ligadas a eles — em outras palavras, construções reais em lugares reais. Entretanto, há ainda alguns locais muito importantes que têm *apenas* estruturas quadridimensionais. Essas pirâmides quadridimensionais basicamente representam a energia neutra ou infantil da rede crística. Em conjunto existem três aspectos da rede crística que envolvem a Terra — Mãe, Pai e Filho. O Pai está no Egito, a Mãe está no Peru-Yucatán-Pacífico Sul e o filho está no Tibete.

Os Cinco Níveis da Consciência Humana e as suas Diferenças Cromossômicas

De acordo com Thoth, existem cinco níveis diferentes de consciência humana possíveis na Terra. Há pessoas que têm DNA diferente, um corpo completamente diferente e diferentes maneiras de perceber a Realidade. Cada nível da consciência se desenvolve a partir do anterior, até que finalmente no quinto nível a humanidade aprende a transformar-se numa maneira inteiramente nova de expressar a vida, deixando a Terra para sempre.

A diferença visual mais importante entre esses tipos é a altura. As pessoas do primeiro nível têm cerca de 1,20 a 1,80 metro de altura. As pessoas do segundo nível têm cerca de 1,50 a 2,10 metros de altura, no qual nos encontramos atualmente. As pessoas do terceiro nível têm cerca de 3 a 4,80 metros de altura, em que estamos próximos de nos transformar. O ser do quarto nível tem cerca de 9 a 10,50 metros de altura, e o último tem cerca de 15 a 18 metros. Esses dois últimos níveis são para um futuro distante.

Isso pode parecer estranho a princípio, mas nós realmente não começamos como um óvulo microscópico e vamos nos tornando cada vez maiores até nascer? Então continuamos a nos tornar cada vez mais altos até nos tornarmos adultos. De acordo com essa teoria, o humano adulto não está no fim do nosso padrão de crescimento. Continuamos passando pelas etapas do DNA até atingirmos 15 a 18 metros de altura. Metatron, o arcanjo hebraico que é a perfeição do que a humanidade deve se tornar, tem 16,5 metros de altura! Lembram-se dos gigantes que viveram aqui na Terra citados no capítulo 6 do Gênesis? De acordo com os registros sumérios, eles tinham cerca de 3 a 4,80 metros de altura. Quando observamos uma criança de 3 anos e outra de 10 anos, sabemos que têm níveis de consciência diferentes, e é basicamente pela sua altura que fazemos esse julgamento.

De acordo com Thoth, cada nível de consciência tem um DNA diferente; entretanto, a diferença básica é o número de cromossomos. Aplicando essa teoria, atualmente nos encontramos no segundo nível e temos 44 + 2 cromossomos. Um exemplo do primeiro nível são determinadas tribos aborígines da Austrália que têm 42 + 2 cromossomos. No terceiro nível, ao qual estamos prestes a passar, as pessoas têm 46 + 2 cromossomos. Os dois níveis seguintes têm 48 + 2 e 50 + 2, respectivamente.

Discutiremos esse assunto em profundidade no segundo volume desta obra e mostraremos a geometria sagrada envolvendo esse conhecimento, o que o deixará mais claro.

Evidências no Egito para um Novo Olhar sobre a História

Vamos agora nos concentrar no Egito, por ser este o local onde se localizou a principal escola de mistérios e ainda existem evidências de seres humanos de diferentes tamanhos e níveis de consciência, embora em geral não reconhecidas. O Egito foi a região que eles escolheram para finalmente restaurar a nossa consciência, e a primeira região em que os sobreviventes da Atlântida e os mestres ascensionados estiveram em um mesmo lugar. Poderíamos discutir a história daquelas outras regiões, e faremos isso brevemente, mas o foco desta obra será o Pai, porque é por meio do Pai que as informações básicas sobre o Mer-Ka-Ba devem ser lembradas.

Esta é uma estátua egípcia de Tiya (Ilustração 4-10). Tiya e o marido Ay foram os dois primeiros a criar um bebê por ligação interdimensional através do tantra sagrado, o que levou os três à imortalidade, o pai, a mãe e o filho. Vocês podem ter uma ideia muito boa de como eram os lemurianos olhando para ela. Ela e o marido ainda vivem, e ainda se encontram no planeta atualmente, mesmo de-

Ilustração 4-10. Busto de Tiya.

pois de dezenas de milhares de anos. Eles são dois dos seres mais velhos do mundo e dois dos mais respeitados de todos os mestres ascensionados por causa de tudo o que fizeram pela consciência humana.

Gigantes na Terra

Este é Abu Simbel (Ilustração 4-11) no Egito, localizado na base da espinha do sistema de chakras do aspecto masculino da rede crística. Observem como são muito altas essas estátuas; essa era a *altura real* desses seres! Comparem com o tamanho dos turistas próximos à base à direita da foto. Se esse pessoal de pedra se levantasse, iria encaixar-se naquela faixa dos 18 metros, o que indica que estavam no quinto nível de consciência.

Esses seres (Ilustração 4-12), em uma outra parede em Abu Simbel, teriam mais de 10 metros de altura, representando o quarto nível de consciência. Eles construíram salões para essas diferentes alturas. Essa porta é feita para os venusianos — a raça de Hathor — que estão no terceiro nível de consciência. Contarei mais sobre os hathores posteriormente.

Ilustração 4-11. Abu Simbel.

Esses seres do terceiro nível (Ilustração 4-13) têm quase 5 metros de altura, indicando que são homens, uma vez que as mulheres dessa raça têm cerca de 3 a 3,5 metros de altura. Na sua seção do prédio, os salões têm cerca de 6 metros de altura, com teto e colunas proporcionais a seres de 3 a quase 5 metros de altura. Próximo a esse salão, passando-se por uma pequena porta (podem vê-la aqui) que parece ter sido feita para nós, há uma saleta com teto muito mais baixo.

Ilustração 4-12. Abu Simbel e a porta de Hathor.

Os egípcios não fizeram essas estátuas arbitrariamente — eles nunca fizeram *nada* arbitrariamente. Não há uma única ranhura em uma única pedra; não existe nem menos uma, acredito, que tenha sido feita inconscientemente. Houve uma razão e um propósito para tudo. E normalmente isso foi criado em muitos, muitos níveis diferentes. *A Tábua de Esmeralda,* por exemplo, é escrita em uma centena de níveis de consciência. Dependendo de quem você é, entenderá algo absoluta e completamente diverso do que entendem outras pessoas. Se tiverem de passar por uma mudança de consciência, voltem e releiam *A Tábua de Esmeralda* outra vez. Não acharão que se trata do mesmo livro, porque ele vai lhes falar de uma maneira diferente, dependendo da sua compreensão.

Ilustração 4-13. Interior de Abu Simbel; seres do terceiro nível.

Esses são seres terrestres (Ilustração 4-14) passando por diversos níveis de consciência. Nessa fotografia, vê-se um imenso ser de quase 17 metros de altura com uma estátua do nosso tamanho em pé ao lado da sua perna. São o rei e a rainha. Os arqueólogos não sabem como interpretar isso, então eles simplesmente dizem que os reis eram mais importantes do que as rainhas, e é por isso que elas eram feitas pequenas. No entanto, isso não procede. As estátuas mostram os cinco níveis de consciência. Todo rei e faraó que viveu no Egito tinha cinco nomes, representando os cinco níveis de consciência.

Ilustração 4-14. Rei e rainha em níveis diferentes de consciência.

Alguns dos reis e rainhas eram capazes de transitar entre os diferentes níveis para guiar a população para os reinos espirituais. Existe um exemplo especial disso. No Egito existe uma antiga casa redonda. Não consegui vê-la, mas ela me foi descrita pelo famoso arqueólogo Ahmed Fayhed, portanto sei que ela existe. Essa foi a casa de Ay e Tiya por muito tempo (embora obviamente eles não a estejam usando atualmente).

Essa casa redonda é dividida por uma parede bem no meio. Não dá para passar de um lado da casa para o outro sem dar a volta por fora e depois entrar pelo outro lado. Isso não se parece com a ilha de Udal na Atlântida? Sobre um lado da parede central se vê o retrato de Ay, que parece bastante egípcio, com sua saia angulosa, barba e diversos paramentos egípcios. Ele aparece na altura normal. Do outro lado da parede a imagem de Ay tem quase 5 metros de altura. Ele parece muito diferente, mas pode-se ver que o rosto dele é o mesmo. Ele tem a cabeça enorme projetando-se para trás como acontece nas raças de nível superior (mostrarei alguns exemplos em breve). Esses dois retratos de Ay mostram que ele podia transitar entre esses dois níveis de consciência diferentes por meio da mudança de consciência.

Evolução Escalonada

De acordo com o conhecimento de Melchizedek, tanto os sumérios quanto os egípcios surgiram na superfície da Terra quase ao mesmo tempo, completos, inteiros e perfeitos, com seu idioma totalmente intato, com as suas habilidades, compreensão e conhecimentos, com quase nenhuma evolução anterior àquela época (pelo menos, nenhuma que a ciência conheça). Eles simplesmente apareceram num momento da história no seu mais perfeito estado. A escrita que surgiu naquele momento era extremamente sofisticada e clara, e nunca foi aprimorada desde aquela época. Depois desse impulso inicial, essas culturas se tornaram cada vez menos claras, até que finalmente essas civilizações avançadas degeneraram. Seria de considerar que elas se tornariam melhores e mais sofisticadas com o passar do tempo, mas não foi o que aconteceu. Isso é um fato científico. Ninguém da arqueologia convencional sabe como isso aconteceu, nem ao menos é capaz de explicar como isso *poderia* ter acontecido. É um grande mistério.

O Egito e a Suméria situam-se em uma categoria especial que os arqueólogos chamam de *evolução escalonada*. Receberam essa classificação por causa da maneira como pareceram obter informação e conhecimento. O que aconteceu foi que, um dia, o Egito obteve a sua língua, plena e completa; depois esse conhecimento se estabilizou; então, algum tempo depois, eles sabiam tudo o que se possa imaginar sobre, digamos, construir um determinado tipo de fosso ou sistema hidráulico. Passado mais algum tempo, de repente sabiam tudo sobre hidráulica. Isso continuou acontecendo dessa maneira. De que modo os egípcios e sumérios obtinham essas informações? Como é que eles, de repente, de um dia para o outro, sabiam tudo? Vou dar-lhes a resposta de Thoth.

Primeiro, preciso esclarecer algo sobre o desenho da precessão, reproduzido na página seguinte (Ilustração 4-15): o ponto A é onde nos encontramos hoje, e o ponto C é onde ocorreu a queda da Atlântida. O ponto C também é quando os polos mudaram; a época em que isso aconteceu foi determinada pela ciência. Foi quando também aconteceu o Grande Dilúvio de Noé, e a fusão das calotas polares por causa de todas as mudanças que estavam ocorrendo na Terra. O ponto C representa o momento em

Revolução total
= 25 920 anos

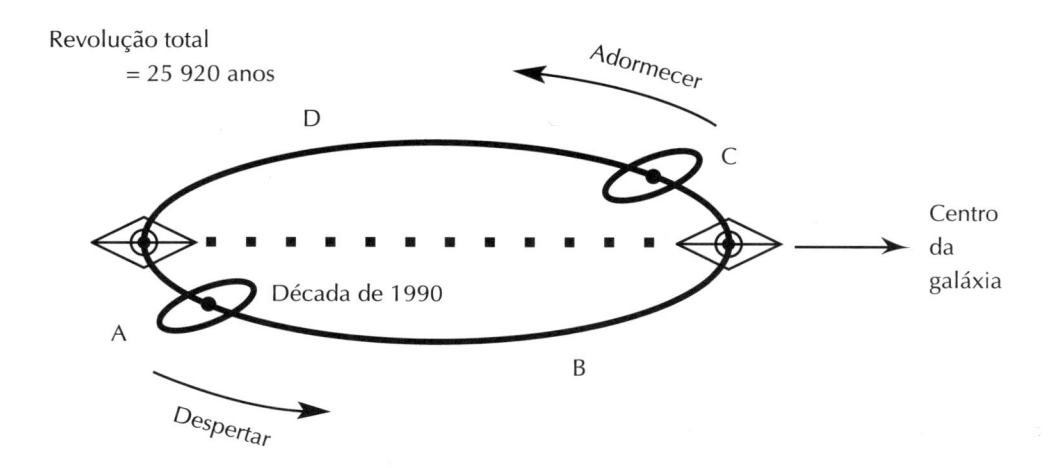

Adormecer

D

C

Centro da galáxia

Década de 1990

A

B

Despertar

Ilustração 4-15. A jornada da precessão.

que ocorreu a destruição. Lembrem-se, mencionei anteriormente que houve dois outros pontos, B e D, quando também podiam acontecer mudanças que seriam assimiladas mais facilmente. Por um período de 6 mil anos, do ponto C onde aconteceu a destruição até o ponto D, onde poderiam ser dados novos ensinamentos, os mestres ascensionados precisaram fazer uma pausa e esperar, enquanto os atlantes, que então eram bárbaros peludos no Egito, retornassem lentamente para o estado em que poderiam aceitar esse novo, embora antigo, conhecimento. Esses aproximadamente 1,6 mil mestres ascensionados viviam sob a Grande Pirâmide desde a Queda, e precisaram esperar 6 mil anos antes de poder começar a ensinar e formar a nova cultura.

A Fraternidade Tat

O filho de Thoth, Tat, permaneceu no Egito com Rá depois da Queda. Posteriormente, esse grupo tornou-se conhecido como a Fraternidade Tat. Ainda hoje há uma fraternidade exterior no Egito chamada Fraternidade Tat, pessoas de carne e osso que são os protetores e guardas dos templos sagrados. Ocultos por trás da atual Fraternidade Tat estão os mestres ascensionados.

Portanto, o aspecto imortal da Fraternidade Tat permaneceu lá, esperando, até o momento em que os egípcios pudessem receber os seus ensinamentos. Quando esse dia chegou finalmente, que foi o do nascimento da Suméria e do Egito, a Fraternidade Tat ficou observando até encontrar ou uma pessoa ou um grupo de egípcios que estivessem prontos para o conhecimento antigo. Então um, dois ou três integrantes da Fraternidade apareciam em um corpo com a aparência semelhante à das pessoas a quem iriam ensinar. Eles iam à superfície, aproximavam-se da pessoa ou grupo e davam-lhes as informações de uma só vez. Eles diziam abertamente: "Ei, veja isso. Você sabia que se fizer isso, isso e mais isso, vai acontecer *isto*?" Os egípcios diziam:

"Nossa, vejam só!" Aplicavam o conhecimento, criando assim um novo "degrau" na sua evolução.

Então, os homens e mulheres da Fraternidade voltavam para baixo da pirâmide, os egípcios que haviam recebido aqueles ensinamentos passavam-nos para o resto da cultura, e a cultura passava a uma nova etapa superior. Os egípcios assimilavam aquilo por algum tempo; então a Fraternidade procurava outro grupo que estava pronto para o próximo assunto. Voltavam de novo à superfície e diziam: "Vejam, eis aqui tudo o que querem saber sobre isso". Eles simplesmente lhes davam as informações. Os mestres ascensionados davam essas informações às pessoas por algum tempo, e a sua evolução simplesmente disparava para cima um degrau atrás do outro.

A Evolução Paralela na Suméria

Esse mesmo padrão evolutivo também estava ocorrendo na Suméria. Embora a atual linha histórica afirme que o Egito começou a aproximadamente 3300 a.C. e a Suméria começou quinhentos anos antes, a cerca de 3800 a.C., acredito que ambas as culturas começaram quase ao mesmo tempo. Penso que, se os historiadores mantivessem as suas datas exatas, eles descobririam que tanto a Suméria quanto o Egito começaram com poucos anos de diferença. Entretanto, a evolução da Suméria foi conduzida pelos Nephilim, o aspecto mãe, e a do Egito foi conduzida pelos sirianos, o aspecto pai. Essa é a diferença básica. Acho que a mãe e o pai decidiram: "Está na hora de os nossos filhos se lembrarem". Acredito que tenha sido uma decisão dos pais, e que quando os pesquisadores examinarem direito, descobrirão que ambas as culturas começaram a florescer no mesmo instante do tempo, o que está ligado ao ponto da órbita precessional (ponto D), quando havia maior probabilidade de o resultado ser satisfatório.

Foi assim também que os sumérios aprenderam a precessão dos equinócios. São necessários 2.160 anos para reconhecer que há uma precessão dos equinócios, mas os sumérios sabiam sobre ela porque os Nephilim disseram: "Vocês sabiam que existe uma precessão dos equinócios?" Muito simples. Não é uma coisa complicada. Eles apenas lhes explicaram tudo, e as pessoas tomaram nota. Os sumérios sabiam sobre eventos que remontavam a 450 mil anos porque receberam as informações. Eles simplesmente tomaram nota e aplicaram.

Mas depois que essas antigas culturas receberam todas essas excepcionais informações, elas degeneraram. Por que haviam de degenerar em vez de se desenvolver mais ainda? Porque elas estavam no ciclo do *sono*, a parte da precessão relativa ao "adormecer". Elas foram adormecendo cada vez mais a cada respiração, até chegar ao yuga kali, o momento de sono mais profundo do ciclo. A metade do yuga kali — 2 mil anos atrás — foi a época de Jesus, e os humanos estavam profundamente adormecidos e roncando. As pessoas do yuga kali que leem livros e outros estudos escritos no período anterior, mais desperto, têm uma grande dificuldade para entender plenamente o que foi escrito. Por quê? Porque elas estão relativamente inconscientes. É por isso que as culturas de todo o mundo, não só no Egito e na Suméria, degeneraram até acabar. Hoje, estamos prestes a despertar completamente e conhecer a verdade sobre o nosso ser.

Segredos Bem Guardados no Egito, a Chave para uma Nova Interpretação da História

Essa é Saqqara (Ilustração 4-16). De acordo com a crença arqueológica linear, foi aqui que a cultura egípcia começou. Essa pirâmide foi a primeira a ser construída no Egito, pela maneira de pensar deles. Quando foi criada originalmente, ela era coberta com lindas pedras brancas. Na verdade, toda essa cidade se estende por quilômetros e quilômetros e a centenas de metros para dentro da Terra, incluindo prédios e complexos *sob* o solo. Seria impressionante se pudessem ter visto como ela era quando nova — especialmente considerando que apenas um curto período de tempo na história antes de ela ser construída, devíamos ser todos bárbaros peludos. Houve um salto desde os bárbaros peludos até essa cultura supersofisticada em apenas um segundo do tempo arqueológico.

Ilustração 4-16. A pirâmide de Saqqara.

Essa é uma pirâmide (Ilustração 4-17) que, acredito, invalida a crença de que foi em Saqqara que tudo começou. Essa pirâmide é pelo menos quinhentos anos mais antiga do que Saqqara. Se isso for verdade, a época em que os egípcios surgiram sobre a Terra é idêntica ao momento em que os sumérios surgiram — o que acredito ser exatamente

Ilustração 4-17. A pirâmide que invalida a teoria de Saqqara. Um dos dois blocos achatados no primeiro plano tem uma estrela-de-davi gravada dentro de um círculo (✡).

o que tenha acontecido. Essa pirâmide é chamada Lehirit (uma transliteração), e é uma das poucas pirâmides dessa categoria que não é guardada. Existem poucas dessas pirâmides escalonadas, chamadas *mastabas*. Os egípcios tomaram quase todas essas pirâmides que se aproximam ou excedem os 6 mil anos de idade e puseram bases militares e enormes cercas elétricas ao redor delas. Em alguns casos, colocaram soldados de guarda armados com metralhadoras. Se tentarem aproximar-se dessas pirâmides, provavelmente tentarão matá-los. Eles não querem que ninguém saiba nada sobre essas pirâmides, e especialmente não querem que as examinem. Se tentarem comentar com algum egípcio sobre elas, ou pedir-lhe para vê-las, ele fará pouco de vocês.

Eu passei por isso. Eles diziam: "Ah, elas não têm importância. Foram feitas de tijolinhos de adobe por gente primitiva. Não significam nada, não interessam". E eu respondia: "Bem, posso ver uma?" "Não, é perda de tempo. Não faça isso." Precisei continuar insistindo e insistindo porque queria ver uma. Passei por diversas repartições públicas e insistia: "Por favor, posso ver nem que seja só uma?" E eles respondiam: "Não, não, não". Finalmente, precisei dar propinas para conseguir ir a um desses lugares. Um funcionário público pediu 8 mil dólares para levar-me escondido durante a noite e sem câmeras, para olhar por apenas quinze minutos e depois me afastar. É assim que eles protegem fortemente essas construções.

Finalmente, depois de uma longa provação, fiquei sabendo sobre uma dessas pirâmides que não tinha uma base militar porque havia uma pequena aldeia em torno dela, a cerca de meia hora de Saqqara. Quando descobri que não precisava passar por nenhuma censura do governo, acabei encontrando uma pessoa que tinha conhecidos na aldeia. Precisei pagar muito dinheiro — não foram milhares, mas centenas — para ir até lá. Então fomos de carro até a aldeia; tive de procurar o líder para pedir-lhe permissão, e pagar *a ele* em dinheiro, também. Então tive permissão para ir lá por trinta minutos mas sem tirar fotografias. Dei um jeito de fazer essa única fotografia, e isso foi tudo.

Não só havia uma pirâmide lá, mas *havia pirâmides em toda parte,* numa extensão que calculei em torno de mais de 15 quilômetros ao redor! Em certa época, isso foi um complexo importante. Eles não fazem nada para cuidar dessa pirâmide porque sabem que ela provavelmente tem mais de 6 mil anos. Então descobri que essas pirâmides "sem importância" não eram tão sem importância assim. As pedras que cobriam essa pirâmide, a exemplo das inclinadas mostradas na Ilustração 4-17, provavelmente pesam de 60 a 80 toneladas cada uma. Elas eram muito sofisticadas, apesar de a parte interna ser feita de tijolos de adobe.

No alto de um bloco ao lado da base via-se um círculo com uma estrela-de-davi — a chave para a experiência com o Mer-Ka-Ba. Uma rampa desce uns 60 metros até o rio mais abaixo, e a pirâmide ainda trabalha, ainda funciona — ela bombeia água. As pirâmides bombeiam água; isso já foi demonstrado nos Estados Unidos. Se você construir uma pirâmide direito, ela bombeia água sem nenhuma parte móvel. Assim, essa pirâmide se enche de água, que precisa ser bombeada para fora antes de alguém entrar.

Para coroar tudo isso, aconteceu de sentar-se a meu lado uma equipe de linguistas norte-americanos que estavam no avião de volta para casa (pura sorte, é claro), que por acaso tinham acabado de entrar nessa pirâmide! Muito poucas pessoas podem entrar ali, mas no caso era uma equipe de trinta. Um deles me contou sobre as inscrições internas, que eram definitivamente mais antigas do que Saqqara. Veem-se inscrições geométricas em todas as paredes. O rapaz estava muito entusiasmado quando me contou que a equipe de trinta especialistas em linguística que viu o interior da pirâmide acredita agora que a *chave para todas as línguas do mundo* esteja nessa pirâmide. Acho que ele pode estar certo. Ele conhecia a geometria sagrada, e assim como vocês descobrirão em breve, a geometria sagrada é a raiz de todas as línguas do universo.

CINCO

O Papel do Egito na Evolução da Consciência

Introdução a Alguns Conceitos Básicos

Instrumentos Egípcios e Símbolos da Ressurreição

Os antigos usavam determinados símbolos para representar os três aspectos da consciência que usamos para a nossa estada temporária aqui na Terra. Vocês verão representações desses símbolos em todo o mundo. Essas representações incluem um animal que vive no subterrâneo, um que caminha sobre a Terra e um que voa sobre a Terra. O animal que vive embaixo da Terra representa o microcosmo; o que voa pelo ar representa o macrocosmo; e o que caminha sobre a Terra representa o nível médio entre os dois — como nós. Os mesmos símbolos estão por toda parte. No Egito vocês veem um abutre à esquerda, o olho direito de Hórus no meio e depois uma cobra à direita (Ilustração 5-1). No Peru há o condor, o puma e a cascavel. Para os índios americanos são a águia, o leão da montanha e a cascavel. No Tibete, uma galinha, um porco e uma serpente.

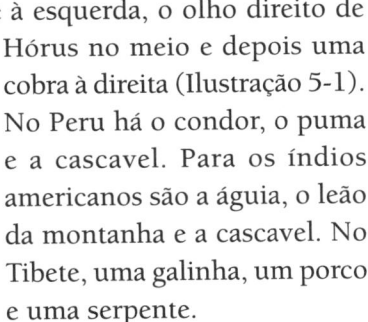

Esta fotografia (Ilustração 5-2) mostra os instrumentos e símbolos de ressurreição usados pelos egípcios. O objeto no ponto A é uma

Ilustração 5-1. Símbolos representando os três aspectos da consciência.

Ilustração 5-2. Instrumentos de ressurreição.

forma encurtada de cetro* que normalmente mede 1,20 metro** de comprimento e tem uma forquilha em uma extremidade e um ângulo de 45 graus na outra. Era usado na nuca para transferir vibrações para todo o corpo. Junto com ele se usava o gancho e o mangual, que veremos logo a seguir. A seta B aponta para a oval, que normalmente é de uma cor vermelho-alaranjada, que se vê sobre a cabeça dos iniciados. Esse era o símbolo da metamorfose que acontece quando passamos pela ressurreição ou ascensão, quando literalmente mudamos a forma e a química do nosso corpo.

A seta C mostra um gerador de energia***, que eles usavam às vezes para aumentar as vibrações. Infelizmente, Thoth foi embora antes de eu poder entender totalmente o uso desse objeto. A seta D indica a ankh, que entendo mais, e direi a vocês o que entendo. Esse é o instrumento mais importante de entendimento que eles possuíam. Do ponto de vista egípcio, é a chave para a vida eterna. A seta E indica um triângulo dentro de um triângulo, que é o hieróglifo egípcio para a estrela Sírius, o símbolo de Sírius A e Sírius B. O ponto F é apenas um nome, chamado cartucho. O pássaro no alto à direita é um abutre, que é sagrado para os egípcios e está associado à transição de um nível de consciência para outro. Não tratarei dos outros itens da imagem, mas esses são alguns dos instrumentos usados pelos primeiros egípcios.

A Diferença entre Morte, Ressurreição e Ascensão

Essas imagens geométricas (Ilustração 5-3) são do Antigo Reinado. Os pequenos padrões da Flor da Vida são associados a Lehirit — a pirâmide que acredito que invalide a teoria de Saqqara.

---

* Do tipo *uas*. (N.R.)
** É a medida de 1 ḥeḵat (o ḥ e o ḵ têm um pontinho embaixo, conforme transliteração do egípcio), medida egípcia. (N.R.)
*** É um *djed*. (N.R.)

Ilustração 5-3. Imagens geométricas do Reino Antigo.

A Ilustração 5-4 é uma imagem de Osíris (à esquerda). Ele está segurando um báculo (A)*; um bastão de 45 graus com um forquilha sintonizadora na extremidade (B)**; e um mangual (C)***, que são os três instrumentos básicos usados para a ressurreição. Esses instrumentos estavam ligados à ressurreição, não à ascensão. Existe uma diferença entre as duas. Qual é a diferença? Em primeiro lugar, existe o morrer, um processo pelo qual se vai para o estado de vazio imediatamente após a morte. Você está inconsciente, sem noção do processo da morte a ponto de não ter controle sobre as imagens. Essa maneira de morrer leva você ao terceiro som harmônico da quarta dimensão, o que resulta na sua reciclagem de volta a esta existência terrena por vezes sucessivas — reencarnação. Uma vez que você está inconsciente nesse ciclo, não usa o seu Mer-Ka-Ba a não ser inconscientemente, portanto, assim que chega ao outro lado, você não tem nenhuma lembrança deste lado. Ao re-

Ilustração 5-4. Ressuscitando Osíris.

---

* É o cetro ḥka (o ḥ e o ḳ têm um pontinho embaixo, conforme transliteração do egípcio).
** É o cetro tipo uais. (N.R.)
*** Os egiptólogos o chamam de *flagellum*. (N.R.)

encarnar de volta à Terra novamente, você também não tem nenhuma lembrança de onde veio. Assim, a reencarnação simplesmente continua acontecendo sucessivamente. É muita energia circulando muito devagar. Finalmente, você a ultrapassa, mas é um processo muito lento.

Quando passa pela ressurreição, você está consciente e sente o seu Mer-Ka-Ba, embora normalmente não tenha plena consciência dele até depois de morrer. Você morre, deixa o corpo e *então* toma consciência do seu Mer-Ka-Ba. Então, você recria o seu corpo e passa por um processo que o leva ou para o 10º, 11º ou 12º tom harmônico da quarta dimensão. A partir daí, você não passa mais pela reencarnação. A sua memória nunca mais é bloqueada e você continua na vida eterna.

Existe uma grande diferença entre morrer e ressuscitar, mas há uma diferença ainda maior na ascensão — que atualmente é possível, uma vez que a rede foi concluída em 1989. A ascensão era altamente improvável até que essa rede fosse concluída. Na ascensão, você não morre; o processo da morte não está envolvido como o conhecemos. É claro que é verdade que você não está mais na Terra, e segundo esse ponto de vista, você morre. O que acontece é que você simplesmente se torna consciente do seu Mer-Ka-Ba de uma forma ou de outra — seja lembrando-se dele por conta própria, tanto ao ser ensinado quanto pelo que acontecer com você. Isso significa que se torna consciente do seu corpo como luz. Então é capaz de atravessar o Vazio totalmente consciente — desde este lado da Terra através do Vazio até as dimensões superiores, consciente o tempo todo. Desse modo você simplesmente sai desta vida sem passar pelo processo da morte, que envolve a reconstrução do seu corpo humano. Quando uma pessoa ascende, ela simplesmente desaparece desta dimensão e reaparece na seguinte, atravessando o Vazio.

Atualmente, a ascensão é totalmente possível, e este livro é um possível conjunto de instruções sobre como exatamente realizar esse processo. Você pessoalmente pode não passar pela ascensão; na verdade, pode morrer ou passar pela ressurreição. Isso não faz muita diferença a esta altura do jogo da vida no planeta Terra, porque, se você morrer de maneira normal, irá para o terceiro som harmônico e para um padrão suspenso por algum tempo. Então, quando o restante da Terra passar pelos ciclos dessa próxima mudança, todas as pessoas desse terceiro som harmônico também subirão para o mesmo nível dimensional que aqueles que ressuscitaram ou ascenderam. Até mesmo a Bíblia refere-se a isso, afirmando que nessa época os mortos ressurgirão. Não existe essa coisa de morte; só existem diferentes estados de ser. É um pouco como a água, que pode ser um líquido, um sólido (gelo) ou gás (neblina), mas continua sendo água.

Neste momento, muito poucas reencarnações estão ocorrendo na Terra, a não ser sob determinadas condições. Provavelmente, esta é a sua última vida, pessoal — é isso aí! É claro que há exceções a quase todas as regras, portanto pode haver alguns na Terra que decidiram reencarnar. O tempo está correndo. Se chegarmos ao fim deste século XX, ficarei impressionado. Duvido seriamente se a terceira dimensão ainda estará disponível para a vida humana nessa época. Só Deus sabe ao certo. De onde vêm as pessoas que estão nascendo na Terra hoje? Não daqui! Vou explicar quando falar sobre as novas crianças.

Quando o Sol Nasceu no Oeste

Quando o Egito começou a evoluir, desenvolveu-se em dois países, o Alto Egito e o Baixo Egito. O Alto Egito ficava ao sul e o Baixo Egito, ao norte. Os egípcios denominaram Alto e Baixo Egito segundo esse tipo de estilo inverso de pensar porque na sua vida anterior como país durante a Atlântida, a Terra girava na direção oposta e os polos magnéticos eram invertidos. O nosso norte atual era então o sul e vice-versa. Não só os polos mudaram de posição depois da Atlântida, mas a Terra na verdade girava na direção oposta. Thoth disse que passou por cinco mudanças de polos: ele viu o Sol nascer no leste e o viu nascer no oeste, depois no leste, no oeste e de novo no leste — cinco vezes!

No teto do templo de Dendera, que é o chakra do coração do aspecto masculino da rede crística, há um zodíaco astrológico que demonstra essa polaridade invertida. O zodíaco gira na direção oposta, como se o Sol nascesse no oeste em vez do leste (Ilustração 5-5). O rio Nilo corre do sul para o norte, ao passo que quase todos os outros rios do mundo correm do norte para o sul. Isso indica para mim que os egípcios mantiveram o antigo fluxo de energia mesmo na Terra.

Somos os criadores do nosso universo. As pessoas envolvidas com o sufismo podem lembrar-se do sufi Sam, também conhecido como Murshid Sam Lewis. Ele foi enterrado — no início da década de 1970, creio eu — na Lama Foundation, no Novo México. Existe uma placa em sua sepultura onde se lê: "Naquele dia, o sol nascerá no oeste, e todos os homens que virem acreditarão". Ele se referia ao tempo que está para chegar. Quando os polos mudarem desta vez, ocorrerá uma inversão da rotação da Terra, assim como da maneira como ela se move em relação ao Sol.

Ilustração 5-5. O zodíaco egípcio, mostrado circulando na direção oposta, muito embora essa representação tenha sido feita na época atual.

Osíris, o Primeiro Imortal

Antes do Egito, durante a Atlântida, existiu a Escola de Mistérios de Naacal, chefiada por Ay e Tiya, e por mil integrantes da Lemúria. Ela ficava na ilha de Udal, ao norte do continente. Eles estavam tentando ensinar aos atlantes como tornar-se imortais. A única coisa é que ou eles não eram bons professores na época ou as pessoas não conseguiam entender, porque foram precisos de 20 mil a 30 mil anos antes que uma pessoa finalmente conseguisse alcançar o estado de ser imortal. A primeira pessoa a conseguir foi Osíris, que não era egípcio, mas atlante. A história de Osíris não aconteceu no Egito, muito embora ela mencione o Nilo, mas na Atlântida. Embora a maioria de vocês conheça a história, vou contá-la assim mesmo, de maneira condensada.

Havia dois irmãos e duas irmãs da mesma família. Os seus nomes eram Ísis, Osíris, Neftis (ou Nefus) e Set. Ísis casou-se com Osíris, e Neftis casou-se com Set. Na altura em que esta história começa, Set matou Osíris. Ele pôs o corpo de Osíris em uma caixa e deixou-a flutuar Nilo abaixo, embora fosse na verdade outro rio na Atlântida. Essa morte perturbou Ísis, e ela e a irmã, a esposa de Set, saíram para procurar Osíris. Elas encontraram o seu corpo e o trouxeram de volta, pretendendo trazer Osíris de volta à vida. Quando Set descobriu, cortou o corpo de Osíris em catorze pedaços e espalhou-os pelo mundo de modo que as irmãs não pudessem trazê-lo de volta à vida. Ísis e Neftis então saíram à procura dos pedaços para reuni-los outra vez. Encontraram treze dos catorze e reuniram os pedaços, mas jamais encontraram o falo, o 14º pedaço. Foi Thoth (que viveu na Atlântida assim como no Egito) que, por meio da magia, restaurou o 14º pedaço. Isso restaurou o fluxo de energia criativa, trouxe Osíris de volta à vida e, além disso, deu-lhe a imortalidade.

Do ponto de vista egípcio, foi por meio da energia sexual que a imortalidade foi alcançada. (Lembrem-se, foi por meio da energia sexual, o tantra, que a imortalidade lançou raízes na Lemúria.) Vou deixar o último elemento dessa história para outro momento, mais adequado, porque é necessário um certo entendimento primeiro. No entanto, observem que Osíris estava vivo antes, caminhando em um corpo no primeiro nível de consciência. Então ele foi morto, e o seu corpo feito em pedaços. Ele foi separado de si mesmo — isso aconteceu no nível dois de consciência, o nosso nível. Então os seus pedaços foram reunidos, e ele recuperou a integridade, o que o colocou no terceiro nível de consciência, que é a imortalidade.

Ele passou por três níveis de consciência. O primeiro foi inteiro, o segundo foi separado de si mesmo e no terceiro nível todos os componentes foram reunidos outra vez. Isso o deixou inteiro outra vez e também o fez imortal; ele não morreria mais. Depois de finalmente passar por tudo isso, Osíris voltou como um ser imortal, o primeiro mestre ressuscitado da Atlântida. Então eles usaram a compreensão de Osíris de como ele se tornou imortal como o modelo de como as outras pessoas poderiam chegar ao mesmo estado de consciência. Isso se tornou a religião da Atlântida, e depois a religião do Egito.

A Memória Holográfica Transpessoal do Primeiro Nível da Consciência

Os atlantes, por causa da maneira como o cérebro deles funcionava, tinham uma memória completa. Eles se lembravam de tudo o que lhes tivesse acontecido. E a memória deles era *transpessoal*, o que significa que tudo o que uma pessoa lembrasse, as outras da sua raça poderiam lembrar-se também. Os aborígines da Austrália têm esse tipo de memória atualmente. Quando acontece uma coisa com um aborígine, todos os outros sentem o mesmo quando querem. Se um aborígine entrasse nesta sala agora, na prática estaria oferecendo essa experiência a todos os da sua raça em qualquer lugar do planeta.

Vejam, eles estão no primeiro nível da consciência, em que não estão separados de si mesmos. Nós estamos no segundo nível e somos muito separados de nós mesmos. Assim como os atlantes, os aborígines não têm uma memória como o nosso tipo de lembrança vaga; eles têm uma memória holográfica completa em terceira dimensão. Eles são capazes de reconstruir esta sala momento por momento em todo o seminário, e todo o resto deles poderia andar por aqui e observar tudo. Eles podem ir até a sua mesa e olhar nos seus olhos. Não seria em tempo real; isso é o que eles chamam de estado de sonho, como num sonho, mas é uma réplica absoluta da Realidade. A sua memória é perfeita; não apresenta nenhum erro nem falha. Obviamente, nesse tipo de cultura os atlantes não tinham motivo para tomar nota de nada. Por que tentar descrever alguma coisa com palavras quando se tem a coisa real?

Eles não precisavam disso; entretanto, o aspecto marciano precisava, então eles tiveram uma língua escrita. Mesmo depois da Queda, os egípcios (e outros) tinham uma capacidade incrível de lembrar-se. Naquela altura, eles tinham perdido a memória holográfica e transpessoal, mas ainda tinham a memória *fotográfica*. Quando os alunos da escola de mistérios faziam o tipo complicado de treinamento que faremos em breve, podiam fazer tudo aquilo de cabeça. Com a nossa memória menos eficiente, não podemos fazer isso da mesma maneira que eles; precisamos nos esforçar só para lembrar o nome de alguém. A complexidade aumentará à medida que avançarmos, tornando difícil nos lembrar de cada fato, mas os antigos podiam fazer isso só de cabeça. Há algo sobre fazer isso de cabeça que é importante, então depois vou mostrar algumas ilustrações que vão ajudá-los a fazer isso por si mesmos.

Essa experiência tem uma chave importantíssima para a compreensão da natureza da criação. Recriem as ilustrações que se seguem como se estivessem realmente no Vazio, como se estivessem se movendo por meio de movimentos geométricos. Exercitá-los lhes dá a compreensão de que os círculos da página representam movimentos reais, e que esses movimentos geométricos do espírito no Vazio são o começo e o fim da criação.

A Introdução da Escrita, Responsável pela Criação do Segundo Nível da Consciência

O livro *Os Quarenta e Dois Livros de Thoth* registra que, depois da Queda, quando os atlantes chegaram ao Egito e não tinham mais a memória completa, foi introduzida a escrita. Na verdade, está escrito claramente nos registros egípcios que foi Thoth quem introduziu a escrita no mundo. Esse ato singular completou a "queda" e nos lançou para fora do primeiro nível da consciência e inteiramente no segundo, porque mudou a maneira como acessávamos a memória. Isso selou o nosso destino.

Esse ato de aprender a escrever fez a metade superior do nosso crânio, desde as sobrancelhas, desenvolver-se. O simples ato de introduzir a escrita mudou muitos fatores na maneira como percebemos a nossa Realidade. Para obter a nossa memória agora, precisamos entrar e buscar as informações desejadas com um código. Entramos com uma palavra ou um conceito para trazer de volta a lembrança do que quer que seja. Na verdade, não podemos sequer nos lembrar de algo sem ter determinados movimentos de olhos. Os nossos olhos precisam mover-se de certas maneiras para que as lembranças apareçam. O sistema de memória egípcio era imensamente diferente de como era antes da Queda. Comparando essa mudança de memória com a saga de Osíris, os egípcios entraram no estágio em que eles estavam em pedaços separados, em que eles estavam dentro do corpo, pensando que estavam separados do resto da Realidade. Esse sentimento de estar separado, é claro, destinava-se a mudar muitos aspectos de como os seres humanos vivem.

A Barreira do Politeísmo: Cromossomos e Neters

Agora a história se complica. As coisas iam bem com o plano da evolução escalonada. Depois de um tempo, o Alto e o Baixo Egito uniram-se em um único país sob o rei Menés, e teve início a Primeira Dinastia. Mas com o passar do tempo surgiu um grave problema que, se não fosse resolvido, teria causado sérias catástrofes para nós do século XX — na verdade, não teríamos sobrevivido como planeta. Não teríamos tido nem uma oportunidade. Parece ser uma coisa sem tanta importância, mas era muito importante para alguns que observavam este planeta. Tinha a ver com as crenças religiosas dos egípcios.

Como eu disse, os egípcios não tinham mais a memória transpessoal holográfica plena, portanto eles precisavam registrar por escrito o que era a religião deles. Esse texto é chamado *Os Quarenta e Dois Livros de Thoth*. Donald Beaman, que mora em Boston, é o homem que recompôs esse livro. Eram 42 livros, com mais dois livros à parte do corpo principal. Quarenta e dois mais dois representa o número de cromossomos do primeiro nível de consciência. Os seus cromossomos, como estão prestes a ver, são imagens geométricas e padrões que caracterizam toda a Realidade — não só o seu corpo, mas *tudo* da Realidade, desde o mais distante planeta à menor planta e cada átomo individual.

Neste livro vocês verão o que são chamados os *neters*. Os neters são deuses, com *d* minúsculo. Este é um dos neters — Anúbis (Ilustração 5-6). Eles são seres humanos míticos com cabeça de animal, e cada um representa um cromossomo diferente, um aspecto e uma característica diferente da vida. Os neters representam o caminho para ir do primeiro para o segundo nível de consciência. Os mestres ascensionados usaram o código genético especial de Osíris para ajudar as outras pessoas a aprender como ascender. Em outras palavras, Osíris viveu a experiência da ascensão, e agora o caminho está no DNA dele, especificamente nos cromossomos. As chaves genéticas eram então abertas para o iniciado por meio dos neters, que representavam os cromossomos de Osíris.

Mas criou-se um problema a partir dessa maneira de representar a religião deles, especialmente quando o Alto e o Baixo Egito voltaram a ficar mais separados. *Tanto o Alto quanto* o Baixo Egito tinham 42 + 2 deuses, ou neters, representando essas etapas. Mas o Alto Egito tinha imagens ligeiramente diferentes das do Baixo Egito; as imagens tinham mudado ao longo do tempo, quando os dois países estavam separados. Quando Menés uniu os dois países num único país chamado Egito, para ser politicamente correto ele adotou todas essas imagens. Então, eles passaram a ter 84 + 4 deuses representando as mesmas ideias religiosas. Esse foi provavelmente um grande erro, porque ficou tudo muito confuso. Por exemplo, em uma região eles destacariam um dos neters como Anúbis e diriam: "Este é Deus", com D maiúsculo. Outra região diria: "Ísis é Deus", e outra região alegaria que Sekhmet era o seu Deus.

Portanto, na ocasião havia 88 ideias diferentes de Deus no país. Eles diriam: "O meu Deus é o único Deus, e os seus deuses estão errados". Ficou tudo muito separado e oculto, e depois de algum tempo ninguém fazia a menor ideia de que realmente havia só um Deus. Eles não entendiam o que a Fraternidade Tat estava tentando lhes dizer. Do nosso ponto de vista, isso seria como uma quebra cromossômica; era uma mutação, e não estava certo. Mesmo com toda a ajuda da Fraternidade Tat, eles simplesmente não conseguiam entender direito e a coisa foi piorando cada vez mais.

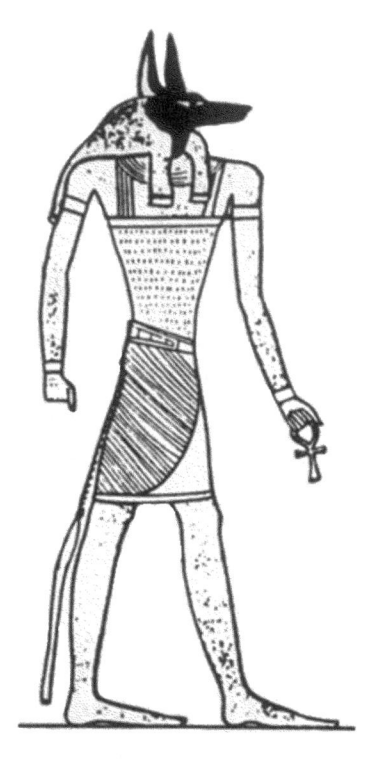

Ilustração 5-6. O neter Anúbis.

Todas as evidências que vi indicam que a religião cristã se originou diretamente da religião egípcia. Se estudarem ambas, verão que se equiparam em todos os pormenores *exceto* pela compreensão de Deus dos egípcios. A religião cristã voltou atrás depois e desconsiderou totalmente a religião egípcia, muito embora o Egito seja a provável fonte das origens do cristianismo. Os cristãos veem os egípcios como ocultistas. E eles eram, mas isso porque a crença religiosa deles se corrompeu, com a clara exceção dos dezessete anos e meio da 18ª Dinastia.

O Resgate da Consciência Humana

A Vida de Akhenaton: Um Clarão Refulgente de Luz

Por um período muito breve de dezessete anos e meio, um clarão refulgente de luz apareceu, depois tornou a desaparecer. E esse clarão refulgente de luz branca foi

177

o que salvou a nossa vida espiritual. Teve início em aproximadamente 1500 a.C., quando a adoração e a discussão em torno de tantos deuses prevaleciam. Os mestres ascensionados finalmente decidiram que alguma coisa precisava ser feita. Finalmente, eles escolheram um plano. Thoth contou-me a seguinte história.

Primeiramente, eles decidiram introduzir um ser de verdadeira consciência crística em um corpo de verdadeira consciência crística, de modo que pudéssemos guardar nos registros akáshicos a lembrança de tudo o que significa a consciência crística. Ela fora perdida na Queda. Esse corpo de consciência crística seria muito mais alto do que os que existiam no planeta na ocasião. Esse seria um exemplo para o povo da Terra ver. Essa era a primeira parte do plano. Foi um passo muito corajoso, e eles o deram.

Os mestres ascensionados tinham decidido que a pessoa com consciência crística deveria tornar-se rei do Egito. Para tanto, eles precisavam quebrar todas as regras, quer dizer, todas elas. O que eles fizeram foi procurar o rei daquele período, Amenhotep II, e pedir-lhe um favor. Thoth simplesmente entrou no salão fisicamente, encaminhou-se diretamente para ele e declarou: "Veja, eu sou Thoth", o que tenho certeza de que foi difícil para o rei acreditar. Naquela época, os egípcios provavelmente pensavam que todos aqueles neters das suas histórias eram míticos. Ainda assim, ali estava uma pessoa presente que era um dos neters. Thoth disse: "Temos um grave problema aqui no Egito e precisamos da sua ajuda".

De algum modo, Thoth conseguiu que Amenhotep II fizesse algo que nenhum rei egípcio jamais faria. O filho de Amenhotep estava prestes a tornar-se rei, e Thoth disse: "Quero que o seu filho *não* se torne rei; quero introduzir uma linhagem de fora no trono egípcio". Amenhotep II concordou com isso. Deve ter sido uma experiência bem marcante. Não sei o que Thoth fez — ele provavelmente deve ter aparecido resplandecente ou levitando ou qualquer coisa assim. Mas ele fez algo para convencer o rei de que era necessário. Depois que receberam a permissão do rei, eles tiveram realmente de criar o corpo vivo, o que não foi fácil.

Criando os Corpos de Akhenaton, depois Nefertiti

Então, como eles fizeram isso? Eles procuraram Ay e Tiya — que estavam muito, muito velhos, não importava a aparência que tivessem — e disseram: "Gostaríamos que tivessem um bebê". Eles precisaram procurar alguém que fosse imortal para obter os genes imortais, porque eles tinham uma contagem cromossômica diferente — 46 + 2 em vez de 44 + 2. Ay e Tiya concordaram, e eles tiveram um bebezinho. O bebê foi entregue a Amenhotep II para tornar-se o próximo rei.

Então o bebezinho cresceu e tornou-se rei. Ele se tornou Amenhotep III, que então se acasalou; não tenho certeza se foi fisicamente ou interdimensionalmente, e não sei com quem foi, mas ele praticamente teria *precisado* acasalar-se com alguém que tivesse os mais elevados níveis cromossômicos. Seja como for, o seu filho tornou-se conhecido como Amenhotep IV, e esse bebê era aquele para quem eles tinham planos especiais. Esse bebê, Amenhotep IV, teve um nome mais popular, que vocês conhecem como Akhenaton.

Enquanto isso, Ay e Tiya esperaram uma geração e então tiveram outro bebê. Esse bebê era uma menina, cujo nome era Nefertiti. Nefertiti cresceu com Akhenaton e então eles se casaram. Eles eram realmente irmão e irmã porque tinham a mesma linhagem. A história de Osíris é semelhante — irmão e irmã se casando e tornando-se uma nova possibilidade na vida. Então essas duas pessoas cresceram e se tornaram o rei e a rainha do Egito.

O Novo Governo e o Deus Único

Por uns tempos, Amenhotep III e o seu filho Akhenaton governaram o país juntos — dois reis ao mesmo tempo, de novo quebrando as regras. Enquanto isso, eles construíram uma cidade inteiramente nova chamada Tel el Amarna, no centro exato do Egito. Ainda não sabemos como a situaram no centro exato. Akhenaton pôs uma pedra ali que diz: "Este é o centro do país". Hoje em dia, não conseguiríamos fazer melhor por satélite. Isso nos faz pensar quem eram aquelas pessoas que podiam localizar com a precisão de um centímetro quadrado o centro de um país de centenas de quilômetros de extensão. É muito impressionante. Eles construíram uma cidade inteira de pedras brancas. Ela era linda — era da era espacial.

Por algum tempo, Akhenaton e seu pai governaram o país simultaneamente de dois lugares diferentes — de Tebas e de Tel el Amarna. O pai renunciou ao trono enquanto ainda era vivo — o que novamente quebra as regras — e deu o país a Akhenaton, que então se tornou o primeiro faraó do Egito. Não houve faraós antes de Akhenaton, apenas reis. Faraó significa *aquilo em que você se tornará*. Em outras palavras, eles estavam mostrando ao povo o que eles literalmente se tornariam no futuro. Akhenaton, Nefertiti e os seus filhos não eram exatamente humanos.

Este personagem alto (Ilustração 5-7) é Akhenaton. Vou comentar um pouco sobre esta imagem. O principal propósito de Akhenaton era romper com todas as religiões ocultistas e levar o país de volta a uma religião única, na qual se acreditasse que só existia um único Deus. Na época, todas as pessoas adoravam estátuas, então estavam acostumadas a acreditar em certas coisas. Akhenaton precisava dar-lhes algo mais visível em que acreditar, então ele lhes deu a imagem do Sol como Deus, porque essa imagem era algo que elas não poderiam manter nos seus altares.

Houve outra razão para ele ter-lhes dado a imagem do Sol. Ele lhes contou que o sopro da vida, o prana, vinha do Sol. Isso é verdade em termos do pensamento tridimensional, embora o prana esteja realmente em todo e qualquer lugar — há quantidades infinitas dele em qualquer ponto. Uma vez que o prana também provém do Sol, esta imagem mostra os raios descendo do Sol; e em dois dos raios há pequenas ankhs, que os raios mantêm diante do nariz, para a respiração, mostrando que a vida eterna acontece pela respiração.

Nessa mesma imagem vocês também podem ver o lótus, a flor nacional da Atlântida. Foram os naacals que trouxeram o lótus para a Índia. Os naacals são mencionados nos textos indianos em sânscrito e são comentados até mesmo nos tempos modernos. Eles apareceram antes de Buda e estiveram presentes durante a época budista. No Egito, a flor de lótus representava a Atlântida, e nesta imagem vocês as veem nos vasos. Todos sabiam que a Atlântida não existia mais, mas ainda prestavam homenagem a ela mantendo os lótus em vasos. A Ilustração 5-8 é o entalhe original na parede.

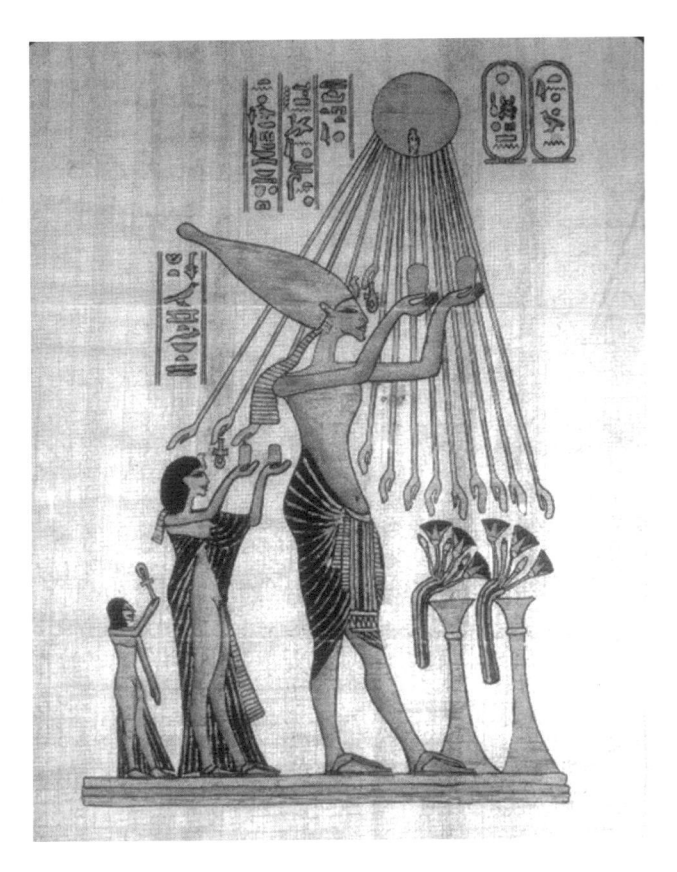

Ilustração 5-7. Akhenaton ensinando sobre Deus, uma cópia da gravura entalhada da Ilustração 5-8.

Observem que Akhenaton, o personagem principal, tem o pescoço fino e comprido, mãos magras, cintura alta, coxas grossas e pernas finas. A explicação egípcia comum é que ele tinha uma doença e era deformado — é claro, assim também Nefertiti e todos os seus filhos. (Evidentemente, todos tinham a mesma doença.) Acredito em algo muito diferente.

O Reino da Verdade, que Retrata uma Genética Diferente

Além de trazer de volta a religião monoteísta, Akhenaton também declarou: "Nesta nova religião, não teremos mais mentiras, não teremos mais inverdades. E vamos mudar a nossa arte, de modo que ela reflita a verdade total". Assim, durante a 18ª Dinastia — nunca antes nem depois — houve uma forma de arte totalmente nova. Os artistas eram instruídos a esculpir ou pintar as coisas exatamente como os seus olhos as viam, como numa fotografia. Assim, teve início uma arte que parecia realista, em vez de estilizada, como era antes. Vejam os patos que se parecem com patos (Ilustração 5-9), exatamente como vemos na arte moderna. Isso é importante lembrar para quando estiverem observando a arte da 18ª Dinastia, porque isso significa que o que quer que virem é exatamente o que o artista viu. Eles não tinham permissão para mentir.

Essa questão da verdade foi levada tão a sério que eles não tinham nem mesmo permissão para usar roupas, porque usar roupas era esconder, e essa era uma forma de mentira. Ninguém teve permissão para usar roupas durante a 18ª Dinastia, a não ser para o cerimonial e outros propósitos especiais.

O nome desta neter é Maat (Ilustração 5-10). Há uma pena no alto da sua cabeça. Ela se tornou um dos neters mais importantes dessa nova religião por causa do seu nome, que se traduz por *verdade* ou *veracidade*. Ela era o ponto importante de tudo. Tudo era para ser absolutamente verdadei-

Ilustração 5-8. Akhenaton ensinando sobre Deus, entalhe original.

Ilustração 5-9. A verdade nos patos.

Ilustração 5-10. Maat, a neter da veracidade.

ro, e não era para haver distorções, mentiras, de modo que tudo ficasse à vista. Essa foi uma parte importante dos ensinamentos de Akhenaton.

Esta é uma estátua de Akhenaton, no Museu do Cairo [Ilustração 5-11]. Akhenaton media 4,42 metros de altura, sem contar seu ornamento de cabeça. Quando fiquei em pé ao lado desta estátua, o topo de minha cabeça dava na parte mais larga de seus quadris. Nefertiti media em torno de 3 metros. Ela era um tanto pequena para sua raça. As filhas eram também muito altas. Isso de acordo com Thoth. Fortes evidências disso chegaram recentemente às mãos oficiais, e não se sabe o que pensar a respeito. Foram encontrados dois esquifes em Tel El Amarna, a cidade de Akhenaton.

Um dos esquifes tinha a Flor da Vida gravada diretamente sobre a cabeça da múmia no interior, e o segundo esquife guardava os ossos de um menino de 7 anos de idade — mas ele tinha

Ilustração 5-11. Estátua de Akhenaton no Museu Egípcio, no Cairo.

Ilustração 5-12. Busto de Nefertiti, Museu do Estado, Berlim.

Ilustração 5-13. Nefertiti nua.

2,40 metros de altura! Esse esquife se encontra atualmente no subsolo do Museu do Cairo — pelo menos deveria estar. É a única prova real até aqui da aparência daqueles corpos. De acordo com os ensinamentos de Thoth, essa estátua de Akhenaton é fiel à aparência dele, como se olhássemos para uma fotografia.

Este é um busto de Nefertiti (Ilustração 5-12) que foi encontrado em Tel el Amarna. Quase não sobrou nada nessa cidade. A certa altura, a cidade foi desmantelada tijolo por tijolo e espalhada pelo mundo todo. Os egípcios não queriam sequer que se soubesse que Akhenaton e Nefertiti um dia existiram. Só sabemos disso porque eles enterraram alguns objetos em aposentos subterrâneos que as pessoas de tempos passados não encontraram. Esse busto foi encontrado ali. Muitas pessoas acham que Nefertiti foi uma mulher lindíssima, mas não percebem que ela era extremamente alta e que o seu corpo era incomum em certos sentidos.

A Ilustração 5-13 é de uma estátua pouco conhecida de Nefertiti encontrada no mesmo aposento que o busto. Ela está sem roupas porque eles não acreditavam nisso na época. Ela tinha uma cabeça enorme, orelhas grandes, o pescoço fino e comprido e cintura alta. Também tinha uma barriga um tanto saliente. E se pudessem ver o resto do corpo dela, veriam que tinha pernas finas e coxas grossas.

Estas são duas das filhas deles (Ilustração 5-14). O crânio delas é enorme, e elas têm cintura alta, panturrilha fina e orelhas enormes.

Ilustração 5-14. Duas filhas de Akhenaton e Nefertiti.

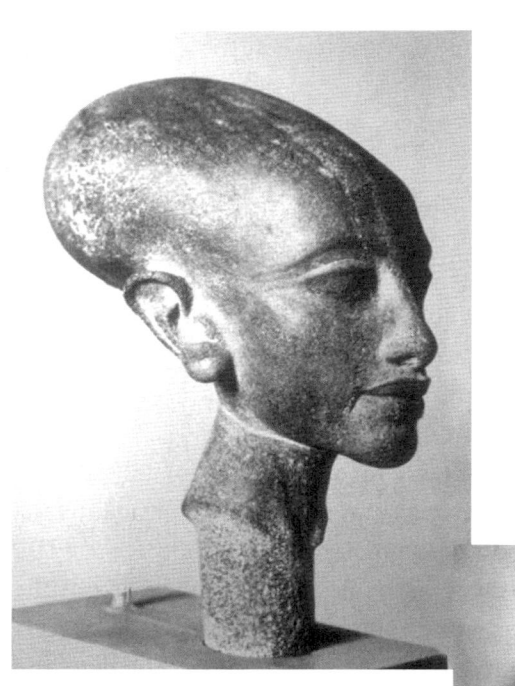

Esta é outra das filhas (Ilustração 5-15). Tenho certeza de que a escultura representa exatamente a aparência que ela tinha. Se pudessem ver a cabeça de trás, perceberiam o seu tamanho. Era grande. É difícil ver o tamanho dessas orelhas enquanto não nos aproximamos bem.

A Ilustração 5-16 mostra outra filha, mais nova do que a outra — pescoço pequeno, crânio enorme estendendo-se para trás.

Ilustração 5-15. Outra filha.

Ilustração 5-16. Uma filha mais jovem.

Esta é uma imagem de uma das filhas adolescente (Ilustração 5-17).

Ilustração 5-17. Uma das filhas adolescentes.

Ilustração 5-18. Outra filha jovem.

Esta é outra (Ilustração 5-18). Podem ver o quanto a cabeça é grande em relação ao corpo.

Este é um bebê (Ilustração 5-19). De novo, o crânio se eleva para o alto e para os lados. As orelhas têm quase a metade do tamanho da cabeça.

Ilustração 5-19. Um bebê da família Akhenaton.

Fisiologicamente, esses corpos eram extremamente diferentes dos corpos humanos. Há todo tipo de diferença — diferenças no cérebro e outras coisas incomuns. Por exemplo, eles tinham dois corações. A única razão de termos um coração é que temos um sol. Mas esses são seres sirianos — na verdade, eles eram integrantes dos 32 seres que estavam sentados ao redor da chama original. O sistema estelar siriano tem duas estrelas, Sírius A e Sírius B. É um sistema binário, assim como são uma imensa maioria de sistemas estelares. E naqueles sistemas as formas de vida têm dois corações. Se houvesse apenas um sol, as formas de vida teriam um coração. (Se houvesse mais estrelas do que duas no sistema, ainda assim seriam dois corações.)

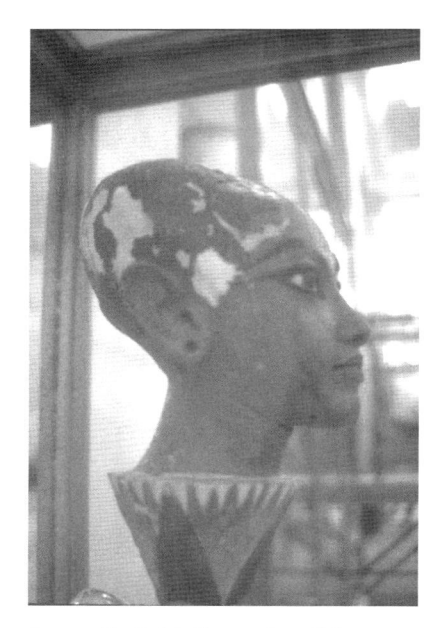

O Rei Tut — e Outros Crânios Alongados

Este é o rei Tut (Ilustração 5-20), que tomou posse imediatamente após a deposição de Akhenaton. O rei Tut tinha apenas 18 anos de idade quando se tornou rei. Ninguém sabe por certo de onde ele veio. O *slide* afirma que ele era genro de Nefertiti e Akhenaton, casado com uma filha deles. Obviamente, ele pertencia a essa linhagem, embora o seu crânio não pareça tão grande. Mas ele apresenta orelhas grandes. De acordo com Thoth, o rei Tut só teve permissão para conduzir o governo por um ano. Ele governou durante a transição entre Akhenaton e a fase seguinte. O rei Tut estava em comunicação telepática com Nefertiti enquanto ela governava o país por meio dele durante um ano. Ela estava escondida.

Ilustração 5-20. Busto do rei Tut.

Este é o museu em Lima, Peru (Ilustração 5-21). Só quero observar que eles também guardam alguns crânios bastante estranhos ali. O Peru é outro dos lugares a que Thoth foi. Estes crânios [Ilustração 5-22] foram encontrados no Peru, assim como aqueles no Egito. Esses crânios enormes são encontrados em três regiões do mundo: no Egito e adjacências, no Peru e no Tibete — em nenhum outro lugar, pelo menos que eu saiba. Lembrem-se, essas são as principais regiões aonde esses seres foram.

Mais à frente um dos meus professores, já falecido. O seu nome era Kalu Rinpoche, um lama tibetano. Tive muitos professores, mas sinto-me especialmente próximo a este; realmente, eu o amo muito. Observem a forma do seu crânio.

Memória: A Chave da Imortalidade

Vocês podem imaginar, se Akhenaton e outros eram imortais, então por que eles morreram? Vou lhes dar a definição de imortalidade de acordo com o ponto de vista de um Melchizedek, o que espero que possa ajudar. Outra pessoa pode ter uma definição diferente, mas é assim que sinto. A imortalidade não tem nada a ver com viver no mesmo corpo para sempre. Vocês vão viver para sempre de qualquer maneira; sempre estiveram vivos e sempre estarão, mas podem não estar conscientes durante esse tempo todo. A definição do nosso ponto de vista tem a ver com a memória. Quando você se torna imortal, você chega a um ponto em que a sua memória permanece intata dali em diante. Em outras palavras, você está consciente desse ponto em diante, sem nenhuma inconsciência. Isso significa que você permanece no corpo o tempo que quiser, e quando quer sair, você sai. Precisar permanecer em um único corpo para sempre seria uma prisão ou uma armadilha, porque isso significa que você não poderia sair. Pode haver uma razão para deixar esse corpo, e você acaba descobrindo que quer ir além de onde se encontra hoje. Essa é a definição da vida eterna: falando simplesmente, você tem uma memória contínua, não interrompida.

Ilustração 5-21. Museu em Lima.

Ilustração 5-22. Crânios encontrados no Peru.

Ilustração 5-23. Kalu Rinpoche.

Voltemos agora ao que aconteceu depois que Akhenaton foi destronado. Para deixar as coisas da maneira como eram antes, o que eles queriam fazer, o país passou por um estado de transição. As pessoas que se tornaram rei e rainha imediatamente depois dele são quase risíveis — deixaram que Ay e Tiya tomassem o poder do país. Temos um longo intervalo de tempo nesse período, então eles se tornaram rei e rainha. Está escrito assim mesmo nos registros. Eles tomaram o poder por cerca de trinta anos e depois o entregaram a Seti I, que se tornou o primeiro rei da 19ª Dinastia. Ele imediatamente mudou tudo para o velho costume, apagou tudo e chama Akhenaton do mesmo nome que chamaram Jesus — "o criminoso". Ele o chamou de o pior rei que já existira por causa do seu ensinamento de que havia apenas um Deus.

O que Aconteceu Realmente com Akhenaton?

A maior parte do Egito odiava Akhenaton, a não ser um grupo pequeno. O clero o odiava acima de tudo porque as crenças religiosas egípcias eram centradas nos sacerdotes. Eles controlavam as pessoas, o seu estilo de vida e a economia. Eles enriqueciam e eram as pessoas mais poderosas que existiam. Então Akhenaton chegou e disse: "Vocês não precisam de sacerdotes; Deus está dentro de vocês. Só existe um Deus, e vocês podem alcançar Deus dentro de si mesmos". Os sacerdotes reagiram para proteger-se e aos seus interesses adquiridos. Além disso, o Egito tinha as forças armadas mais poderosas do mundo, e quando Akhenaton tornou-se faraó, elas estavam no auge da forma, prontas para sair e conquistar o mundo. Akhenaton disse não. Ele era totalmente pacifista e disse: "Voltem para a nossa terra. Não ataquem ninguém a não ser que sejam atacados". Ele fez os militares voltarem aos quartéis e se tornarem inativos, e eles não gostaram disso.

Portanto, ele não tinha apenas o clero contra si, mas os militares também. Acima de tudo, as próprias pessoas seguiam as suas variações religiosas e adoravam venerar os seus deuses pessoais. Isso não lhes faria nenhum bem no final — isso não as levaria aonde elas precisavam ir de acordo com o plano do DNA do universo — que era voltar para um Deus, o *único* Deus —; não obstante elas estavam realmente envolvidas com o que faziam.

Quando as pessoas foram proibidas de praticar determinados atos religiosos, isso causou uma grande animosidade contra Akhenaton. Seria como o presidente norte-americano dizer ao povo: "Muito bem, não existem mais religiões nos Estados Unidos; só existe a religião do presidente". E se o presidente fizesse todas as forças armadas voltarem ao solo norte-americano com uma visão isolacionista, ele não seria muito popular. Akhenaton também não foi. Mas ele sabia que precisava fazer aquilo a qualquer custo, mesmo que significasse a sua própria morte. Ele precisava fazer aquilo para corrigir o caminho que o nosso DNA coletivo tinha codificado na Realidade. Além disso, ele precisava colocar nos registros akáshicos a lembrança do propósito sagrado que guardava a consciência crística.

Então, o que aconteceu com ele? De acordo com a história aceita, o clero e os militares se uniram e deram a Akhenaton um veneno que o matou. De acordo com Thoth, não foi exatamente isso o que aconteceu, porque eles *não podiam* matá-lo. Ele poderia beber o veneno, mas isso não lhe faria mal. Eles fizeram algo muito mais exótico. Thoth diz que o clero contratou três bruxos negros da Núbia, que fizeram uma preparação semelhante ao que é usado no Haiti atualmente para fazer alguém *parecer* morto. Esse preparado foi dado a Akhenaton numa cerimônia pública convocada pelo clero e pelos militares. Depois que Akhenaton bebeu o líquido, todos os seus sinais vitais pareceram parar. Tão logo o médico real o declarou morto, eles o levaram às pressas para um aposento especial onde havia um sarcófago à espera. Eles o colocaram no sarcófago, puseram a tampa com um selo mágico e o enterraram em um lugar oculto. Thoth diz que Akhenaton precisou esperar dentro do sarcófago por quase 2 mil anos até que um pedaço do selo se quebrou e a magia perdeu o efeito. Então ele retornou aos Salões de Amenti. Isso não era um problema para Akhenaton. Thoth disse que para um ser imortal como Akhenaton, aquilo foi como uma soneca. A minha pergunta é: ele realmente permitiu que isso lhe acontecesse?

A Escola de Mistérios de Akhenaton

O que é importante aqui é um fato: Akhenaton criou uma escola de mistérios. A escola foi chamada de Escola de Mistérios Egípcia de Akhenaton, a Lei do Um. Conforme se revelou, ele precisou de apenas dezessete anos e meio para conseguir os resultados. Ele levou alunos da Escola de Mistérios do Olho Esquerdo de Hórus (o lado feminino), sobre a qual falarei mais adiante — estudantes que tinham no mínimo 45 anos de idade — para a Escola de Mistérios do Olho Direito de Hórus. Essas informações relativas ao olho direito nunca haviam sido ensinadas antes no Egito. Ele as ministrou durante doze anos, depois do que teve apenas cinco anos e meio para ver se poderia conseguir que alcançassem a imortalidade. E ele conseguiu! Ele levou cerca de trezentas pessoas para a imortalidade. Acredito que fossem todas, ou quase todas, mulheres.

Alguém perguntou um dia: "Por que Akhenaton não agiu de maneira diferente com a população de modo a não colocar-se em uma situação tão perigosa?" Mas vocês podem imaginar um modo de mudar toda a população em tão pouco tempo sem causar conflitos? Seriam capazes de fazer isso agora — em um ano transformar todas as religiões em uma? Não acho que exista outro modo a não ser exatamente esse, mesmo que signifique ser "morto". Além do mais, a única coisa que ele realmente precisava fazer era simplesmente viver a sua vida. Isso entraria nos registros akáshicos e se tornaria uma memória que todos trazemos no nosso DNA. Um único dia seria suficiente para que isso ficasse codificado, então depois poderiam fazer o que quisessem com ele. Realmente, ele não estava preocupado com isso. Ele sabia que o país, a sociedade e os costumes voltariam ao modo antigo. Mas ele tinha aquelas trezentas pessoas imortais que continuariam depois dele e do Egito.

A Fraternidade Essênia e Jesus, Maria e José

Depois que Akhenaton se foi, os trezentos imortais egípcios entraram para a Fraternidade Tat e esperaram praticamente de 1350 a.C. até 500 a.C. — cerca de 850 anos mais ou menos. Então, migraram para um lugar chamado Massada, em Israel, e formaram a Fraternidade Essênia. Ainda hoje, Massada é conhecida como a capital da Fraternidade Essênia. Essas trezentas pessoas se tornaram o círculo interior, e as pessoas mais comuns constituíam o círculo exterior, que se tornou muito grande.

Maria, a mãe de Jesus, era um dos integrantes do círculo interior da Fraternidade Essênia. Ela era imortal ainda antes de Jesus tornar-se imortal. José veio do círculo exterior. Isso de acordo com Thoth; não está escrito nos registros. Era parte do plano egípcio que o próximo passo fosse trazer alguém que demonstrasse *exatamente como* tornar-se imortal começando como um ser humano comum, incluindo a experiência nos registros akáshicos e tornando-a real. Alguém precisava fazer isso. De acordo com Thoth, Maria e José se uniram e copularam interdimensionalmente (assunto sobre o que falaremos posteriormente) para criar o corpo de Jesus, o que permitiria que a consciência dele tivesse um nível muito, mas muito elevado. Quando Jesus nasceu, ele ganhou vida na Terra como ser humano, como qualquer um de nós. Ele era totalmente humano. E por intermédio da sua própria obra ele passou para o estado imortal por meio da ressurreição, não por meio da ascensão, e colocou nos registros akáshicos o processo de como fazê-lo exatamente. Isso de acordo com Thoth, e foi planejado por muito, muito tempo antes de acontecer.

As Duas Escolas de Mistérios e as Imagens dos 48 Cromossomos

Estamos agora mudando de direção outra vez e entrando em um novo sistema de conhecimento, que continuará por algum tempo até que vejam este símbolo de novo daqui a muito tempo. Este era o símbolo da Escola Egípcia de Mistérios de Akhenaton, a Lei do Um (Ilustração 5.24). Trata-se do Olho Direito de Hórus. O olho direito é controlado pelo hemisfério cerebral esquerdo; é o conhecimento masculino. Embora o olho direito "veja" diretamente o hemisfério cerebral direito, não era isso o que os egípcios queriam comunicar. Não era o "ver" mas, sim, o *interromper* das informações "vistas" que era importante no caso. É o hemisfério cerebral esquerdo que faz essa interrupção do que é visto; ele controla o lado direito do corpo, e vice-versa. Do mesmo modo, o Olho Esquerdo de Hórus, controlado pelo hemisfério cerebral direito, é o conhecimento feminino, que era ensinado nos doze templos egípcios principais ao longo do Nilo. O 13º templo era a Grande Pirâmide em si. Eram necessários doze anos de iniciação, passando um ano, um ciclo, em cada um desses templos, aprendendo todos os componentes femininos da consciência.

Ilustração 5-24. O símbolo da Escola de Mistérios do Olho Direito de Hórus.

Mas o componente masculino, o Olho Direito de Hórus, era ensinado apenas uma vez, e não estava escrito em nenhum lugar. Era puramente uma tradição oral, embora os seus principais componentes estivessem gravados em uma única parede embaixo da Grande Pirâmide que leva à Sala dos Registros. Quando se desce para aquela sala, chega-se quase ao fundo, e pouco antes de dar uma guinada de 90 graus, no alto da parede vê-se uma imagem de cerca de 1,20 metro de diâmetro, que é a Flor da Vida. Ao lado dela veem-se 47 outras imagens, uma depois da outra, que são as imagens dos cromossomos da consciência crística, o nível de consciência para o qual estamos passando. Depois que estes dois volumes forem publicados, pode ser que publiquemos um livro dessas imagens.

Essas imagens serão apresentadas ao longo de toda esta obra, misturadas e numa forma ligeiramente diferente. É disso que trata a Grande Pirâmide. O seu propósito principal, além de qualquer outra coisa, é levar alguém do nosso nível de consciência para o nível seguinte. Existem muitas outras razões para a existência dela, mas a ascensão e a ressurreição são o propósito absoluto.

O Gênesis, a História da Criação

As Versões Egípcia e Cristã

Vamos começar por entender que as compreensões da Realidade de cristãos e egípcios são quase idênticas. A compreensão cristã é derivada da egípcia. Eis as três primeiras sentenças da Bíblia cristã: "No princípio Deus criou os céus e a terra. A terra era sem forma e vazia; e havia trevas sobre a face do abismo, mas o Espírito de Deus pairava sobre a face das águas. Disse Deus: haja luz. E houve luz".

Para começar, essa declaração de que a Terra não tinha forma até que saiu do Vazio, do nada, é exatamente em que os egípcios acreditavam. Também é o que muitas outras religiões acreditam. Tanto a religião egípcia quanto a cristã acreditam que tudo o que é necessário para começar o processo de criação é o *nada* e o *espírito,* e quando esses dois conceitos se unem, então todas as coisas podem ser criadas. Elas acreditam que a criação começa pelo *movimento* do espírito. Na segunda sentença é dito: "A terra era sem forma e vazia" e que o espírito de Deus *pairava* sobre a face das águas. Então, na sentença seguinte, Deus diz: "Haja luz". O movimento aconteceu primeiro, então a luz aconteceu imediatamente depois.

De acordo com a crença egípcia, um pequeno detalhe foi deixado de fora das Bíblias cristãs atuais. No entanto, não se vê necessariamente esse erro nas Bíblias antigas. Existem novecentas versões da Bíblia no mundo e em muitas das versões mais antigas, a primeira sentença é: "No princípio havia seis". Ela começa de outras maneiras também; isso foi mudado muitas vezes ao longo dos anos.

Os antigos egípcios diriam que a maneira como as nossas bíblias modernas começam a criação é impossível, especialmente quando se pensa nisso do ponto de vista físico. Imagine um espaço escuro, infinito, que se estende em todas as direções sem nunca ter fim. Não existe nada nesse espaço — apenas o espaço infinito sem nada dentro dele. Imaginem-se — não o seu corpo, mas a sua consciência — no meio disso. Vocês estão simplesmente flutuando ali sem nada. Não podem realmente cair, porque iriam cair para onde? Não saberiam se estariam caindo ou subindo ou pendendo para o lado; na verdade, não há como sentir movimento nenhum.

De um ponto de vista puramente físico ou matemático, o movimento em si, ou a energia cinética, é absolutamente impossível num vazio. Não se pode nem girar, porque o movimento não pode tornar-se real enquanto não houver pelo menos outro objeto no espaço ao seu redor. Precisa haver alguma coisa *em relação* à qual você possa mover-se. Se não houver algo em relação a que possa mover-se, como a pessoa saberá que se moveu? Quero dizer, se subíssemos uns nove metros, como poderíamos saber? Não há mudança. Sem mudança, não há movimento. Portanto, os antigos egípcios diriam que antes de Deus "pairar sobre a face das águas", Ele/Ela precisava primeiro criar algo em relação ao qual pudesse mover-se.

Como Deus e as Escolas de Mistérios Fizeram

Agora, pensem em si mesmos de pé em uma sala escura, perto da porta para uma segunda sala. Vocês estão prontos para ir para a segunda sala, que é muito escura. Mas podem ver a porta que leva a ela. Vocês entram na segunda sala, fecham a porta atrás de si e fica tudo completamente escuro.

Se se virem diante dessa situação, vocês terão a capacidade de projetar um feixe sensível da região do seu terceiro olho e também poderão sentir com as mãos. (Na verdade, podem sentir a partir de qualquer chakra, mas as pessoas normalmente o fazem com o terceiro olho ou com as mãos.) Vocês podem projetar um feixe de consciência nessa sala escura a uma determinada distância. Ela pode ser de apenas alguns centímetros, ou pode ser que consigam sentir até a distância de 30 a 60 centímetros, e saber que simplesmente não existe nada (ou algo) nesse espaço. A sua consciência percorre essa distância e depois para. O seu conhecimento cessa, e vocês não sabem o que há além disso. Vocês todos provavelmente sabem do que estou falando, embora grande parte de nós se permita essa sensação de afastamento porque confia demais nos olhos.

Mas algumas pessoas, especialmente os antigos egípcios, eram realmente muito boas nisso. Elas podiam entrar numa sala escura e sentir tudo ao redor, e saber se havia alguma coisa lá, muito embora não vissem nada com os olhos. Há pessoas cegas que podem demonstrar essa capacidade.

Na verdade, temos seis desses raios sensíveis — não só um, mas seis. Eles todos vêm do centro da cabeça, da glândula pineal. Um raio sai da frente da nossa cabeça, do terceiro olho, e outro vai para trás; um sai do lado esquerdo e outro do lado direito do cérebro, e outro sai direto através do chakra da coroa, e o sexto sai direto através do pescoço — as seis direções. Essas são as mesmas direções dos eixos x-y-z da geometria. Os egípcios acreditavam que esse aspecto inato da consciência é o que permite o início da criação. Eles acreditavam que, se não tivéssemos essa capacidade, a criação nunca teria acontecido.

Para entender esse processo da criação no nível mais profundo, os alunos egípcios eram orientados a imaginar e iniciar o processo que vamos fazer em seguida. A explicação a seguir é como eles explicavam e praticavam nas suas escolas de mistérios. A maneira como aprendiam não era a única, mas é assim que eles eram treinados.

O fundo escuro desta imagem representa o Grande Vazio, e o pequeno olho representa o espírito de Deus (Ilustração 5-25). Portanto, aí está o espírito de Deus existindo no Vazio, no nada. Imaginem que são aquele espírito no meio do Vazio. (Quando estiverem no Grande Vazio, a propósito, vocês entenderão que vocês e Deus são uma coisa só, que não há diferença nenhuma.) Depois de permanecer no Vazio por muito tempo, vocês provavelmente ficarão entediados ou curiosos ou solitários, e vão querer experimentar alguma coisa nova, para ter uma nova aventura na vida.

Ilustração 5-25. O espírito de Deus no Grande Vazio.

Primeiro Cria-se um Espaço

Portanto, o espírito, o Olho único, lança um raio de consciência no Vazio. Ele lança esse raio primeiro para a frente, depois para trás, então para a esquerda, depois para a direita, então para cima e enfim para baixo (Ilustração 5-26). Entendam que, seja qual for a distância que projetarem para a frente, vocês projetam a mesma distância para trás, e também à esquerda, à direita, para cima e para baixo. O feixe de consciência se projeta à mesma distância em todas as seis direções para cada pessoa. Muito embora cada um de nós projete esse raio a distâncias diferentes (um de nós pode projetar a uns 3 centímetros, outro a 60 centímetros e um outro a 15 metros), existe igualdade em todas as seis direções. Assim, o espírito projeta esses raios para fora nessas seis direções, definindo o espaço: norte, sul, leste, oeste, em cima e embaixo.

Talvez seja por isso que os índios americanos e os povos nativos de todo o mundo consideram as seis direções tão importantes. Vocês alguma vez notaram isso nas cerimônias deles, com que importância eles definem as direções? Isso também é importante na Cabala, em algumas das suas meditações.

Depois, Delimita-se Esse Espaço

Nas escolas de mistérios, depois de projetar esses seis raios nas seis direções, a próxima coisa que fazem é ligar as extremidades dessas projeções. Isso forma um diamante, ou quadrado, ao redor da pessoa (Ilustração 5-27). É claro que, quando visto pelo ângulo mostrado neste desenho, ele se parece com um retângulo, mas podem ver que na verdade forma um quadrado. Portanto, eles fazem um pequeno quadrado ao redor do seu ponto de consciência. Então, a partir do quadrado, eles enviam um raio para cima, formando uma pirâmide ao redor da base do quadrado (Ilustração 5-28).

Depois de criar a pirâmide em cima, eles então enviam um raio para o ponto de baixo, formando uma pirâmide abaixo (Ilustração 5-29). Se olharem para o desenho em um espaço tridimensional real, as duas pirâmides base com base formam um octaedro. Eis uma outra configuração do octaedro (Ilustração 5-30).

Lembrem-se de que isso é apenas espírito. Vocês não têm um corpo no Grande Vazio; vocês são apenas espírito. Então, vocês estão no Grande Vazio, e criaram esse campo ao seu redor. Agora, depois de terem definido o espaço ao concluir o octaedro com duas pirâmides, vocês têm um objeto. Agora a energia cinética ou

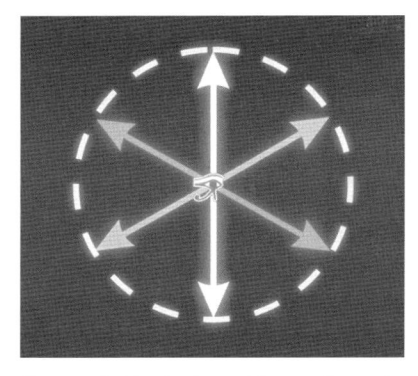

Ilustração 5-26. O espírito projetando a consciência nas seis direções.

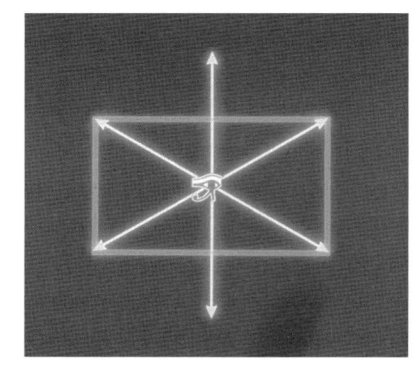

Ilustração 5-27. O espírito no seu primeiro diamante criado.

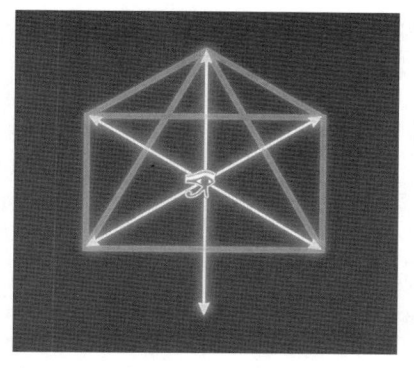

Ilustração 5-28. Projetando uma pirâmide em cima.

Ilustração 5-29. Projetando uma pirâmide embaixo.

movimento é possível; agora algo que antes não era possível torna-se possível. O espírito pode mover-se para fora da forma e mover-se ao redor dela. Ele pode avançar em qualquer direção por quilômetros e quilômetros, então voltar e ter um lugar central para tudo. A outra coisa que o espírito pode fazer é permanecer fixo no meio da forma, deixando que a forma se mova. A forma pode girar ou oscilar, ou mover-se de todas as maneiras possíveis. Portanto, agora são possíveis os movimentos relativos.

Ilustração 5-30. O octaedro ao redor do espírito.

Então, Gira-se a Forma para Criar uma Esfera

O octaedro que os alunos criavam dessa maneira tinha três eixos — da frente para trás, da esquerda para a direita e de cima para baixo. Eles eram instruídos para girar a forma ao redor de um dos eixos — não importava qual e não importava em que direção. Eles giravam de uma maneira ou de outra, então giravam a forma uma vez ao redor do outro eixo, e outra vez ao redor do terceiro eixo. Com apenas um giro ao redor de cada um dos três eixos, eles traçavam os parâmetros de uma esfera perfeita. Antes de serem autorizados a mover o seu próprio ponto de consciência, os estudantes aprendiam a girar essa forma octaédrica e criar uma esfera ao redor de si mesmos.

É ponto pacífico entre todas as pessoas que conheço que lidam com a geometria sagrada, que a linha reta é masculina e toda linha curva é feminina. Assim, uma das formas mais masculinas é o quadrado ou o cubo, e uma das formas mais femininas é o círculo ou a esfera. Uma vez que o octaedro projetado pelo espírito é feito de linhas retas, ele é uma forma masculina; e uma vez que a esfera é feita apenas de linhas curvas, ela é uma forma feminina. O que os egípcios faziam era criar uma forma masculina e depois convertê-la em uma forma feminina. Eles iam da masculinidade para a feminilidade.

Essa mesma história é contada na Bíblia, na qual Adão foi criado primeiro, e então a partir de Adão, de uma das costelas de Adão, foi criado o feminino. É claro que a imagem do espírito dentro da esfera também é a imagem da escola.

A geometria sagrada começou quando o espírito fez a sua primeira projeção no Vazio e criou o primeiro octaedro ao redor de si. O Vazio é infinito — não há nada nele — e essas formas criadas também não são nada. Elas são apenas linhas imaginárias criadas a partir da consciência. Isso lhes dá uma indicação do que é a Realidade — nada. Os hindus chamam a Realidade de *maya*, que significa ilusão.

O espírito pode permanecer no meio dessa sua primeira criação por muito tempo (Ilustração 5-31), mas finalmente ele tomará a decisão de fazer alguma coisa. Para recriar esse processo, os alunos da escola de mistérios recebiam instruções para reproduzir os mesmos movimentos que o espírito fez. *Duas instruções simples* são tudo o que é preciso para criar e concluir tudo no universo inteiro.

Ilustração 5-31. O espírito no meio da sua primeira criação.

O Primeiro Movimento do Gênesis

Lembrem-se de que o espírito agora está no meio de uma esfera. As instruções são para mover-se na direção daquilo que *acabou de ser criado*, depois *projetar outra esfera exatamente igual à primeira*. Isso faz algo muito especial e único. Esse é um sistema absolutamente infalível de criar a Realidade. Não se pode cometer nenhum erro, não importa o que se faça. Tudo o que se faz é mover-se para o que acabou de ser criado e projetar outra esfera do mesmo tamanho da primeira. Nesse sistema, uma vez que nada existe a não ser essa bolha no Vazio, e o interior da bolha é o mesmo de fora, a única coisa que é nova ou diferente é a membrana em si, a *superfície* da esfera.

Portanto, a consciência decide ir para a superfície. Não faz diferença para onde ela vai sobre a superfície; pode ir a qualquer lugar. Não faz nenhuma diferença *como* ela vai lá tampouco, se vai em linha reta ou em curvas ou espirais ou explore cada ponto do espaço intermediário. Ela pode realmente ser criativa; não faz nenhuma diferença. Mas de uma maneira ou de outra ela acaba ficando em algum lugar sobre a superfície da esfera.

Para os propósitos deste exemplo, digamos que o espírito tenha ido para cima (só para ser simétrico e mais fácil de lidar). De qualquer maneira, o espírito, esse minúsculo olho, pousa sobre a superfície (Ilustração 5-32). Ele acabou de fazer o primeiro movimento do Gênesis: "E o Espírito de Deus pairava sobre a face das águas". E a coisa imediatamente seguinte foi: "Disse Deus: haja luz. E houve luz".

A essa altura, o espírito sabe como fazer apenas uma coisa — na verdade, ele sabe como fazer duas coisas, mas o resultado final é uma coisa só. Ele sabe 1) como projetar um pequeno octaedro e criar uma esfera e 2) como mover-se para o que acabou de ser criado. É isso aí, uma Realidade muito simples. Portanto, assim que chega à superfície, ele faz outro octaedro, gira-o através dos três eixos e forma outra esfera de tamanho idêntico ao da primeira. Ela é idêntica em tamanho porque a sua capacidade de projetar-se no Vazio é a mesma. Nada mudou a esse respeito. Então ele cria a segunda esfera exatamente do mesmo tamanho da primeira.

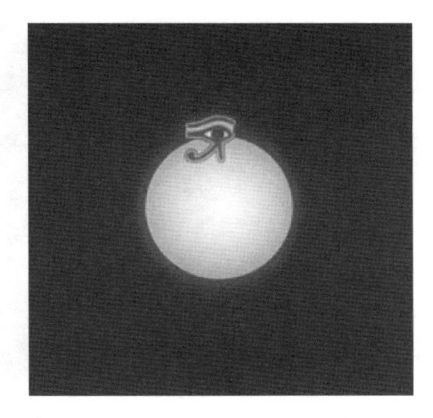

Ilustração 5-32. Primeiro movimento do espírito.

A *Vesica Piscis*, pela qual a Luz é Criada

Quando ele faz isso, acontece algo que, em termos da geometria sagrada, é muito especial. Ele formou uma *vesica piscis* na interseção das duas esferas (Ilustração 5-33). Alguma vez já viram duas bolhas de sabão juntas? Quando duas bolhas se interceptam, uma linha ou um círculo envolve a sua ligação. Se observassem as duas bolhas de lado, a secção recém-formada se pareceria com uma linha, mas se observassem de cima para baixo as duas bolhas, veriam a circunferência da forma recém-criada *dentro* das esferas maiores.

A circunferência da *vesica piscis* é simétrica à circunferência das esferas maiores, e menor do que ela. Em outras palavras, vendo-a de lado, ela pareceria uma linha reta (Ilustração 5-34, centro), e de cima, um círculo (direita). Muito embora a *vesica piscis* seja normalmente bidimensional como uma moeda, o seu aspecto tridimensional é igualmente válido. Se a tirassem do meio das duas esferas, ela pareceria uma bola de futebol americano, como na Ilustração 5-35.

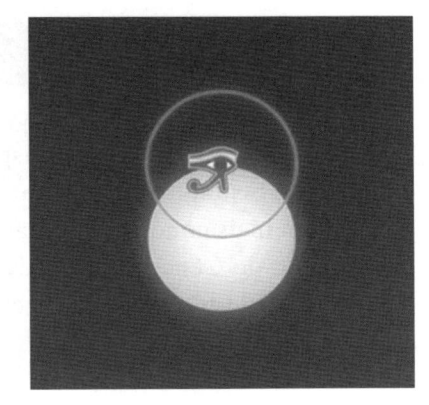

Ilustração 5-33. Primeiro movimento/dia; as primeiras duas esferas da criação fazem uma *vesica piscis*.

Não posso provar isto para vocês agora, mas posteriormente neste livro serei capaz de provar que essa imagem é luz. É a imagem geométrica pela qual a luz foi criada. Também é a imagem geométrica pela qual os seus olhos foram criados, os quais recebem a luz. Além da luz, também é a imagem dos padrões que estão ligados às

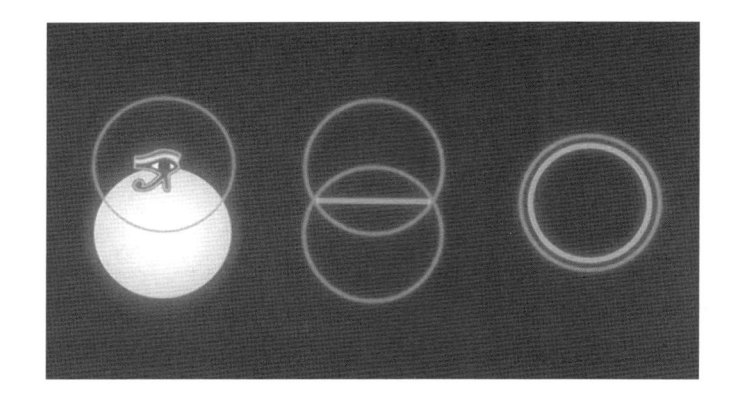

Ilustração 5-34. Primeiro movimento/dia. As primeiras duas esferas da criação (esquerda); vista da secção (centro); e o plano ou vista de cima.

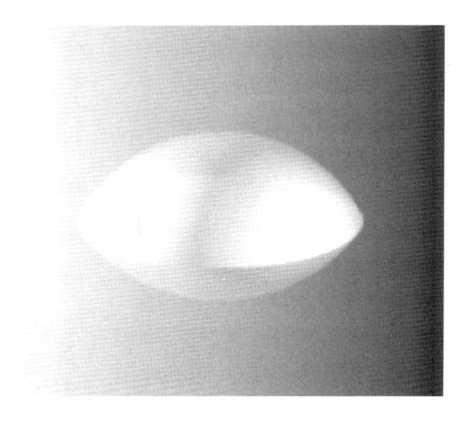

Ilustração 5-35. A *vesica piscis* em três dimensões, uma forma sólida tridimensional extraída das duas esferas que a compuseram.

suas emoções e muitos outros aspectos da vida. Essa é a geometria básica do campo magnético. É simples demais para compreender aqui. Preciso esperar até que as coisas fiquem mais complexas; então poderei explicar. Vou mostrar-lhes que o primeiro movimento do Gênesis cria o padrão que é vida. Essa é a razão pela qual Deus disse: "Haja luz". Ele não poderia dizer aquilo enquanto não tivesse projetado a segunda esfera e feito a *vesica piscis*.

O Segundo Movimento Cria a Estrela Tetraédrica

Quando o espírito está no centro da sua segunda esfera e olhando para baixo, na direção da *vesica piscis*, está vendo um círculo recém-formado, o círculo da *vesica piscis*. Esse círculo é a única coisa nova, e as instruções do espírito são para ir na direção do que acabou de ser criado. Não faz nenhuma diferença onde ele está no novo círculo. Não pode haver erro; ele simplesmente se move para um lugar sobre aquele círculo e projeta uma nova esfera como na Ilustração 5-36.

Não importa onde o espírito pouse, podemos girar as esferas para se parecerem com este desenho. Portanto, vou dizer que ele se moveu sobre o círculo para o ponto A, à esquerda. Nesse momento, uma *imensa* quantidade de informações foi criada (e em cada movimento do Gênesis, imensas quantidades de conhecimento aparecem).

A primeira *criação* produziu a esfera. O primeiro *movimento/dia* produziu a *vesica piscis*, que é a base da luz. O segundo movimento/dia produziu, na relação interpenetrada entre as três esferas, as geometrias básicas da estrela tetraédrica (Ilustração 5.37), que logo verão tratar-se de uma das formas mais importantes da vida.

Não vamos tratar de todas as informações que foram formadas nessa ocasião, mas toda vez que uma nova esfera é formada, mais informações se revelam e mais padrões criativos tornam-se visíveis. Depois que o primeiro e o segundo movimento se produziram — de qualquer lugar da esfera para qualquer lugar sobre o círculo (não importa como o espírito se moveu, não importa para onde ele foi sobre o círculo/esfera, ele sempre será perfeito) — começará a mover-se exatamente sobre o equador da esfera original. Há um número infinito de equadores sobre essa esfera, mas ele escolherá aquele que é perfeito.

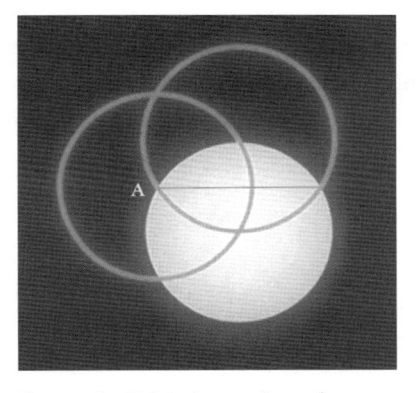

Ilustração 5-36. A terceira esfera, segundo movimento/dia do Gênesis. Quando estabelecida no centro do círculo/esfera mais acima e olhando para baixo, a linha horizontal é vista como um círculo.

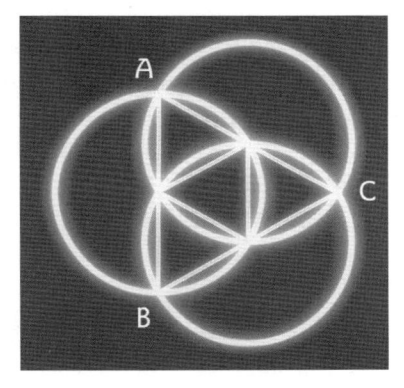

Ilustração 5-37. Tetraedros pequenos e grande em três esferas.

"Mova-se para o Recém-Criado" até o Término

Depois que o padrão foi criado, há apenas uma instrução a ser seguida — sempre. A única outra ação a ser executada até o fim do tempo é sempre *mover-se para o(s) ponto(s) mais interior(es) e projetar outra esfera*.

Em nome da clareza, vamos definir o que queremos dizer com "o ponto mais interior". Observem a Ilustração 5-36. Neste caso, há três pontos no círculo mais interior. Se o seu olho fosse traçar o perímetro exterior desse padrão, iria a três lugares que são os mais próximos do centro. São esses "lugares mais próximos do centro" que chamamos de os pontos mais interiores do círculo. No caso do padrão do Gênesis criado por esse movimento do espírito há seis pontos mais interiores do círculo.

Portanto, com isso em mente, o espírito começa a mover-se exatamente ao redor do equador da esfera central ou original. Depois de ter percorrido os 360 graus e atingir o ponto em que começou (que será de seis pontos ou movimentos), ele começará a seguir o seu segundo impulso (ou instrução, para os alunos da escola de mistérios): *Mover-se para os pontos mais internos do círculo,* que agora estão localizados sobre a circunferência da esfera original onde as duas *vesica piscis* se interceptam. Simplificando, esses são os pontos mais próximos possível da parte exterior do padrão. Esse movimento contínuo começa a formar um vórtice. Esse movimento de vórtice cria diferentes tipos de formas tridimensionais, uma depois da outra, o que são os componentes básicos ou projetos da Realidade como um todo.

Depois de criar a terceira esfera, o espírito move-se para o ponto mais interior do círculo e projeta outra esfera (Ilustração 5-38). Há informações aqui, mas são complexas demais para ser discutidas neste momento.

Esse é muito interessante; é o quarto movimento/dia (Ilustração 5-39). Afirma-se em muitas Bíblias de todo o mundo que no quarto dia do Gênesis exatamente metade da criação estava terminada. A partir do primeiro movimento, forma-se exatamente metade do círculo (Ilustração 5-39a). Nós nos movemos exatamente a 180 graus do ponto do primeiro movimento.

Ilustração 5-38. A quarta esfera, terceiro dia do Gênesis.

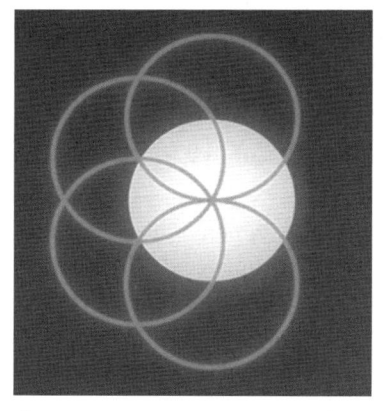

Ilustração 5-39. A quinta esfera, quarto dia do Gênesis.

Ilustração 5-39a. Metade da criação.

A Ilustração 5-40 é o quinto dia do Gênesis — mais informações.

E então, no sexto dia (Ilustração 5-41), acontece um milagre geométrico: o último círculo forma uma flor completa de seis pétalas. Isso é o que muitas das primeiras Bíblias queriam dizer quando afirmavam: "No início havia seis". *Atualmente,* a nossa Bíblia diz que a criação foi concluída em seis dias, e isso se encaixa completamente. Esse é o padrão do Gênesis, portanto vamos nos referir a ele dessa maneira. Esse é o início da criação deste universo em que vivemos.

Ilustração 5-40. A sexta esfera, quinto dia do Gênesis.

Esses movimentos originais do espírito são realmente importantes. É por isso que me demoro tanto nessa explicação no início deste curso. Depois as coisas ficarão mais complexas, mas por enquanto esse é simplesmente o início de como a manifestação da Realidade foi criada.

Vamos tirar essas formas tridimensionais do papel por um instante, uma a uma. Se elas pudessem ser feitas de forma sólida, poderíamos observá-las e segurá-las com a mão. Começaremos a fundamentar essas informações abstratas na Realidade para vocês. Depois vamos considerá-las por mais algum tempo para mostrar-lhes como elas realmente criam a Realidade em que vivemos. Se estudarem isso por conta própria, verão alguns aspectos extremamente elaborados da criação a partir dessa explicação da Realidade. Se estivessem construindo essas geometrias por conta própria, desenhariam uma linha em algum lugar da geometria sagrada que o espírito produz à medida que se move através do Vazio, e isso tem um significado impressionante; então outra linha significará outra coisa ainda mais impressionante. A vida começou de maneira simples, depois criou o mundo complexo em que vivemos.

Ilustração 5-41. A sexta esfera, quinto dia do Gênesis.

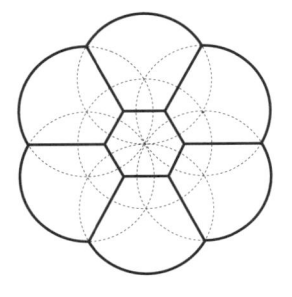

Ilustração 5-41a. Mostrando uma visão tridimensional disso.

Isso não é apenas matemática, e não são só círculos e geometria. *Esse é o mapa vivo da criação de toda a Realidade.* Vocês devem entender isso, ou não vão compreender e não entenderão o ponto a que chegaremos com este livro. Só estamos fazendo tudo isto para que o seu hemisfério cerebral esquerdo possa entender a unidade de toda a criação de modo a transcender a consciência de polaridade.

SEIS

O Significado da Forma e da Estrutura

Desenvolvendo o Padrão do Gênesis

O Toro, a Primeira Forma

Vamos observar o primeiro objeto que sai do papel — o padrão do Gênesis em si (vejam a Ilustração 5-41).
Se consultarem um livro de matemática, saberão que esse padrão do Gênesis tem a quantidade mínima de linhas que podem ser desenhadas sobre uma superfície plana para delinear a forma tridimensional chamada toro. Um toro se forma quando se gira o padrão do Gênesis ao redor do seu eixo central, criando uma forma que se parece com uma rosca, mas o orifício no meio é infinitamente pequeno.

O toro, aqui chamado um tubo-toro porque esse toro em especial é moldado como um tubo interior (Ilustração 6-1), é único por ser capaz de dobrar-se sobre si mesmo, voltando-se tanto para dentro quanto para fora. Nenhuma outra forma existente pode fazer o mesmo ou algo semelhante. O toro é a primeira forma que sai do padrão acabado do Gênesis e é absolutamente único entre todas as formas da existência.

Foi Arthur Young quem descobriu que havia sete regiões nessa forma, as quais são coletivamente chamadas *o mapa das sete cores*. Vocês poderão pegar praticamente qualquer livro de matemática, e se estiverem procurando o toro, verão que esse livro irá comentar sobre o mapa das sete cores. Existem sete regiões, todas do mesmo tamanho, que se distribuem exatamente no tubo-toro sem que reste nada a mais. Assim como no padrão do Gênesis, seis círculos girando ao redor do sétimo, o central, ocupam toda a superfície. Ele é perfeito, sem falhas.

Na geometria sagrada, há algo chamado encaixe catraqueado. Toma-se um círculo ou uma linha e os engata, como quando se pega uma catraca no mecanismo de um automóvel e usa-a para girar algo a determinada distância.

Ilustração 6-1. O tubo-toro colorido.

Por exemplo, imaginem dois padrões do Gênesis sobrepostos e fixos; se girarem o outro padrão 30 graus, terão doze esferas ao redor da esfera central. Seria algo parecido com isto (Ilustração 6-2) em duas dimensões. Em três dimensões, pareceria com um tubo-toro. Então, se ligarem todas as linhas possíveis no meio, obterão este padrão (Ilustração 6-3).

Engatando as doze esferas uma vez mais, dessa vez a 15 graus, de modo que haja 24 esferas, obteriam este padrão (Ilustração 6-4). Esse padrão tem o que é chamado padrão transcendental a ele associado. O que é um padrão transcendental? Um número transcendental na matemática, no meu ponto de vista, é um número que vem de outra dimensão. Nessa dimensão ele provavelmente é inteiro, mas quando chega aqui não se traduz completamente neste mundo. Temos uma porção desses. Um deles, por exemplo, é a *razão phi*, sobre a qual comentarei mais tarde. Ela é uma proporção matemática que começa a partir de 1,6180339 e continua eternamente, significando que nunca se sabe qual será o próximo algarismo, e nunca termina: algumas pessoas já deixaram computadores funcionando meses seguidos sem chegar ao fim. Numa explicação simples, isso é que é um número transcendental.

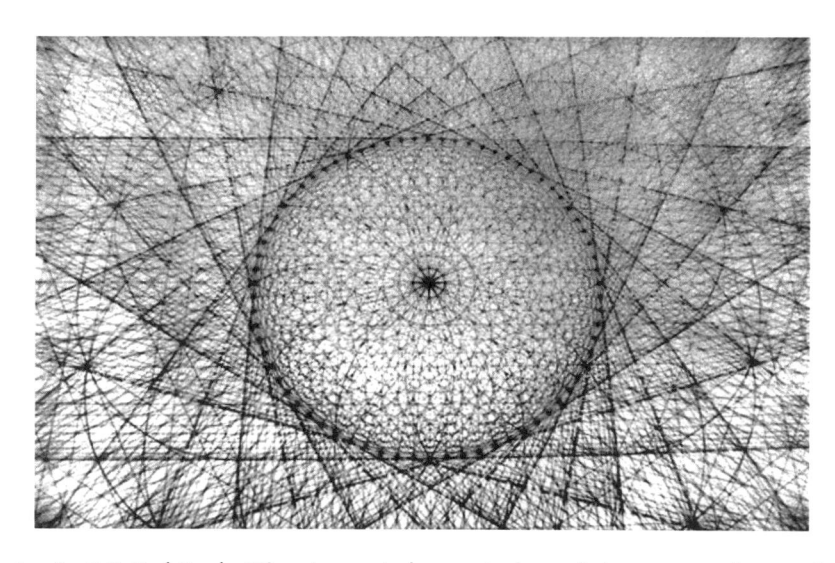

Ilustração 6-2. Padrão do Gênesis engatado uma vez.

Ilustração 6-3. Padrão do Gênesis engatado com todas as linhas conectadas possíveis.

A forma do toro é o que governa muitos aspectos da nossa vida. Por exemplo, o coração humano tem sete músculos que formam um toro, e ele bombeia para as sete regiões mostradas no mapa do toro. Nós incorporamos todo o conhecimento. O toro

Ilustração 6-4. Padrão do Gênesis engatado duplamente com todas as linhas conectadas possíveis.

está literalmente em torno de *todas* as formas de vida, todos os átomos e todos os corpos cósmicos, como planetas, estrelas, galáxias, e assim por diante. Ele é a forma primordial da existência.

"No princípio havia o Verbo." Acredito que o tempo revelará que a língua/som consciente/o verbo serão todos revelados no toro. Há quem acredite que isso seja verdade hoje, mas só o tempo dirá.

O Labirinto como um Movimento da Energia de Força Vital

A Ilustração 6-5 apresenta um labirinto de sete voltas. Ele é encontrado em todo o mundo — em toda parte, da China ao Tibete, da Inglaterra à Irlanda, do Peru aos índios americanos. Um acabou de ser encontrado no Egito. Encontrarão esse labirinto no piso de muitas igrejas da Europa. A mesma forma está sobre paredes de pedra em toda parte. Ela deve ter sido de grande importância para a humanidade na antiguidade. Há sete regiões nele, que estão relacionadas ao toro e aos batimentos do coração humano. Mais tarde, vou comentar sobre a antiga escola de mistérios druida na ilha de Avalon, na Inglaterra. Ali, para chegar ao alto da montanha é preciso passar por esse mesmo labirinto, indo e voltando nesse movimento.

Ilustração 6-5. Um labirinto de sete voltas.

Quando estive na Inglaterra, conversei com Richard Feather Anderson, que é escritor e especialista em labirintos, e aprendi alguma coisa. Como parte das suas pesquisas, ele faz as pessoas caminharem pelo labirinto.

Atualização: Acabei de ver uma ilustração europeia (1988, vejam na página anterior) do Melchizedek bíblico, na qual ele segura a chave do labirinto dentro de uma tigela.

Ele descobriu que, quando caminha por ali, a pessoa é forçada a passar por diferentes estados de consciência, o que lhe proporciona uma experiência específica. Isso faz com que a energia da força vital passe pelos chakras de acordo com o seguinte padrão: três, dois, um, quatro, sete, seis, cinco. A energia começa no terceiro chakra, depois vai para o segundo, então para o primeiro; em seguida ela salta para o coração (quarto), depois para o centro da cabeça, na glândula pineal (sétimo), então vai para a frente da cabeça, na glândula pituitária (sexto), e por fim desce para a garganta (quinto).

Quando caminha por esse labirinto, a menos que bloqueie as sensações, a pessoa passa por essas mudanças. Mesmo que não saiba sobre essas coisas, passa por essa experiência de qualquer maneira. Pessoas de todo o mundo descobriram que isso de fato acontece. Anderson acredita que, se desenhar linhas (numerando-as para indicar qual dos sete caminhos cada uma é) na ordem em que percorre o caminho — três, duas, uma, quatro, sete, seis, cinco —, você forma o que se parece com uma taça (Ilustração 6-6). Ele acha que esse labirinto em especial está relacionado à forma do Santo Graal e ao seu conhecimento secreto. Por experiência própria, isso me parece certo, mas estou aberto a outras ideias. Não conheço bem o assunto ainda; mas pode ser verdade.

Experimentei pessoalmente a passagem pelo labirinto, e é verdade que aquelas mudanças aconteceram comigo. No entanto, também fui capaz de sentir as mesmas mudanças de maneira diferente. Fui capaz de caminhar em linha reta para o centro do labirinto e simplesmente fazer as mudanças dentro de mim à medida que chegava a cada lugar onde daria a volta no labirinto. Consegui chegar ao mesmo estado sem passar por todo o padrão. Lembrem-se do labirinto; voltarei a ele dentro em breve.

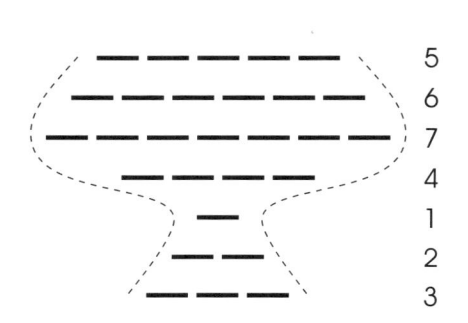

Ilustração 6-6. A sequência do labirinto forma uma taça.

O Ovo da Vida, a Segunda Forma além do Gênesis

Os círculos escuros mais internos mostram os seis dias do Gênesis (Ilustração 6-7). Depois de projetar as cinco primeiras esferas e concluir esse padrão do Gênesis, a consciência então continua se movendo em um padrão rotativo a partir de cada ponto mais interior consecutivo, até concluir o seu segundo movimento em vórtice, conforme se vê pelos círculos claros mais exteriores. Esse movimento, por sua vez, conclui uma forma tridimensional que se pode segurar na mão, que se parece com a mostrada na Ilustração 6-8. Se pegassem a Ilustração 6-7 e apagassem todas as linhas do meio e algumas outras, veriam esse padrão. O padrão de esferas é o que aquele espírito teria visto se se movesse para fora da sua criação e dissesse: "Ahá, vejo esta coisa! Ela se parece com isto" (Ilustração 6-8).

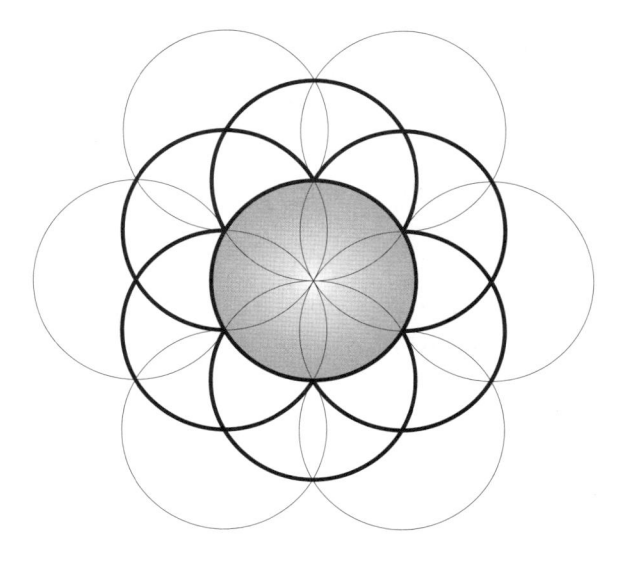

Ilustração 6-7. Vórtice além do padrão do Gênesis.

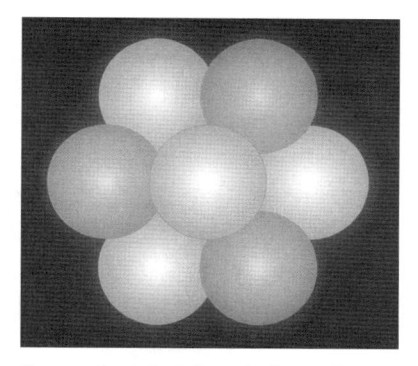

Ilustração 6-8. Esferas/bolas tridimensionais.

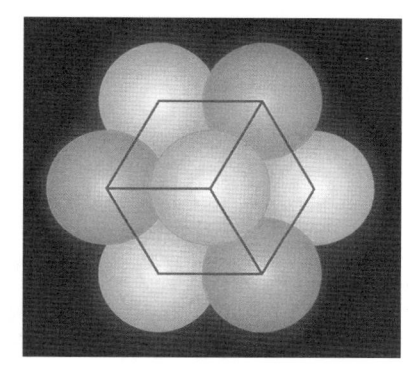

Ilustração 6-8a. Ligando os centros para formar um cubo.

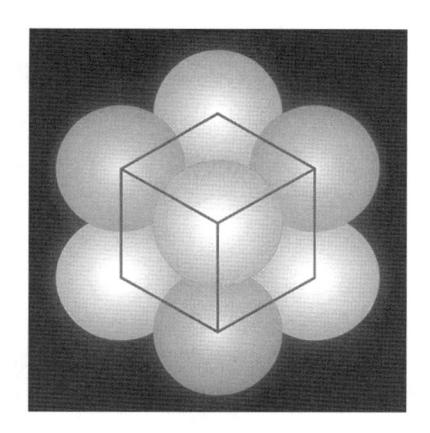

Ilustração 6-8b. Uma visão diferente.

A oitava esfera na verdade está atrás dessas esferas visíveis. Se ligassem os seus centros, veriam um cubo (Ilustrações 6-8a e 6-8b).

E daí? Quem se importa? Bem, os antigos se importavam, porque eles se preocupavam com a criação, com a vida e a morte. Eles chamavam esse aglomerado de esferas de Ovo da Vida. Em breve mostrarei que o Ovo da Vida é a estrutura morfogenética que criou o nosso corpo. Toda a nossa existência física depende da estrutura do Ovo da Vida. Tudo sobre nós foi criado por meio da forma do Ovo da Vida, desde a cor dos nossos olhos, a forma do nariz, o comprimento dos dedos e tudo mais. Tudo se baseia nessa *forma única*.

A Terceira Rotação/Forma: o Fruto da Vida

O vórtice seguinte é a terceira rotação (Ilustração 6-9). As esferas desse vórtice estão centradas nos pontos mais interiores do perímetro da rodada anterior, conforme é mostrado pelas seis setas aqui. Portanto, quando o espírito gira nesse terceiro vórtice, resultam os anéis cinzentos mostrados aqui. Então, observa-se uma nova relação em que os seis círculos tocam mutuamente os respectivos centros uns dos outros. Se pegarem sete moedas iguais e juntá-las sobre uma mesa, elas formarão essa configuração. Essa ter-

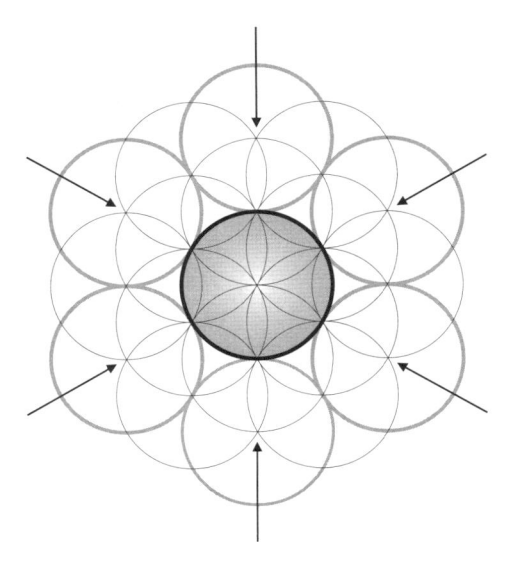

Ilustração 6-9. A terceira rotação.

Ilustração 6-10. A Flor da Vida.

Ilustração 6-11. Biombo chinês, a Flor da Vida estilizada.

ceira rotação é uma relação extremamente importante na criação da nossa Realidade. Se observarem com bastante atenção a Flor da Vida, verão esses sete círculos que se tocam mutuamente.

Existem dezenove círculos na Flor da Vida (Ilustração 6-10) e eles são circundados por dois círculos concêntricos. Por alguma razão, essa imagem é encontrada no mundo todo. A pergunta é: por que a fizeram em todo o mundo e pararam nos dezenove círculos? Essa é uma rede infinita e poderia ser interrompida em qualquer ponto. O único lugar em todo o planeta em que as vi ir além desses dezenove círculos foi na China, em biombos para a divisão dos aposentos (Ilustração 6-11). Um dos padrões mais famosos usados nesses biombos foi o da Flor da Vida. Eles a fizeram na forma retangular, estendendo-a até as bordas.

No entanto, em todas as outras encontradas, normalmente se vê apenas o padrão da Flor da Vida. Isso acontece porque, quando os seres antigos compreenderam qual era o outro componente e como ele era importante, decidiram torná-lo secreto. Não queriam que as pessoas vissem essa relação que estou prestes a lhes mostrar. Ela era tão sagrada e importante que simplesmente não podiam permitir que se tornasse um conhecimento comum. Isso era adequado na época; entretanto, hoje ou usamos essa informação ou cairemos nas trevas.

Observem que no padrão da Flor da Vida veem-se muitos círculos incompletos, os quais, é claro, também podem ser esferas. Observem em toda a volta da borda exterior da Ilustração 6-10. Se tudo o que fizessem era concluir todos esses círculos, então o segredo se revelaria. Esse era o meio antigo de codificar as informações.

Os círculos/esferas adicionais que se estendem além do padrão original da Flor da Vida, dentro do grande anel cinzento da Ilustração 6-12, completa todos os círculos incompletos da borda desse padrão.

Assim que vocês completarem as esferas, com mais um passo chegarão ao segredo: dirijam-se para os pontos mais internos do perímetro, mostrados pelas setas, e girem o vórtice seguinte. Ao fazê-lo, vocês obtêm o padrão dos treze círculos, mostrado aqui pelos círculos cinzentos menores, incluindo o centro. Quando isso é extraído do resto do padrão, o resultado é o que aparece na Ilustração 6-13.

Esse padrão de treze círculos é uma das formas mais santas, mais sagradas que existem. Na Terra é chamada de o Fruto da Vida. É chamada de fruto porque esse é o resultado, o fruto, do qual a trama dos detalhes da Realidade foi criada.

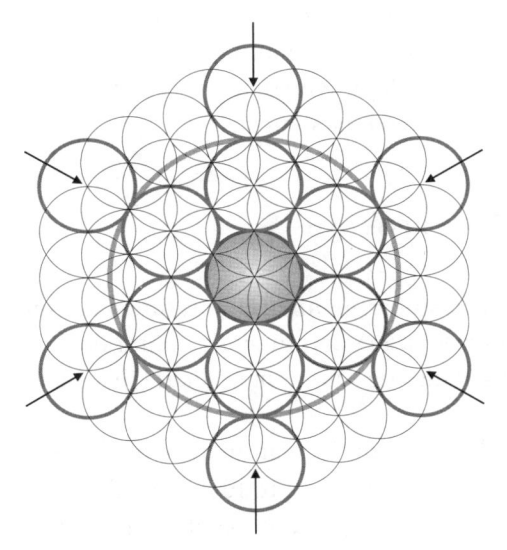

Ilustração 6-12. Completando os círculos incompletos.

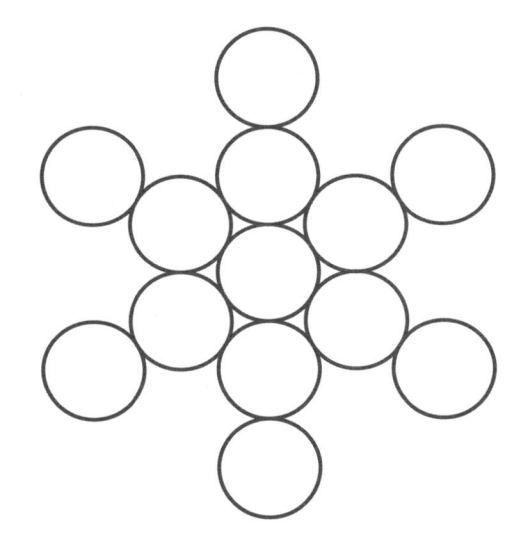

Ilustração 6-13. O Fruto da Vida.

Combinando o Masculino e o Feminino para Criar o Cubo de Metatron, o Primeiro Sistema Informativo

Agora, todos os círculos desse padrão são femininos. E há treze maneiras, com esses treze círculos, de sobrepor a energia masculina — em outras palavras, as linhas retas. Ao sobrepor linhas retas sobre o padrão em todas as treze maneiras, o resultado são treze padrões que, juntamente com o Ovo da Vida e o toro, criam tudo o que existe. O Ovo da Vida, o toro e esse Fruto da Vida, um total de três padrões, criam tudo o que existe sem exceção — pelo menos não fui capaz de encontrar uma exceção. Vou lhes apresentar o que aprendi; obviamente não posso lhes mostrar tudo, mas vou mostrar o bastante para convencê-los de que isso é verdade. Vou chamar isso de *sistemas*

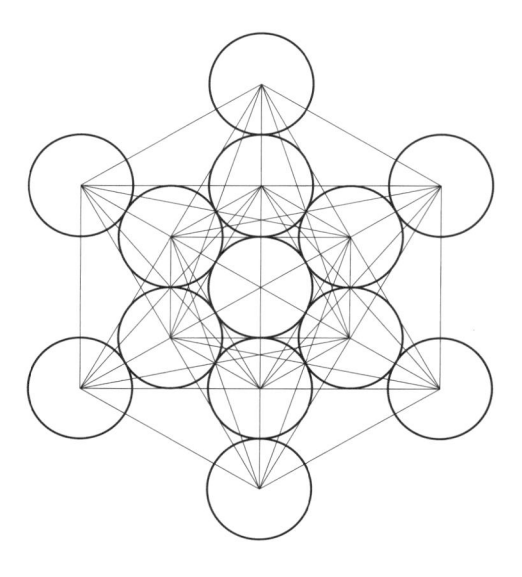

Ilustração 6-14. O Cubo de Metatron.

informacionais. Existem treze sistemas informacionais associados ao padrão do Fruto da Vida. Cada sistema produz uma imensa e diversificada quantidade de conhecimento. Vou lhes mostrar apenas quatro desses. Acho que é o bastante.

O sistema mais simples resulta de simplesmente ligar todos os centros dos círculos com linhas retas. Se decidirem passar linhas retas sobre esse padrão, provavelmente 90 por cento de vocês pensarão em ligar inicialmente todos os centros. Se fizerem isso, obterão este padrão (Ilustração 6-14), que é conhecido em todo o universo — em toda parte — como o Cubo de Metatron. É um dos mais importantes sistemas informacionais do universo, um dos padrões básicos da criação da existência.

Os Sólidos Platônicos

Quem já estudou a geometria sagrada ou mesmo a geometria comum sabe que existem cinco formas únicas, e elas são essenciais para a compreensão tanto da geometria sagrada quanto da comum. Elas são chamadas de *sólidos platônicos* (Ilustração 6-15).

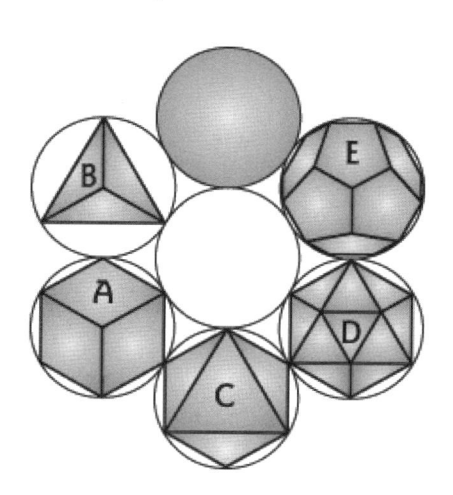

Ilustração 6-15. Os cinco sólidos platônicos.

Por definição, um sólido platônico tem determinadas características. Em primeiro lugar, as suas faces são todas do mesmo tamanho. Por exemplo, um cubo, o mais conhecido dos sólidos platônicos, tem um quadrado em cada face, portanto todas as suas faces são do mesmo tamanho. Segundo, as arestas de um sólido platônico são todas do mesmo comprimento; todas as arestas de um cubo são do mesmo comprimento. Terceiro, os ângulos internos entre as faces são todos do mesmo tamanho. No caso do cubo, esse ângulo é de 90 graus. E quarto, se um sólido platônico é colocado dentro de uma esfera (do tamanho certo), todos os pontos irão tocar a superfície da esfera. Com essa definição, há apenas quatro formas além do cubo (A) que têm todas essas características. A segunda (B) é o *tetraedro* (tetra significa quatro), um poliedro que tem quatro faces, todas triângulos equiláteros, com arestas de mesmo comprimento e ângulos iguais, e todos os pontos tocam a superfície da esfera. A outra forma simples é (C) o *octaedro* (octa significa oito), cujas oito faces são triângulos equiláteros do mesmo tamanho, com arestas de mesmo comprimento e ângulos iguais, e todos os pontos tocam a superfície da esfera.

Os outros dois sólidos platônicos são um pouco mais complicados. Um (D) é chamado *icosaedro*, o que significa que tem vinte faces, feitas de triângulos equiláteros com o mesmo comprimento de aresta e ângulos iguais, e todos os pontos tocam a superfície da esfera. O último (E) é chamado de *dodecaedro pentagonal* (dodeca é doze), cujas faces são doze pentágonos (cinco lados), com o mesmo comprimento de aresta e ângulos iguais, e cujos pontos tocam todos a superfície da esfera.

Quem for engenheiro ou arquiteto terá estudado essas cinco formas na faculdade, pelo menos superficialmente, porque elas constituem a base das estruturas.

Sua Origem: o Cubo de Metatron

Se estudarem a geometria sagrada, não importa qual livro escolham, ele mostrará os cinco sólidos platônicos, porque eles são o ABC da geometria sagrada. *No entanto, quando se leem todos esses livros* — e eu li quase todos eles — e pergunta-se aos especialistas: "De onde vieram os sólidos platônicos? Qual é a origem deles?", quase todos dizem que não sabem. Bem, os cinco sólidos platônicos vêm do primeiro sistema informacional do Fruto da Vida. Ocultos dentro das linhas do Cubo de Metatron (vejam a Ilustração 6-14), estão todas essas cinco formas. Ao observarem o Cubo de Metatron, vocês veem todos os cinco sólidos platônicos de uma vez. Para ver melhor cada um deles, vocês precisam fazer aquele truque de novo, em que apagam algumas das linhas. Se apagarem todas as linhas, exceto algumas delas, terão este cubo (Ilustração 6-16).

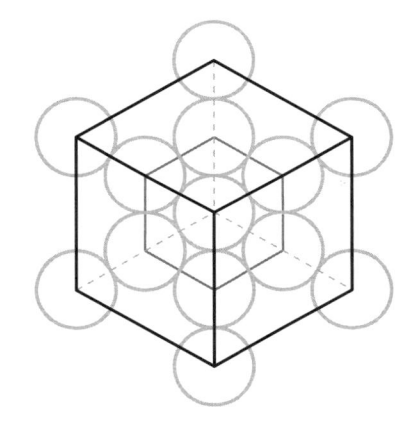

Ilustração 6-16. Eis aqui os dois cubos extraídos do Cubo de Metatron.

Podem ver o cubo? Na verdade, trata-se de um cubo dentro de um cubo. Algumas das linhas estão pontilhadas porque estariam atrás da face anterior. Elas são invisíveis quando o cubo se torna sólido. Eis a forma sólida do cubo maior (Ilustração 6-16a). (Tenham certeza de vê-lo, porque ele se tornará cada vez mais difícil de ver à medida que continuarmos.)

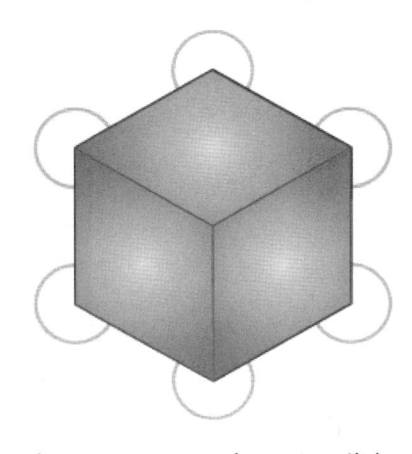

Apagando determinadas linhas e ligando outros centros (Ilustração 6-17), vocês obtêm dois tetraedros superpostos, os quais formam uma estrela tetraédrica. A exemplo do cubo, realmente é possível obter duas estrelas tetraédricas, uma dentro da outra. Eis a forma sólida da estrela tetraédrica maior (Ilustração 6-17a).

Ilustração 6-16a. Cubo maior sólido a partir da ilustração anterior.

Ilustração 6-17. As estrelas tetraédricas extraídas do Cubo de Metatron.

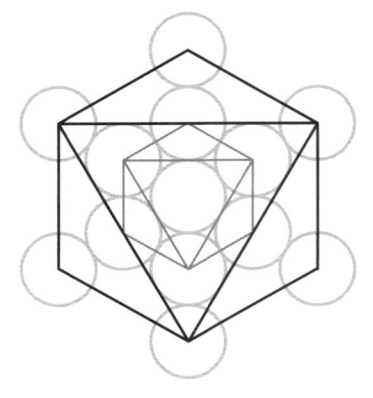

Ilustração 6-18. Dois octaedros extraídos do Cubo de Metatron.

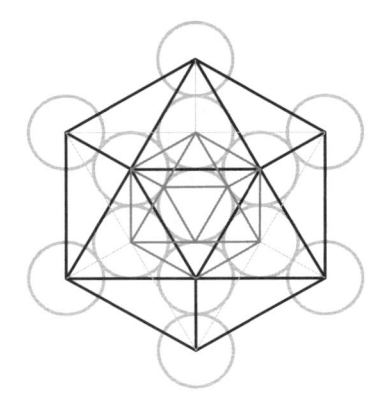

Ilustração 6-19. Dois icosaedros extraídos do Cubo de Metatron.

Ilustração 6-17a. A estrela tetraédrica maior da Ilustração 6-17 sólida.

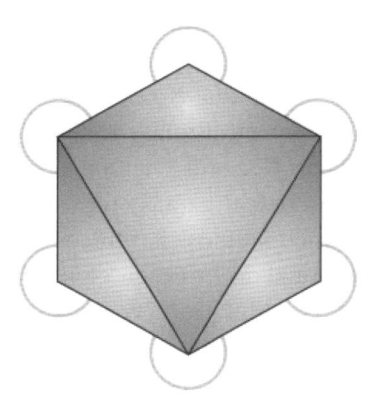

Ilustração 6-18a. O octaedro maior sólido.

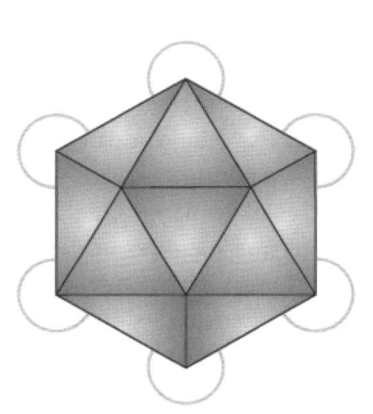

Ilustração 6-19a. O icosaedro maior sólido.

A Ilustração 6-18 é um octaedro dentro de outro octaedro, embora vocês os estejam observando de um ângulo especial. A Ilustração 6-18a é a versão sólida do octaedro maior.

A Ilustração 6-19 é um icosaedro dentro de outro, e a Ilustração 6-19a é a versão do maior deles. Acaba se tornando mais fácil se observarem dessa maneira.

Esses são objetos tridimensionais saindo dos treze círculos do Fruto da Vida.

Esta é a pintura da criança crística, de Sulamith Wulfing, dentro de um icosaedro (Ilustração 6-20), que é muito adequada, porque o icosaedro representa a água, conforme verão em um instante, e o Cristo foi batizado na água, o início da nova consciência.

Esta é a quinta e última forma — dois dodecaedros pentagonais, um dentro do outro (Ilustração 6-21; mostrando aqui apenas o dodecaedro interior por questão de simplicidade).

Ilustração 6-20. Pintura da criança crística, de Sulamith Wulfing.

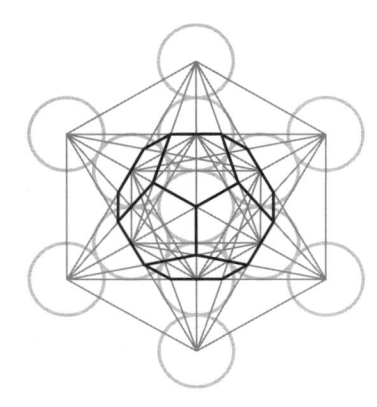

Ilustração 6-21. Dodecaedro pentagonal no Cubo de Metatron.

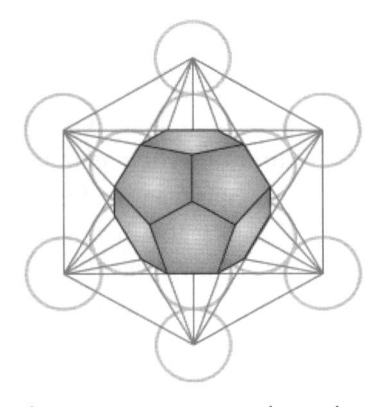

Ilustração 6-21a. Dodecaedro sólido.

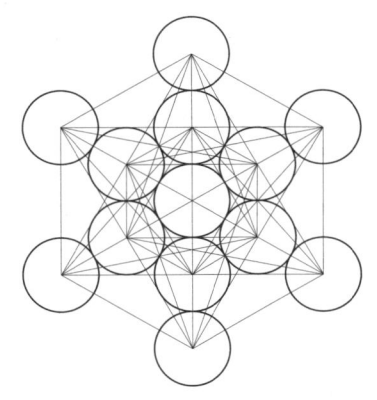

Ilustração 6-22. Cubo de Metatron.

A Ilustração 6-21a é a versão sólida.

Conforme já vimos, todos os cinco sólidos platônicos podem ser encontrados no Cubo de Metatron (Ilustração 6-22).

As Linhas que Faltavam

Levei mais de vinte anos procurando o último sólido platônico, o dodecaedro, no Cubo de Metatron. Depois que os anjos disseram: "Estão todos lá", comecei a procurar, mas nunca consegui encontrar o dodecaedro. Finalmente, um dia, um aluno disse: "Ei, Drunvalo, você se esqueceu de algumas linhas do Cubo de Metatron". Quando ele as indicou, olhei e disse: "Você está certo, me esqueci mesmo!" Pensava que tinha ligado todos os centros, mas tinha me esquecido de alguns deles. Não era de admirar que não

213

conseguia encontrar o dodecaedro, porque aquelas linhas que faltavam o definiam! Por mais de vinte anos, supunha que tinha todas as linhas, quando não as tinha.

Esse é um dos grandes problemas da ciência, acreditar que você resolveu um problema, então seguir em frente e usar aquela informação como base. Atualmente a ciência está precisando lidar com o mesmo tipo de problema em relação aos corpos que caem no vácuo, por exemplo. Sempre se supôs que eles caíam à mesma velocidade, e grande parte da nossa ciência avançada baseia-se nessa "lei" fundamental. Provou-se que ela estava errada, ainda assim a ciência continua a aplicá-la. Uma bola girando cai muito mais rápido do que uma que não está girando. Algum dia haverá um reconhecimento científico.

Enquanto estive casado com Macki, ela também estava profundamente envolvida com a geometria sagrada. O seu trabalho é muito interessante para mim porque é feminino — energias pentagonais do hemisfério cerebral direito. Ela mostra como as emoções, as cores e as formas estão todas inter-relacionadas. Na verdade, ela descobriu o dodecaedro no Cubo de Metatron antes de mim. Ela o pegou e fez algo que eu nunca pensei em fazer. O Cubo de Metatron, vocês sabem, normalmente é desenhado sobre uma superfície plana, mas é na verdade uma forma tridimensional. Portanto, um dia, eu segurava uma forma tridimensional e tentava encontrar o dodecaedro nela, e Macki disse: "Deixe-me dar uma olhada nisso". Ela pegou a forma tridimensional e girou-a na razão phi. (Algo de que não tratamos ainda, mas é aquela razão de Proporção Áurea, também chamada razão phi, que é de aproximadamente 1,618.) Girar a forma daquele modo era algo que eu nunca tinha pensado em fazer. Depois de fazer isso, ela lançou uma sombra sobre ela e obteve esta imagem (Ilustração 6-23).

Foi Macki quem criou originalmente isso, depois me deu. Essa imagem tem o centro no pentágono A. Então, se pegarmos os cinco pentágonos que saem de A (pentágonos B) e mais um pentágono saindo de cada um *daqueles* cinco (pentágonos C), então teremos um dodecaedro *planificado*. Pensei: "Uau, essa é a primeira vez que encontro *qualquer* tipo de dodecaedro aqui. Ela fez aquilo em três dias. Nunca o encontrei em vinte anos.

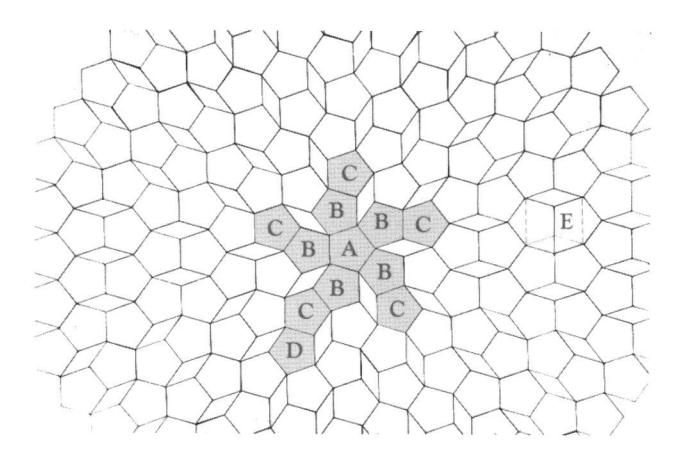

Ilustração 6-23. Desenho do pentágono de Macki a partir do Cubo de Metatron. Quando cortado e dobrado, ele forma um dodecaedro pentagonal tridimensional.

Uma vez passamos quase um dia inteiro olhando para esse desenho. Era instigante, porque *cada linha* dele está na razão de Proporção Áurea. E há retângulos tridimensionais de Proporção Áurea por toda a parte. Há um no ponto E, onde os dois diamantes em cima e embaixo são o topo e a base de um retângulo tridimensional de Proporção Áurea, e as linhas pontilhadas são os lados. É uma coisa incrível. Eu disse: "Não sei o que é isto, mas provavelmente é importante". Então ela pôs o desenho de lado para pensar nele numa outra ocasião.

Atualização: De acordo com David Adair, a NASA fez um metal no espaço que é quinhentas vezes mais forte do que o titânio, tão leve quanto a espuma e tão claro quanto o vidro. Terá sido com base nestes princípios?

Quase-cristais

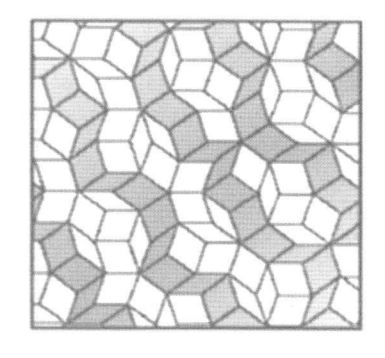

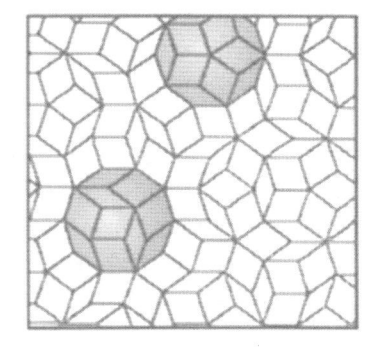

Posteriormente, eu descobri uma ciência inteiramente nova. Essa nova ciência vai mudar o mundo tecnológico radicalmente. Usando essa nova tecnologia, os metalúrgicos acreditam que serão capazes de fazer um metal dez vezes mais duro do que os diamantes, se puderem imaginar uma coisa dessas. Ele será incrivelmente duro.

Por muito tempo, quando examinavam os metais, eles usaram o que é chamado de difração por raios-X, para ver onde se encontravam os átomos. Mostrarei uma fotografia de difração por raios-X em breve. Determinados padrões específicos se evidenciavam, revelando a existência apenas de determinados tipos de estruturas atômicas. Eles achavam que isso era tudo o que havia porque era tudo o que conseguiam encontrar. Essa suposição limitou a sua capacidade de produzir metais.

Então, apareceu um jogo publicado na revista *Scientific American* baseado nos padrões de Penrose. Roger Penrose era um matemático e relativista britânico que queria descobrir como dispor ladrilhos pentagonais para cobrir uma superfície inteiramente plana. Não se pode simplesmente distribuir ladrilhos pentagonais sobre uma superfície plana — não há como fazer isso dar certo. Então ele encontrou duas formas de diamante que são derivadas de um pentágono, e com essas duas formas ele foi capaz de formar uma porção de padrões diferentes que se encaixavam sobre uma superfície plana. Isso tornou-se um jogo publicado na *Scientific American* na década de 1980, cujo objetivo era juntar esses padrões em novas formas, o que acabou levando alguns cientistas metalúrgicos que acompanharam o jogo a suspeitar de algo novo na física.

Por fim, descobriu-se um novo tipo de padrão de rede atômica. Ele sempre existiu; meramente foi descoberto. Esses padrões de rede são atualmente chamados quase-cristais; trata-se de uma coisa nova (1991). Eles decifram quais formas e padrões são possíveis

Atualização: Em 1998, estávamos começando a inaugurar uma nova ciência: a nanotecnologia. Criamos "máquinas" microscópicas que podem entrar em uma matriz de metal ou de cristal e rearranjar os seus átomos. Em 1996 ou 1997, na Europa, foi criado um diamante a partir do grafite pelo uso da nanotecnologia. Esse diamante mede cerca de 90 centímetros e é verdadeiro. À medida que a ciência dos quase-cristais e da nanotecnologia se fundem, o sentido que temos da vida também muda. Observem o final da década de 1800 em comparação com os dias de hoje.

por meio de metais. Os cientistas estão encontrando meios de usar essas formas e padrões para produzir novos produtos metálicos. E aposto que o padrão que Macki tirou do Cubo de Metatron é o grão-mestre de tudo, e que qualquer padrão de Penrose existente deriva dele. Por quê? Porque tudo está em proporção áurea, é básico — vem direto do padrão básico do Cubo de Metatron. Embora não seja a minha especialidade, a certa altura provavelmente vou determinar se isso é realmente verdade. Vejo que em vez de usar dois padrões de Penrose e o pentágono, ele usa apenas um deles e um pentágono. (Simplesmente pensei em sugerir isso.) O que está acontecendo nessa nova ciência neste momento é interessante.

À medida que este livro avançar, vocês descobrirão que a geometria sagrada pode definir em detalhes qualquer objeto, qualquer que seja ele. Não há nada que vocês sejam capazes de pronunciar com a boca que não possa ser *completamente, inteiramente e totalmente descrito, com todo o conhecimento possível,* pela geometria sagrada. (E estamos fazendo a distinção entre o conhecimento e a sabedoria: a sabedoria requer a vivência.) Ainda assim, um propósito mais importante desta obra é recordá-los de que *vocês* têm o potencial de campo de Mer-Ka-Ba vivo ao redor do seu corpo e ensinar-lhes como usá-lo. Continuamente entro em assuntos sobre os quais divago sobre todos os tipos de raízes e ramificações e falo sobre todos os assuntos que possam imaginar. Mas sempre volto ao tema central, porque estou seguindo em uma determinada direção, no sentido do Mer-Ka-Ba, o corpo de luz humano.

Passei muito anos estudando a geometria sagrada, e acredito que possam conhecer tudo o que existe para ser conhecido sobre qualquer assunto possível apenas se concentrando nas geometrias por trás dele. Tudo o que vocês precisam é de um compasso e de uma régua — nem mesmo precisam de um computador, embora ajude. Vocês já trazem todo o conhecimento dentro de si, e tudo o que têm a fazer é desenvolvê-lo. Basta aprender sobre o plano ordenado de como o espírito se move no Grande Vazio e isso basta. Vocês podem destrinchar o mistério sobre qualquer assunto.

Resumindo, o primeiro sistema informacional provém do Fruto da Vida através do Cubo de Metatron. Ligando os centros de todas as esferas, vocês têm cinco formas — na verdade, seis, porque têm a esfera central, que foi o começo de tudo. Portanto, vocês têm seis formas primordiais — o tetraedro, o cubo, o octaedro, o icosaedro, o dodecaedro e a esfera.

Os Sólidos Platônicos e os Elementos

Essas seis formas eram consideradas pelos antigos alquimistas e grandes almas como Pitágoras, o pai da Grécia, como tendo um aspecto de *elemento* em si mesmas (Ilustração 6-24).

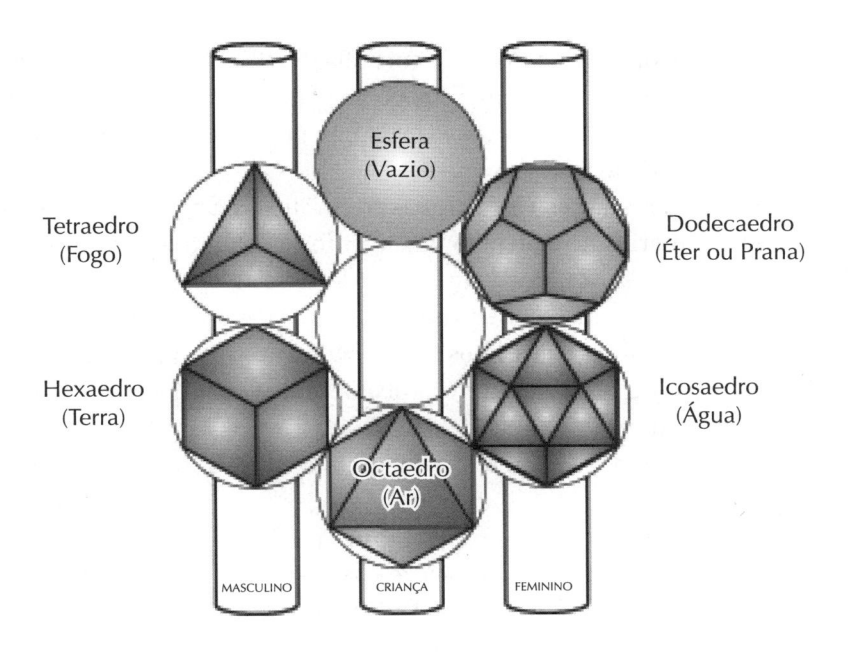

Ilustração 6-24. Relacionando os seis elementos às seis formas primordiais, mostradas em três colunas que retratam a trindade da polaridade. A coluna da esquerda (o masculino) representa o hemisfério cerebral esquerdo e o próton, e inclui faces de três e quatro lados; a coluna central (o filho) representa o corpo caloso e o nêutron. A coluna da direita (o feminino) representa o hemisfério cerebral direito e o elétron, e inclui faces de três e cinco lados. O éter é a forma básica da rede de consciência crística.

O tetraedro era considerado o fogo; o cubo era a terra; o octaedro era o ar; o icosaedro era a água; e o dodecaedro era o éter. (O éter, o prana e a energia do táquion são a mesma coisa; estendem-se por toda parte e são acessíveis em qualquer ponto do espaço/tempo/dimensão. Esse é o grande segredo da tecnologia de ponto zero.) E a esfera é a vacuidade. Esses seis elementos são os elementos básicos constituintes do universo. Eles criam as características do universo.

Na alquimia, normalmente se fala apenas em fogo, terra, ar e água; raramente se menciona o éter ou prana, por ele ser muito sagrado. Na escola pitagórica, bastava pronunciar a palavra "dodecaedro" fora da escola para ser morto na hora. Tão sagrada era essa forma. Não era nem sequer discutida. Duzentos anos depois, quando Platão era vivo, ela passou a ser discutida, mas com todo o cuidado.

Por quê? Porque o dodecaedro está próximo do limite exterior do seu campo energético e é a forma mais elevada de consciência. Quando se chega ao limite dos 16,50 metros do campo energético pessoal, é uma esfera. Mas a forma interior imediatamente mais próxima da esfera é o dodecaedro (na verdade, a relação dodecaedro/icosaedro). Além disso, vivemos dentro de um grande dodecaedro que contém o universo. Quando a sua mente atinge o fim do espaço — e *existe* um fim —, há um dodecaedro dentro de uma esfera. Posso dizer isso porque o corpo humano é um holograma do universo e contém os mesmos princípios. As doze constelações do zodíaco encaixam-se dentro dele. O dodecaedro é o ponto terminal das geometrias, e é muito importante. No nível microscópico, o dodecaedro e o icosaedro são os parâmetros relacionais do DNA, o projeto original de toda a vida.

Vocês podem relacionar as três colunas dessa ilustração com a Árvore da Vida e as três energias primárias do universo: masculino (à esquerda), feminino (à direita) e criança (centro). Ou se forem direto ao tecido do universo, então têm o próton à esquerda, o elétron à direita e o nêutron no centro. Essa coluna central, que é a da criação, é a criança. Lembrem-se, fomos de um octaedro para uma esfera para dar início ao processo para sair do Vazio. Esse é o processo inicial da criação e é encontrado na criança, ou coluna central.

A coluna da esquerda, contendo o tetraedro e o cubo, é o componente masculino da consciência, o lado esquerdo do cérebro. As faces desses polígonos são triângulos e quadrados. A coluna central é o corpo caloso, que liga os lados esquerdo e direito. A coluna da direita, contendo o dodecaedro e o icosaedro, é o componente feminino da consciência, o lado direito do cérebro, e as faces poligonais são constituídas de triângulos e pentágonos. Assim, os polígonos à esquerda têm faces de três e quatro lados, e as formas à direita têm faces de três e cinco lados.

Em termos da consciência da Terra, a coluna da direita é o componente ausente. Criamos o lado masculino (esquerda) da consciência da Terra, e o que estamos fazendo agora é concluir o componente feminino para a integridade e o equilíbrio. O lado direito também é associado à consciência crística ou da unidade. O dodecaedro é a forma básica da rede de consciência crística ao redor da Terra. As duas formas na coluna da direita são o que é chamado de duais uma da outra, significando que, ao ligar os centros das faces de um dodecaedro com linhas retas, obtém-se um icosaedro; e ao ligar os centros de um icosaedro, novamente obtém-se um dodecaedro. Muitos poliedros têm duais.

O 72 Sagrado

No livro de Dan Winter, *Heartmath,* mostra-se que a molécula do DNA é construída pela relação dual de dodecaedros e icosaedros. Também se pode ver a molécula do DNA como um cubo giratório. Quando se gira um cubo por 72 graus de acordo com um determinado padrão, ele forma um icosaedro, que é por sua vez um dual do dodecaedro. Portanto, há um padrão recíproco que sobe pelos cordões do DNA: o icosaedro, depois o dodecaedro, o icosaedro, alternando-se continuamente. Essa rotação do cubo cria a molécula do DNA. Foi determinado que essa é a geometria sagrada exata por trás do DNA, embora possa haver outras relações ocultas.

Esse ângulo de rotação de 72 graus liga-se com o projeto ou o propósito da Grande Fraternidade Branca. Como sabem, 72 ordens são associadas com a Grande Fraternidade Branca. Muitas pessoas falam das 72 ordens de anjos e os hebreus falam dos 72 nomes de Deus. A razão dos 72 tem a ver com a maneira como os sólidos platônicos são construídos, o que também está relacionado à rede de consciência crística que circunda a Terra.

Se tomarem dois tetraedros e sobrepuserem-nos (embora em posições diferentes), obterão a estrela tetraédrica, que, de um ponto de vista diferente, nada mais é do que um cubo (Ilustração 6-25). Podem ver como ambos se relacionam. De maneira semelhante, também podem unir cinco tetraedros e fazer uma tampa icosaédrica (Ilustração 6-26).

Se fizerem doze tampas icosaédricas e colocarem uma sobre cada face do dodecaedro (são necessários 5 X 12 ou 60 tetraedros para criar um dodecaedro), o resultado será um dodecaedro *estelado*, porque um ponto sai do centro de cada face. O seu dual são os doze pontos no centro de cada face do dodecaedro, que formam um icosaedro. Os sessenta tetraedros mais os doze pontos dos centros somam 72 — novamente, o número das ordens associadas à Grande Fraternidade Branca. A Fraternidade realmente funciona por meio de relações físicas da sua forma de dodeca-icosaédrica estelada, que é a base da rede de consciência crística ao redor do mundo. Em outras palavras, a Fraternidade está tentando despertar a consciência do hemisfério cerebral direito do planeta.

A ordem original era a Ordem Alfa e Ômega de Melchizedek, que foi constituída por Machiventa Melchizedek cerca de 200.200 anos atrás. Desde aquela época, 71 outras ordens foram criadas. A mais nova é a Irmandade dos Sete Raios no Peru e na Bolívia, a 72ª ordem.

Ilustração 6-25. O cubo e a estrela tetraédrica dispostos um ao lado do outro de modo que possam ver a quadratura da estrela tetraédrica.

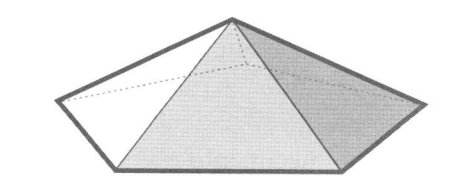

Ilustração 6-26. Uma tampa icosaédrica.

Cada uma das 72 ordens tem um padrão de vida como uma onda de curva senoidal, em que algumas delas existem por um determinado período e depois desaparecem por um tempo. Elas têm biorritmos, a exemplo de um corpo humano. Os rosa-cruzes, por exemplo, estão em um ciclo de cem anos. Eles surgem por uma centena de anos e depois desaparecem totalmente por uma centena de anos — eles literalmente desaparecem da face da Terra. Então, uma centena de anos depois eles voltam ao mundo e prosseguem por mais uma centena de anos.

Todas estão em ciclos diferentes, e todas estão prosseguindo juntas por um propósito — o retorno da consciência crística a este planeta, para estabelecer de volta esse aspecto feminino perdido da consciência e produzir o equilíbrio entre os lados esquerdo e direito do cérebro do planeta. Há outra maneira de observar isso que é realmente extraordinária. Quando falarmos sobre a Inglaterra, tocaremos nesse assunto.

Usando Bombas e Compreendendo o Padrão Básico da Criação

Pergunta: Quando eles detonam uma bomba atômica, o que acontece com os elementos?

No que diz respeito aos elementos, eles são convertidos em energia e em outros elementos. Mas isso não é tudo. Existem dois tipos de bombas: de fissão e de fusão. A fissão divide a matéria, e a fusão a reúne. Tudo bem quanto a reunir — ninguém se queixa quanto a isso. Todos os sóis conhecidos no universo são reatores de fusão. Entendo que o que estou prestes a dizer não é aceito pela ciência ainda, mas quando você divide a matéria por meio da fissão, existe um local no espaço exterior correspondente associada a ela que é afetado — assim em cima, como embaixo. Em outras palavras, o espaço interior (o microcosmo) e o espaço exterior (o macrocosmo) estão ligados. Essa é a razão pela qual a fissão é ilegal em todo o universo.

Detonar bombas atômicas também cria um enorme desequilíbrio na Terra. Por exemplo, considerando que a criação equilibra a terra, o ar, o fogo, a água e o éter, uma bomba atômica produz uma quantidade imensa de fogo em um lugar. Essa é uma sequência desequilibrada, e a Terra precisa reagir.

Se você jogasse 80 zilhões de toneladas de água sobre uma cidade, isso também seria uma situação desequilibrada. Em qualquer lugar, se há ar demais, água demais, um excesso de alguma coisa, é uma situação de desequilíbrio. A alquimia é o conhecimento de como manter todas essas coisas em equilíbrio. Entendendo essas geometrias e conhecendo as relações entre elas, você pode criar o que quiser. A ideia como um todo é entender o *plano* por trás de tudo. Lembrem-se, o plano é a maneira como o espírito se move no Vazio. Se conhecerem o plano por trás de tudo, então terão o conhecimento e a compreensão para cocriar juntamente com Deus.

A Ilustração 6-27 mostra a inter-relação de todas essas formas. Cada ponto se liga ao seguinte, e todos têm uma determinada relação com relação às razões de phi. Quanto mais se estuda isso, mais essas cinco formas se tornam uma. Só recentemente começamos a nos lembrar da ciência antiga, embora tudo tenha sido compreendido no Egito, no Tibete e na Índia muito tempo atrás. Foi compreendido na Grécia, então eles se esqueceram por muito tempo. Eles se lembraram de novo durante o Renascimento italiano, depois se esqueceram de novo. O mundo moderno já se esqueceu completamente do que realmente significa a forma, e estamos nos lembrando exatamente agora.

Cristais

Fixando o Nosso Aprendizado

Agora vamos considerar essas informações abstratas que realmente não parecem ter a ver conosco na nossa vida cotidiana, e vamos ligá-las à nossa vida diária. Algumas dessas informações não estão na nossa vivência diária, mas podemos compreendê-las mais ou menos e ligá-las com os assuntos.

Primeiro, vou fixar essas informações nos cristais. Há uma porção de outras áreas da natureza que eu poderia usar, mas é tão óbvio nos cristais que qualquer um pode ver. Eu poderia usar os vírus ou a terra diatomácea. Poderia mostrá-lo em uma porção de coisas, mas os cristais são bons porque as pessoas gostam deles.

Para começar a observar esses cristais, vamos primeiro examinar esse padrão de difração por raios X (Ilustração 6-28). Quando se disparam raios X sobre o eixo C da matriz atômica de um cristal ou metal, obtêm-se esses pontinhos mostrando exatamente onde estão localizados os átomos. Neste caso, esse é um cristal de berilo que realmente mostra o padrão da Flor da Vida. O cristal de berilo usa o padrão para organizar os seus átomos e formar o seu cristal específico. É realmente incrível que esses pequenos átomos simplesmente se alinhem no espaço, geralmente com distâncias enormes entre si. Esses espaços microscópicos são relativamente vastos, como entre as estrelas no céu noturno. Os átomos se alinham perfeitamente em cubos e tetraedros e todos os tipos de formas geométricas. Por quê?

Este é um padrão de difração por raios X de um cristal (Ilustração 6-29). Podem ver como os átomos se arranjaram em um

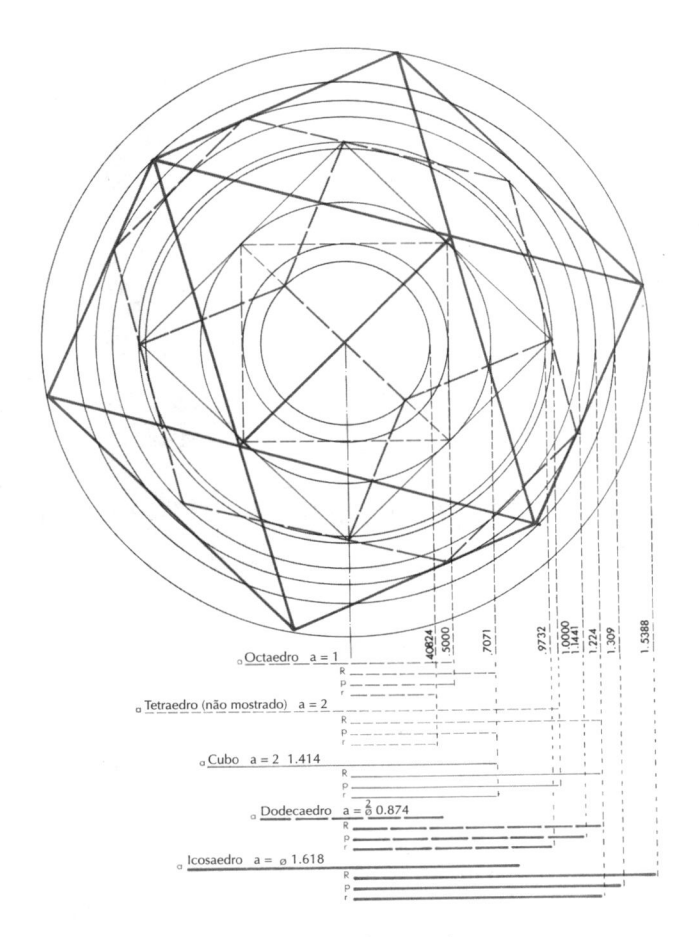

Ilustração 6-27. Formas inter-relacionadas.

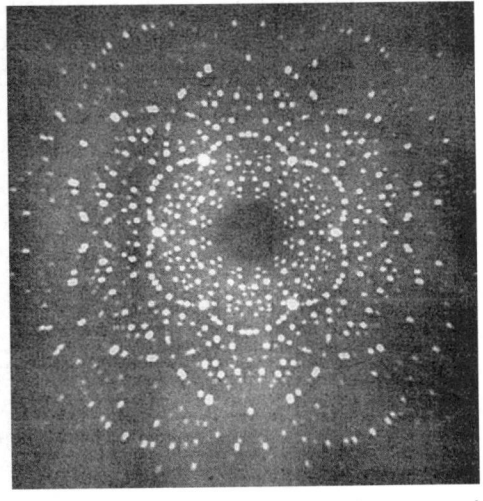

Ilustração 6-28. Padrão atômico de um cristal de berilo.

221

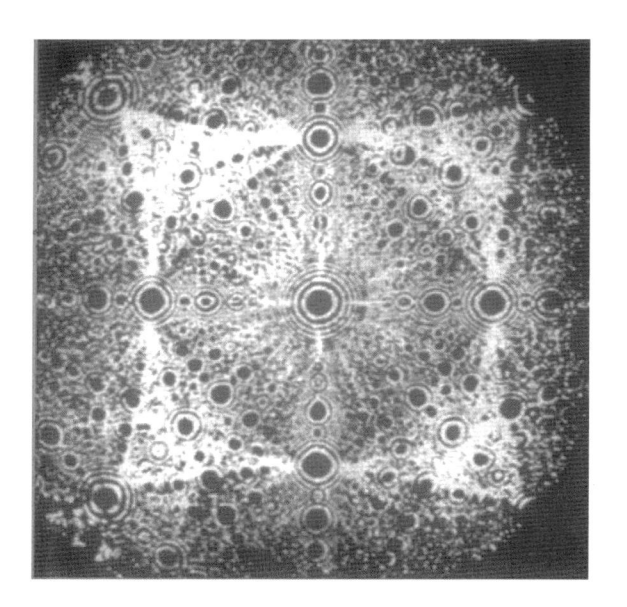

Ilustração 6-29. Padrão atômico de uma matriz de cristal.

desenho cúbico. É interessante que em todas as diversas formas manifestadas na Realidade, os átomos em si são esferas. Esse simples fato tem sido menosprezado pela maioria dos pesquisadores, mas a esfera é a forma principal de onde tudo procede desde o início. Ela é importante na compreensão da criação.

A estrutura de tudo na nossa existência é constituída de "bolinhas de gude" — esferas de tamanhos muito diferentes. Estamos sobre uma esfera, a Terra, e as esferas giram ao redor de nós. A Lua, o Sol e as estrelas são todos eles esferas. Todo o universo, do macrocosmo ao microcosmo, é constituído de pequenas esferas de uma maneira ou de outra. As ondas de luz que se movem através do espaço são todas esferas. Pensamos em uma onda de luz produzindo ondas através do espaço, mas isso é muito mais complexo. Um campo elétrico gira num sentido e um campo magnético gira a 90 graus em relação ao campo magnético, e eles se expandem em padrões esféricos.

Imaginem um cubo no espaço e vejam uma luz brilhante refulgindo dele, seguindo em todas as direções, a 360 graus. O que vocês têm? Têm um campo de energia de ondas de luz cúbicas afastando-se a partir dele? Num primeiro momento, vocês podem dizer que seria um cubo em expansão, tornando-se sempre cada vez maior. Mas não é isso o que acontece. As ondas de luz movem-se radialmente desde a sua fonte a 300 mil quilômetros por segundo, portanto quando uma onda de luz se afasta da superfície do cubo que tenho na minha mão, em um segundo a luz da face do cubo já se encontra a 300 mil quilômetros de distância. E a onda que saiu de uma *quina* do cubo, que é um pouco mais distante do centro do que a face, está, em um segundo, a 300 mil quilômetros de distância do centro mais talvez alguns centímetros. Se pudessem ver esses poucos centímetros a 300 mil quilômetros, vocês teriam uma visão superior. E isso aconteceu em apenas um segundo; dois segundos depois a forma se expandiu duas vezes em relação à anterior, e um minuto mais tarde estará enorme.

Portanto, vocês têm uma *esfera* se afastando de algo que se originou como um *cubo*. Se por acaso o objeto for realmente grande, então a onda de luz tende inicialmente a assumir a forma do objeto, mas aos poucos se transforma em esfera à medida que se afasta e o objeto se torna cada vez menor em relação àquele campo de luz. Portanto, o que vocês têm aqui é um punhado de esferas luminosas, afastando-se em todas as direções e interligando-se umas com as outras.

Quando virem a luz vindo diretamente na sua direção, ela é branca. Mas se não estiver se movendo diretamente na sua direção, ela é preta. Na verdade, todo o céu noturno está cheio de luz branca brilhante, mas vemos a luz apenas quando ela se aproxima de nós. Não vemos as ondas de luz que se movem nos nossos lados; só vemos preto. Se pudéssemos ver toda ela, ficaríamos cegos. A luz está em toda parte, e não existe lugar no espaço em que não se encontre, até onde eu sei. A esfera está literalmente em toda parte.

Nuvens de Elétrons e Moléculas

Os átomos também são feitos de esferas. Se observarem um átomo de hidrogênio, verão que o próton acha-se compactado no centro e o elétron está lá fora, orbitando o próton. Se o próton tivesse o tamanho de uma bola de golfe, o elétron estaria a uma distância de um campo de futebol — e esse elétron move-se *verdadeiramente rápido!* Lembro-me de que quando eu estudava física, não conseguia acreditar que o pequeno elétron, *que é um pontinho que nem sequer se pode ver,* move-se ao redor de um espaço microscópico *a nove décimos da velocidade da luz.* Isso significa que o elétron se move ao redor do próton a cerca de *270 mil quilômetros por segundo, ao redor de algo que nem se pode ver!* Eu ficava inteiramente pasmo! Ia para casa, deitava na cama e ficava olhando para o teto por muito tempo. Achava tudo aquilo totalmente inconcebível.

O pequeno elétron circula tão rápido que parece uma nuvem. Na verdade, chamam-no de nuvem de elétrons. Há apenas um elétron, mas ele se move tão rápido que parece criar uma esfera ao redor do próton central. É como uma tela de televisão, onde há apenas um feixe de elétrons atravessando a tela a todo momento, de maneira controlada e dirigida desde o alto da tela, ziguezagueando de um lado para outro até chegar embaixo, depois começa tudo outra vez. E tudo é feito tão rapidamente que o que se vê é uma imagem bastante verossímil.

Assim, as esferas são o componente básico da Realidade que vivenciamos. Embora a órbita de um elétron descreva uma esfera, também pode descrever outros padrões, como a figura de um oito. Os físicos conseguiram calcular isso apenas do hidrogênio, e até agora só têm um palpite sobre o resto. Um átomo é chamado um íon se tiver elétrons demais ou de menos, e se tiver ou uma carga positiva ou negativa. Assim, as características básicas do átomo são o tamanho e a carga (Ilustração 6-30). Esses dois fatores principais determinam se diferentes átomos irão ou não encaixar-se em moléculas. Há outros fatores envolvidos, mas o tamanho e a carga são os mais elementares.

A Ilustração 6-31 mostra como os átomos se combinam. Esses foram os padrões básicos conhecidos por muito tempo, até que descobrissem os quase-cristais. Os átomos nessa tabela são de diversas variedades. A letra *A* mostra um padrão linear com um átomo menor no meio. *B* mostra um padrão triangular de três com um pequeno átomo no meio. O pequeno átomo pode literalmente estar ou não lá. *C* mostra um padrão tetraédrico, com um átomo no meio, ou não. *D* mostra um padrão octaédrico, e *E* mostra um padrão cúbico. Agora, por causa das novas informações científicas, podemos acrescentar padrões icosaédricos e dodecaédricos.

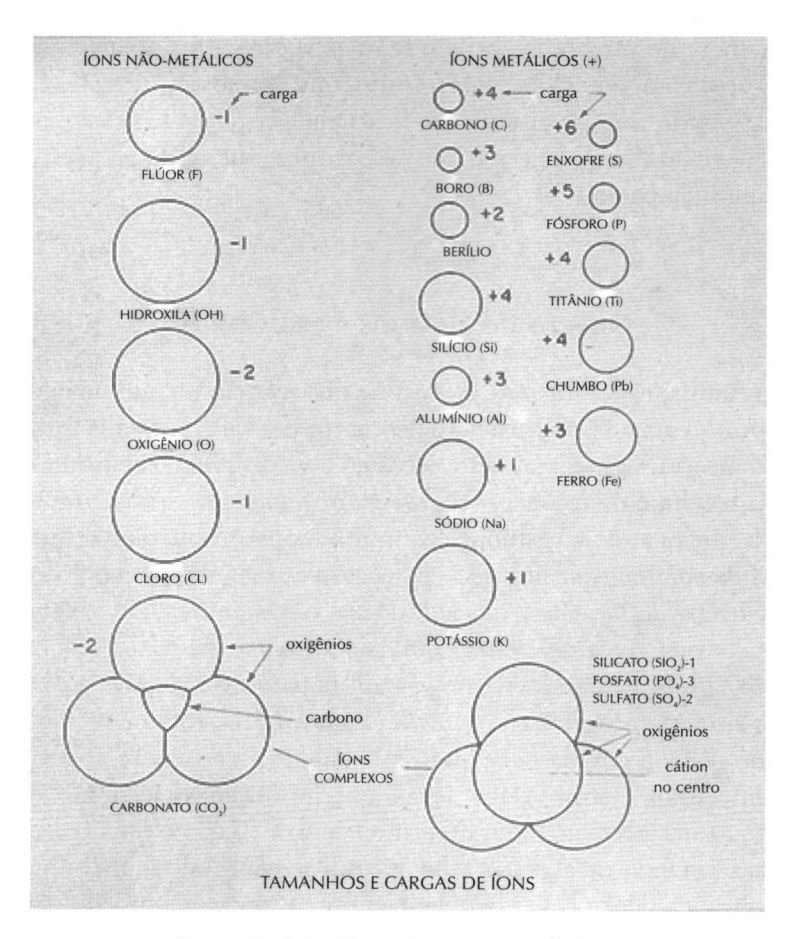

Ilustração 6-30. Tamanhos e cargas de íons.

Os átomos sempre se alinham de maneiras específicas quando se cristalizam (Ilustração 6-32). Eles formam, digamos, um cubo, e depois esse cubo põe outro cubo próximo a si mesmo e outro cubo ao lado dele, e logo se tem um cubo ligado a outro, ligado por sua vez a outro cubo, e assim por diante, formando o que é chamado uma treliça. Os átomos se unem de todas as maneiras possíveis. As moléculas resultantes são sempre associadas à geometria sagrada e aos cinco sólidos platônicos. Isso faz imaginar como esses minúsculos átomos sabem como ir apenas para esses determinados lugares, especialmente quando eles ficam muito, muito complexos!

Mesmo quando se observa uma molécula complicada como esta (Ilustração 6-33) e ela é decomposta, vemos as suas formas e elas *sempre* revertem a um dos cinco sólidos platônicos — não importa qual seja a estrutura. Não importa como a chamamos — metal, cristal, qualquer outra coisa — ela sempre volta a uma dessas cinco formas originais. Vou mostrar-lhes mais exemplos à medida que avançamos nesse assunto.

PADRÕES ATÔMICOS EM CRISTAIS

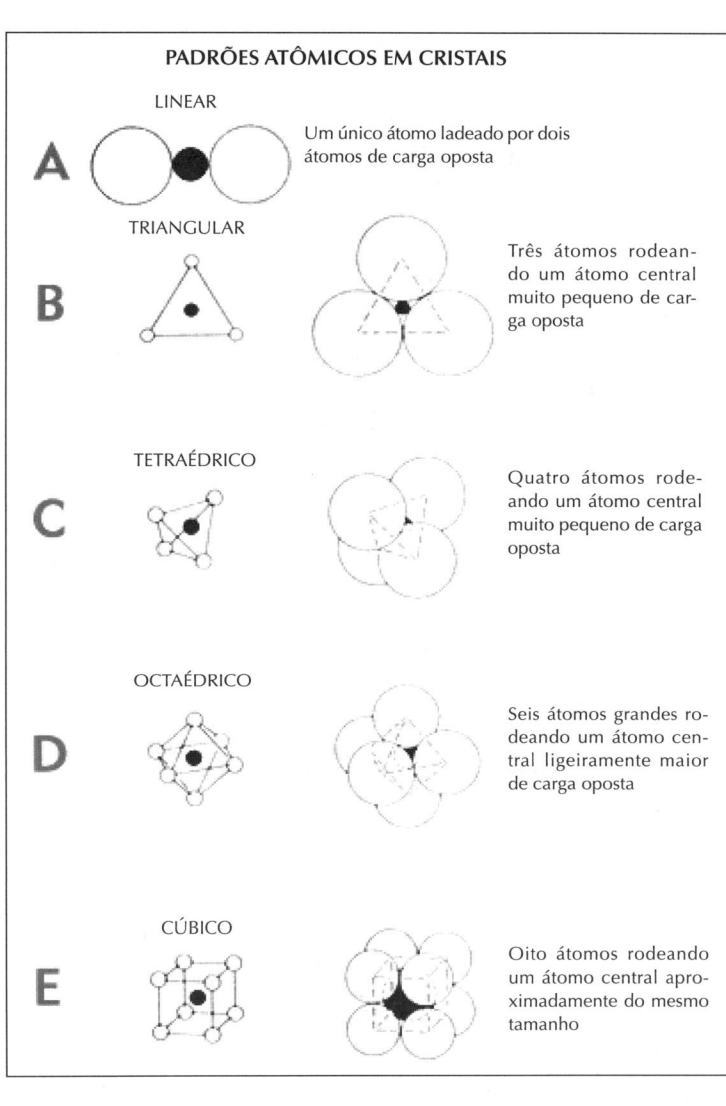

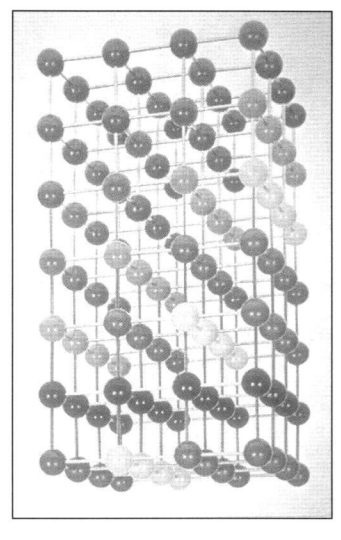

A — LINEAR
Um único átomo ladeado por dois átomos de carga oposta

B — TRIANGULAR
Três átomos rodeando um átomo central muito pequeno de carga oposta

C — TETRAÉDRICO
Quatro átomos rodeando um átomo central muito pequeno de carga oposta

D — OCTAÉDRICO
Seis átomos grandes rodeando um átomo central ligeiramente maior de carga oposta

E — CÚBICO
Oito átomos rodeando um átomo central aproximadamente do mesmo tamanho

Ilustração 6-32. Formação simples em treliça de átomos.

Ilustração 6-31. Padrões atômicos em cristais.

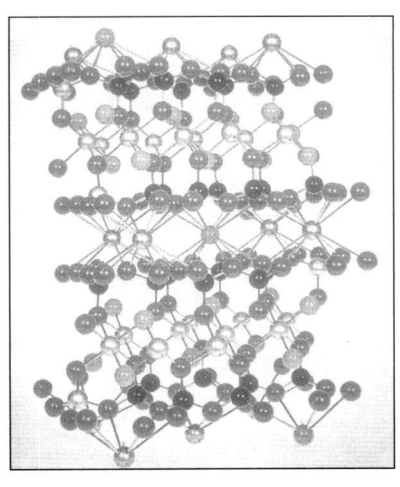

Ilustração 6-33. Formação molecular complexa.

225

As Seis Categorias de Cristais

Agora vamos tratar dos cristais. Há no mínimo uns 100 mil tipos diferentes de cristal. Se vocês alguma vez visitarem uma feira de cristais e pedras como a Tucson Gem and Mineral Show, saberão exatamente do que estou falando. Essa feira acontece em oito ou dez hotéis, com todos os quartos dos vários andares dos hotéis cheios de cristais. No auditório, veem-se todas as pedras preciosas. Há uma infinidade interminável de espécies diferentes de cristais. E estão sendo achados outros mais; praticamente todo ano há oito, nove, dez cristais inteiramente novos, nunca vistos antes. No entanto, não importam quantos cristais existam, eles podem ser separados em seis categorias: isométricos, tetragonais, hexagonais, ortorrômbicos, monoclínicos e triclínicos (Ilustração 6-34). E todos os seis sistemas usados para organizar todos

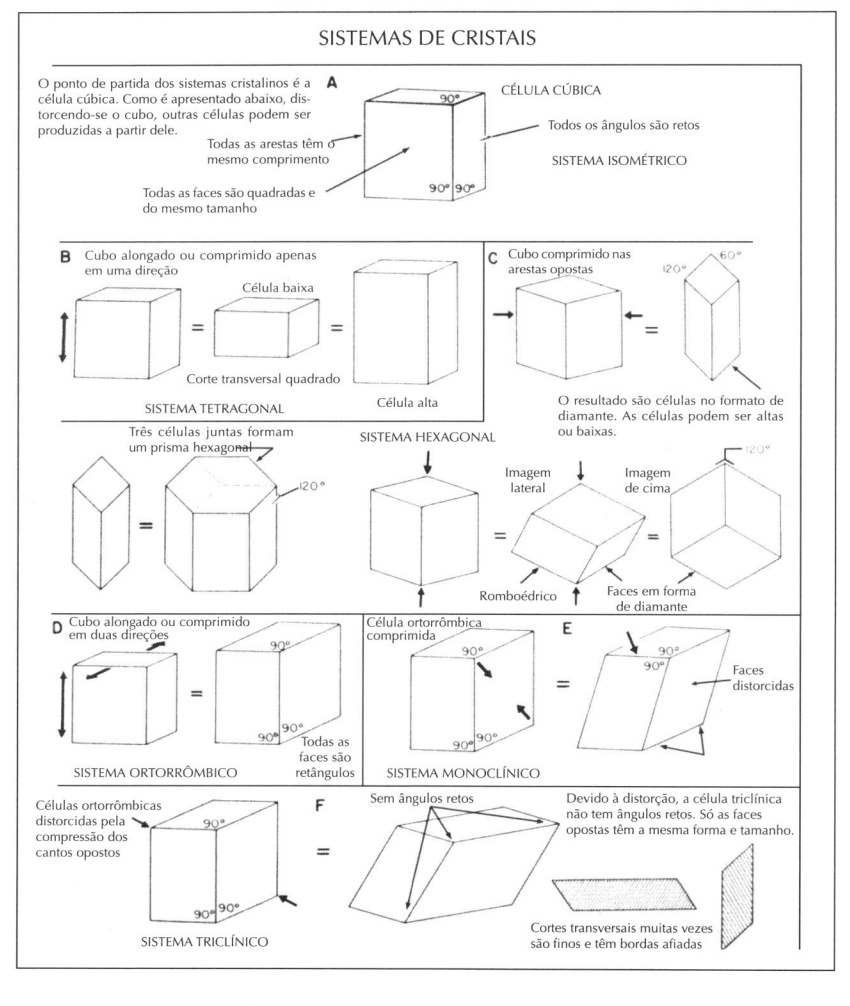

Ilustração 6-34. Sistemas de cristais.

os cristais conhecidos derivam do cubo, um dos sólidos platônicos. É uma questão de qual ângulo você vê a partir do cubo — a visão do quadrado, do hexagonal ou do retangular em oposição ao ângulo de 90 graus cúbico normal. Agora, é aí que começa a ficar interessante, pelo menos para mim — espero que também para vocês.

Estes são cristais de fluorita (Ilustração 6-35a e b). A fluorita é encontrada em praticamente todas as cores que se possa imaginar, incluindo transparente. Há duas minas principais de fluorita no mundo: uma nos Estados Unidos e a outra na China. A fluorita é encontrada com duas estruturas atômicas totalmente diferentes: uma é octaédrica, e a outra, cúbica. Esse cristal de fluorita púrpura é feito de minúsculos cubos todos agrupados. Eles não foram cortados dessa maneira, eles cresceram dessa maneira. O cristal de fluorita transparente é um verdadeiro octaedro. Ele não foi cortado dessa maneira, mas neste caso ele também não cresceu desse modo. Normalmente, ele vem em folhas, e se o deixarmos cair ou golpear, ele se quebra nas junções mais fracas, que acontece de ser o octaedro, porque os átomos estão em uma matriz octaédrica. Se o deixássemos cair sobre uma superfície dura, ele se quebraria em todo um grupo de octaédricos menores.

No entanto, o que é especialmente interessante é que se descobriu que a fluorita passa de uma forma para outra — de cúbica a octaédrica e depois cúbica outra vez. No seu estado natural, com tempo suficiente, um cristal cúbico algum dia se torna octaédrico. E com tempo suficiente, um cristal de fluorita octaédrico torna-se cúbico. Eles oscilam com o tempo, primeiro tornando-se um, depois o outro, indo e vindo ao longo de períodos muito grandes de tempo. Os geólogos descobriram alguns cristais de fluorita no processo de mudança, mas não entenderam como eles oscilavam dessa maneira.

Ilustração 6-35a. Cristal de fluorita com estrutura cúbica.

Ilustração 6-35b. Cristal de fluorita com uma estrutura octaédrica.

Truncando Poliedros

Um livro de geologia tentou explicar como a fluorita muda assim (Ilustração 6-36). No fundo à direita se pode ver um cubo. Se cortassem os seus cantos igualmente, ele se chamaria truncado. Pode-se truncar um poliedro, significando qualquer uma dessas formas de muitos lados. Ao fazer isso (neste caso um cubo), podem-se cortar ou os *cantos*, as *arestas* ou as *faces*, desde que sejam cortados iguais.

Se truncar este cubo cortando os cantos a 45 graus em toda a volta, obterá a próxima forma à sua esquerda. Se truncá-lo de novo exatamente da mesma maneira, terá a forma seguinte à esquerda. Se fizer o mesmo uma vez mais, terá um octaedro (na extrema es-

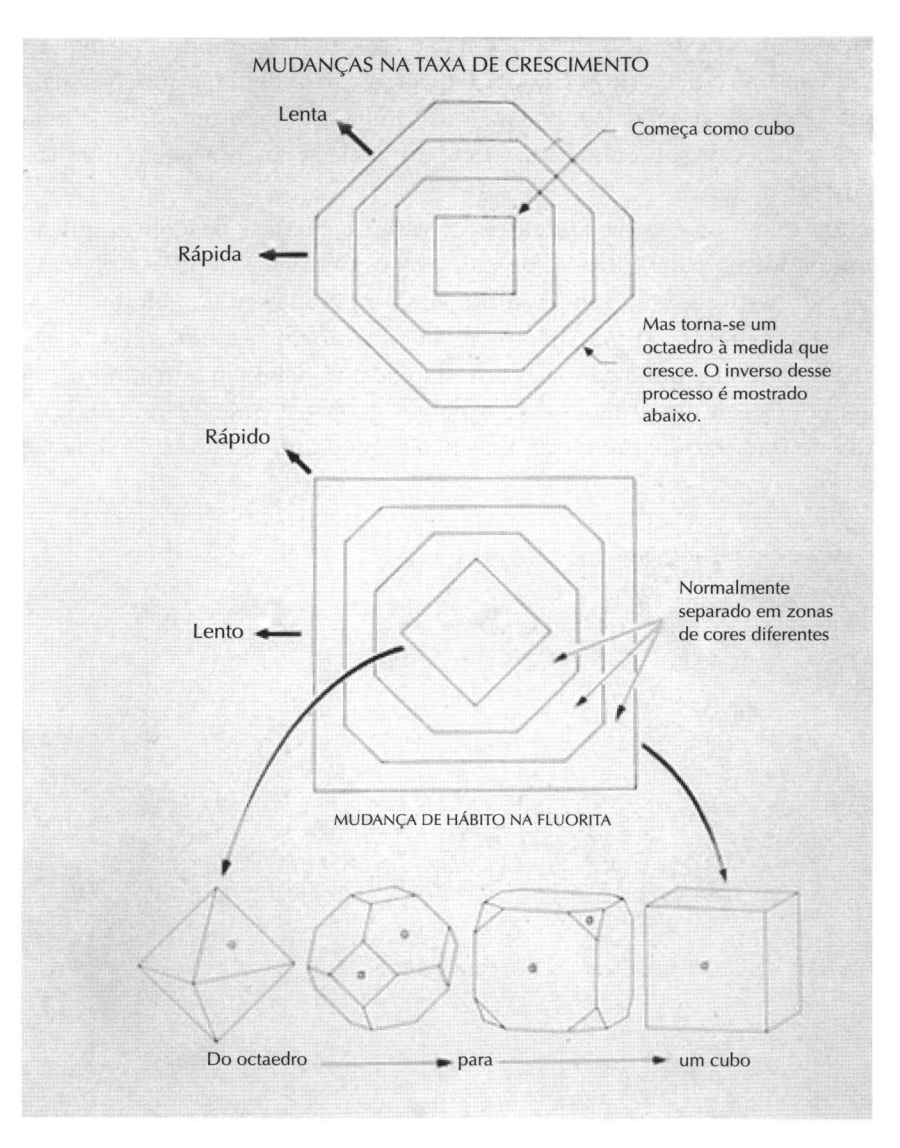

Ilustração 6-36. Um cristal de fluorita.

querda). Pode-se fazer o contrário, truncando os cantos do octaedro, e voltando com todo o procedimento até que ele se torne um cubo outra vez. Essa foi a tentativa do livro de geologia de explicar como é possível uma fluorita mudar de forma assim. O livro realmente só explica como essa mudança *poderia* acontecer geometricamente. Mas, na verdade, algo muito mais impressionante acontece quando a fluorita muda. Os íons realmente *giram e se expandem ou se contraem* para tornar-se uma treliça diferente! É muito mais complexo do que é mostrado nesse livro.

Este é outro cristal de fluorita (Ilustração 6-37), um dos meus. É muito grande, com cerca de 10 centímetros de lado. Não se encontram mais com frequência assim tão grandes. No caso de não conseguir vê-lo bem, quero explicar que ele se forma com base em um ponto no centro. Alguém o colocou numa janela onde batia a luz solar e, uma vez que as ligações na fluorita são muito fracas, quando a luz solar o atingiu, ele rachou ao longo das linhas atômicas octaédricas, é claro.

No canto superior direito da Ilustração 6-38 há um cubo. O cubo à sua esquerda está truncado ao longo das arestas. Truncado duas vezes mais, a maldita coisa transformou-se em um dodecaedro. Este é um exemplo do cubo ou dodecaedro em cristais.

Na Ilustração 6-39, o cristal superior é um cubo de pirita. Ele cresceu assim, ninguém o cortou. Existe um imenso igual a este em Silverado, no Colorado, com um quadrado de cerca de 1,80 metro de lado, creio eu. Simplesmente o tiraram da terra como um cubo perfeito. Esta pequena pirita é quadrada em duas extremidades e retangular dos lados. O cristal inferior é um minúsculo grupo de pirita dodecaédrica. Alguns deles são quase perfeitos — e crescem dessa maneira no Peru. Se esse pedacinho de cristal fosse deixado na terra por tempo suficiente, esses pequenos

Ilustração 6-37. O meu cristal de fluorita.

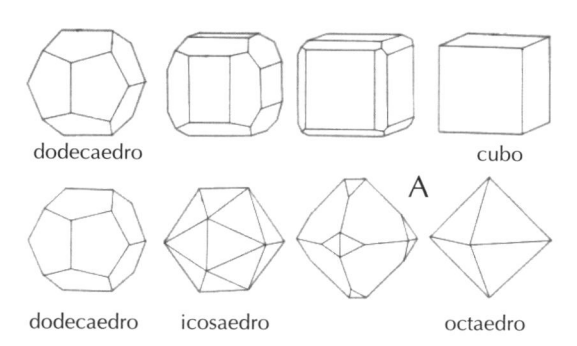

Ilustração 6-38. Diferentes possibilidades de truncamento. Na linha superior: bordas truncadas; na linha inferior: pontas truncadas.

Ilustração 6-39. Piritas: um cubo (em cima) e um conglomerado de dodecaedros pentagonais (embaixo).

dodecaedros se converteriam em cubos; e depois de um tempo suficiente, eles teriam se reconvertido em dodecaedros. Se pegássemos o dodecaedro (embaixo, à direita, na Ilustração 6-38) e truncássemos as suas pontas, ele se converteria em um icosaedro (próximo a ele, à esquerda). Se continuássemos truncando as pontas, ele se tornaria um octaedro. Eu poderia continuar com esse negócio de truncar por muito tempo. Há milhares de maneiras de fazê-lo. Cada padrão de cristal, não importa o quanto seja complexo, se transforma em um dos cinco sólidos platônicos se for truncado corretamente, o que mostra a natureza inata dos cinco sólidos platônicos na estrutura cristalina.

Uma breve nota marginal: se examinarem um tetraedro truncado nas pontas, feito de vidro, cristal ou até mesmo de espelhos, ele refletirá a luz. A reflexão espelhada interior será um icosaedro perfeito. Verifiquem.

Podem continuar com isso até se cansar. Verão alguns cristais que parecem realmente estranhos, como se não pudessem de maneira nenhuma ser baseados em nada lógico, mas tudo o que precisam fazer é um pouco de geometria, e *todas as vezes* descobrirão que a forma deriva de um dos sólidos platônicos. Não há exceções conhecidas. Não importa qual seja o padrão do cristal, sempre se baseia em um sólido platônico. As estruturas cristalinas são uma função dos cinco sólidos platônicos que saem do Fruto da Vida e do Cubo de Metatron. Se quiserem ver mais desses cristais, poderão encontrar uma porção no livro *Rocks and Minerals,* de Charles A. Sorrell.

Há mais um conjunto sobre o qual eu gostaria de comentar, que se refere à Ilustração 6-38, "Diferentes possibilidades de truncamento". Quando se trunca um octaedro pelo corte de todos os cantos de modo que estejam a 90 graus uns dos outros (mostrado em A na ilustração), ele produz a forma à sua esquerda. Se fossem desenhá-la em uma superfície plana, seriam um quadrado com um diamante no meio (Ilustração 6-40). Esse padrão acontece de estar relacionado com a nossa consciência, à própria natureza de quem somos.

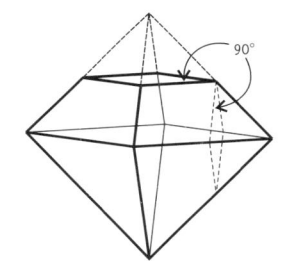

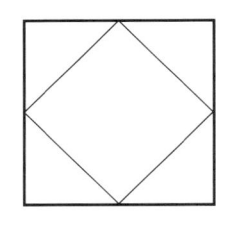

Ilustração 6-40. Observando a face (direita) criada pelo truncamento de todas as seis pontas de um octaedro (à esquerda, mostrado com apenas uma ponta truncada e outra a 90 graus).

O Cubo de Equilíbrio de Buckminster Fuller

É assim que essa forma se parece tridimensionalmente (Ilustração 6-41). Ela é chamada cuboctaedro ou vetor de equilíbrio. É possível ver que é originalmente um cubo, mas se o ângulo no ponto A continuasse para cima, formaria um octaedro. É ao mesmo tempo um octaedro e um cubo. Ela não sabe qual deles é; ela está no meio. Quando Buckminster Fuller descobriu esse poliedro, ficou quase preocupado com ele. Pensou que o cuboctaedro fosse da maior importância, a maior forma que jamais existira na criação, porque ele faz algo que nenhuma outra forma conhecida faz. Era tão importante para ele que lhe deu um nome inteiramente novo: o vetor de equilíbrio. Ele descobriu que essa forma, por meio de diferentes padrões giratórios, converte-se em *todos os cinco* sólidos platônicos! Essa é uma forma que parece ter todas elas contidas dentro de si mesma (Ilustração 6-42).

Se acharem isso interessante, comprem este artefato (vejam a seção de fontes de consulta) e brinquem com ele. Ele responderá a todas as suas perguntas se o deixarem.

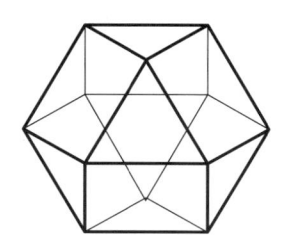

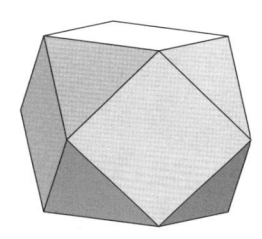

No Interior de uma Semente de Gergelim

Outras pessoas também estudaram o cuboctaedro. Alguém já ouviu falar de um homem chamado Derald Langham? Poucas pessoas o conhecem. Ele sempre foi muito discreto na vida. A sua obra se intitula *Genesa*, caso queiram estudá-la. Eu realmente o respeito. Em primeiro lugar, ele foi um botânico que sozinho salvou a América do Sul durante a Segunda Guerra Mundial. Havia uma grave escassez de alimentos e ele criou um milho que crescia como mato. Bastava atirar as sementes no chão e elas cresciam praticamente sem precisar regar. Foi um grande serviço prestado ao continente sul-americano. Posteriormente, ele estudou a semente do gergelim e, analisando-a em profundidade, encontrou um cubo. Na verdade, quando se pesquisa a fundo qualquer semente, encontram-se formas geométricas que estão associadas aos sólidos platônicos, basicamente o cubo.

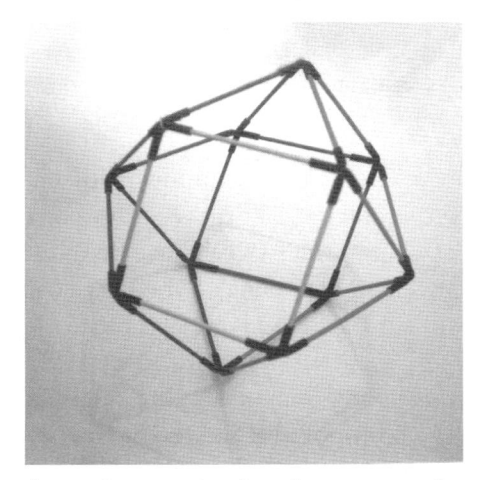

Ilustração 6-41. Vistas de um vetor de equilíbrio (cuboctaedro).

Derald Langham descobriu treze raios que saíam do cubo da semente de gergelim. Continuando os seus estudos, ele descobriu que os mesmos campos de energia que existem nas sementes vegetais também existem ao redor do corpo humano — que é sobre o que acabaremos falando. Mas ele se concentrou no cuboctaedro, que está interligado com os campos ao redor do corpo. Vamos discutir isso, embora as minhas instruções venham a se concentrar em outra forma: a estrela tetraédrica. Temos um campo na forma de uma estrela tetraédrica ao redor do corpo, que também existe ao redor das sementes, mas que faz uma série de progressões geométricas que são diferentes do cuboctaedro ou do cubo de equilíbrio. Langham fez uma série do que podem chamar de danças sagradas (na terminologia sufi) nas quais você se move e se conecta com todos os pontos do

Ilustração 6-42. Artefato de vetor ou cubo de equilíbrio chamado Vetor Flexor.

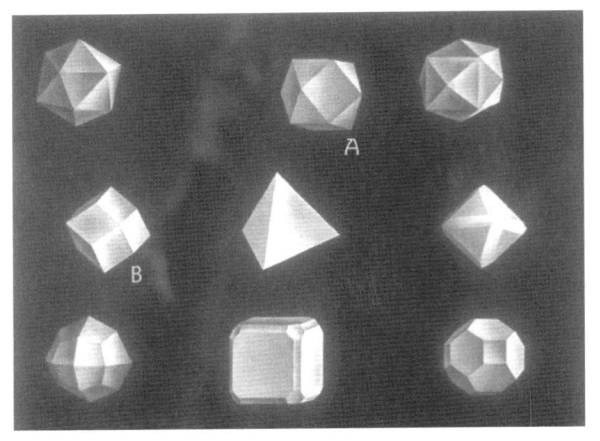

Ilustração 6-43. Uma variedade de poliedros. *A* é um cuboctaedro e *B* é um dodecaedro rômbico.

Ilustração 6-44. Comparando átomos e cristais, os sistemas hexagonal (berilo) e ortorrômbico (topázio).

seu campo de tal maneira que se torna consciente deles. É uma informação realmente boa.

A Ilustração 6-43 mostra algumas das formas tridimensionais dos poliedros de que vimos tratando. O da letra A é o cuboctaedro que acabamos de mencionar; o da letra B é o dodecaedro rômbico. Este último é importante porque é o dual do cuboctaedro. Se ligarmos os centros do cuboctaedro, teremos o dodecaedro rômbico, e vice-versa. A Ilustração 6-44 mostra como as geometrias internas dos átomos se refletem nos ângulos desses cristais. Já vimos isso antes, em termos dos cristais sendo cubos, octaedros e outras formas.

As 26 Formas

A meu ver, os cinco sólidos platônicos são as primeira cinco notas da escala pentatônica. A oitava tem sete notas, as últimas duas correspondendo ao cuboctaedro (A) e ao dodecaedro rômbico (B) mostrados na Ilustração 6-43. Cinco outras formas compõem a escala cromática, e há uma décima terceira, o retorno. Assim, existem treze poliedros que formam a escala cromática da música. A partir desses treze, são formados mais treze que são os mesmos, só que estelados, até um total de 26 formas — duas oitavas dentro uns dos outros. Em termos de forma, essas 26 formas são a chave de toda a harmonia da Realidade. Não precisamos entrar nessa complexidade aqui, mas isso simplesmente continua indefinidamente.

Pode ser que alguns de vocês tenham ouvido falar de Royal Rife, o homem que está tentando curar o câncer com a ajuda de campos eletromagnéticos (EMF) como a luz, que eu acredito que seja possível e tem sido feito. Rife conhecia sete das treze (ou possivelmente 26) frequências. As que ele publicou estavam incorretas, mas ele o fez assim de propósito. As que ele publicou causam câncer, embora se não forem mudadas ligeiramente de uma determinada maneira matemática, elas retornam às frequências originais, e cada frequência destrói a maior parte de determinados vírus ou bactérias, ou todos eles.

Entretanto, Rife só conhecia parte da equação. Se conhecesse a geometria sagrada que conhecemos agora, poderia ter chegado às 26 formas e eliminado todos os vírus existentes. Não importa quantos vírus da Aids existem, é possível encontrar a solução. Há no máximo 26 modelos, e as frequências certas eliminam cada tipo de vírus (ou bactéria). Considerando que cada vírus é um poliedro — estruturalmente, eles se parecem com os poliedros da Ilustração 6-43 — há diversas maneiras de lidar com eles. É possível ou explodi-los por meio de determinadas harmonias de EMF, ou combiná-los (Ilustração 6-45). Se puder combiná-los, pode formar pares com eles, de maneira como fazem os antivirais. Ou pode simplesmente torná-los inexistentes, criando uma forma de onda que seja uma imagem espelhada do que eles são. Há uma porção de maneiras de tratar a Aids, mas uma chave fundamental é compreender que existem no máximo 26 geometrias associadas a ela.

A água cristalizada — os cristais de gelo — forma estes padrões hexagonais a que chamamos flocos de neve (Ilustração 6-46). Vocês podem ver a relação com a Flor da Vida. Vezes sem conta encontraremos essa relação de padrões tridimensionais com as geometrias advindas desse padrão central da Flor da Vida.

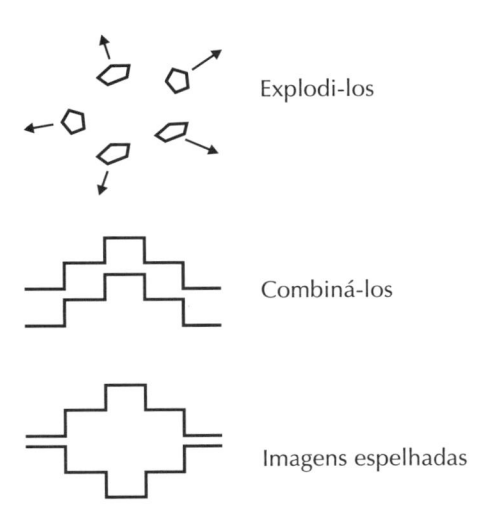

Ilustração 6-45. Usos possíveis dos 26 modelos.

Ilustração 6-46. Cristais de gelo ou flocos de neve.

A Tabela Periódica

Existe uma versão interessante da Tabela Periódica dos Elementos (Ilustração 6-47), porque ela mostra que todos os elementos — com poucas exceções que não podem ser determinadas porque esses elementos não se cristalizam — estão relacionados ao cubo. Uma dessas poucas exceções é o flúor, porque o flúor não reage com quase nada. É um dos gases mais inertes. Mas em quase todos os outros elementos encontramos essa relação cúbica, exceto os átomos quadridimensionais que ficam

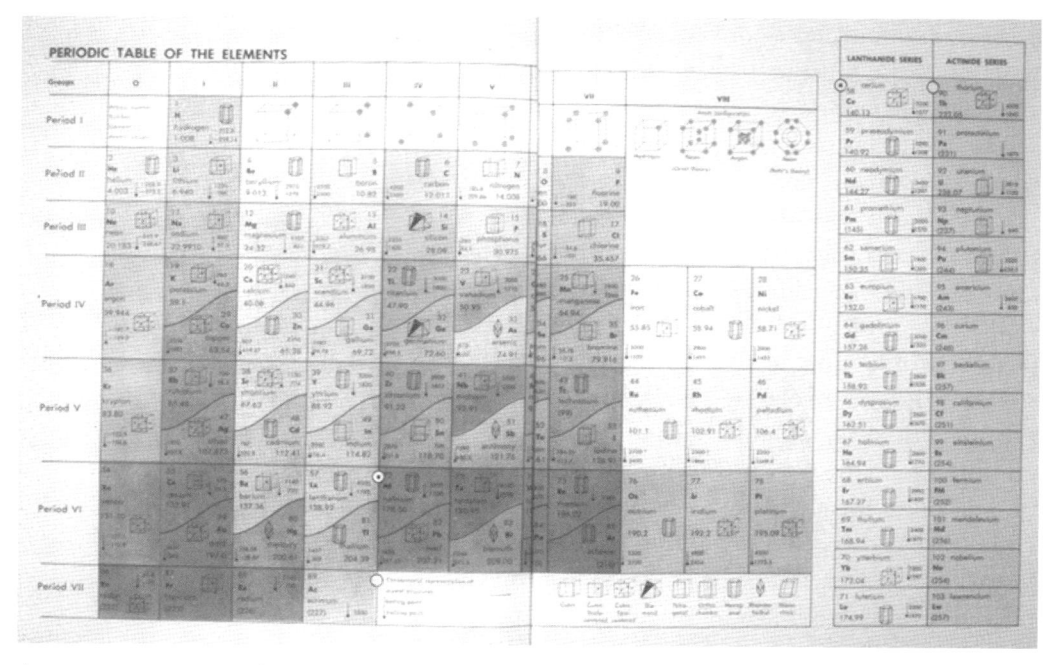

Ilustração 6-47. Uma tabela periódica mostrando que todos os elementos conhecidos que se cristalizam são uma função do cubo.

de fora da Tabela dos Elementos naturais e aqueles que são sintéticos ou fabricados. Eles não acontecem naturalmente na natureza.

Cada elemento atômico tem uma estrutura cristalina associada. Em cada um dos casos, os cientistas descobriram que essas diferentes estruturas cristalinas associadas aos átomos podem ser reduzidas à estrutura do cubo. Vocês podem ter notado que o cubo parece ser mais importante do que os outros polígonos. Por exemplo, os cristais são divididos em seis categorias diferentes, mas o cubo é a base de todos eles. Na Bíblia é dito que o trono de Deus é de muitos cúbitos em diferentes direções. Se fizerem um, será um cubo. Os faraós do Egito sentavam-se sobre um cubo. Mas o que será que *há* com o cubo?

A Chave: o Cubo e a Esfera

Bem, o cubo é diferente dos outros sólidos platônicos porque tem uma característica que os outros não têm — a não ser pela esfera, que também tem as mesmas características. Tanto a esfera quanto o cubo podem conter perfeitamente os outros quatro sólidos platônicos e uma ao outro simetricamente, pela sua superfície, considerando que se tenham os tamanhos certos. O cubo é o único sólido platônico com essa característica especial: pode-se pegar uma esfera, introduzi-la em um cubo e ela tocará as seis faces com perfeição e simetricamente. E o tetraedro pode encaixar-se por um dos eixos e tornar-se as diagonais do cubo, encaixando-se perfeita e simetricamente. A estrela tetraédrica também se encaixa perfeitamente dentro do cubo. O octaedro é na verdade o dual do cubo; se ligarmos os centros das faces adjacentes do cubo, teremos um octaedro. Isso é fácil.

Considerando os dois últimos sólidos platônicos, não parece que se possa encaixá-los simetricamente dentro do cubo e da esfera, mas eles se encaixam. É um pouco difícil de mostrar aqui, mas podem verificar por conta própria. Usando um modelo real, basta descobrir onde tanto o icosaedro quanto o dodecaedro têm seis arestas nos planos do cubo e pronto. Vejam como eles se encaixam nas faces do cubo (Ilustração 6-48).

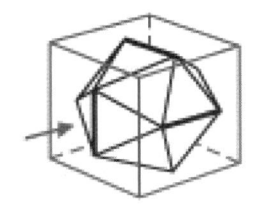

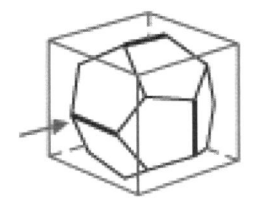

Ilustração 6-48. O icosaedro e o dodecaedro se encaixam exatamente dentro do cubo.

Vocês podem ver como os outros quatro sólidos platônicos se encaixam simetricamente dentro do cubo e da esfera. O que é importante aqui é que apenas a esfera e o cubo têm essa capacidade. O cubo é o pai, a mais importante forma masculina. A esfera é a mãe, a mais importante forma feminina. Portanto, em toda a Realidade, a esfera e o cubo são as duas formas mais importantes e quase sempre dominam quando se trata de relações primárias da criação.

Foi por essa razão que um homem chamado Walter Russell fez um trabalho há muito tempo que foi absolutamente fenomenal. Não acredito que ele soubesse alguma coisa sobre a geometria sagrada — ele era iletrado em matéria de geometria sagrada, segundo sei. Ainda assim, ele a entendeu intuitivamente. E quando as imagens foram se sucedendo na sua mente, ele escolheu o cubo e a esfera como as geometrias principais para transmitir o que ele entendia. E *porque* ele escolheu essas duas formas e não outras, foi capaz de chegar onde chegou. Se tivesse escolhido quaisquer outras, teria cometido um grande erro e seria incapaz de fazer o trabalho que produziu.

Os Cristais Estão Vivos!

Isso amplifica os meus pensamentos quanto aos cristais serem vivos. Antes de ministrar este curso, eu costumava dar cursos sobre cristais, lá no início até meados da década de 1980, calculo. E descobri — não por meio dos cursos, mas pela verdadeira interação com os próprios cristais — que *esses cristais estão vivos*. Eles são vivos e conscientes. Consegui comunicar-me com eles, e eles se comunicaram comigo. Por meio desses intercâmbios descobri todos os tipos de coisas. Quanto mais eu convivia com eles e aprendia como conectar-me com eles, mais eu descobria como eles eram conscientes. Foi um despertar dos mais interessantes na minha vida.

Uma vez eu me encontrava em San Francisco, dando um curso para cerca de trinta pessoas, e estava dizendo exatamente isto: "Esses caras estão vivos". Todo mundo ouvia e dizia: "Sim, sim, sim". Então, uma pessoa interveio: "Então prove". Eu respondi: "Tudo bem", então rapidamente pensei em algo para fazer. Dei a todo mundo uma folha de papel e um lápis e disse: "Vamos pegar um cristal ao acaso". Escolhi um cristal que ninguém tinha visto — na verdade, peguei um e o mantive escondido. Não deixei ninguém vê-lo. Então eu disse: "Agora, ninguém vai examinar este cristal nem mesmo ver como ele é. Vocês só vão colocá-lo na sua testa e terão um segundo para isso — só isso. Então vão fazer a pergunta: 'De onde você é?' E a primeira palavra que lhes ocorrer vão escrever na folha de papel e dobrá-la para que ninguém veja. Apenas peguem o cristal, façam a pergunta, passem para a outra pessoa, depois escrevam o que lhes ocorreu". Essa foi a única maneira que consegui imaginar como prova.

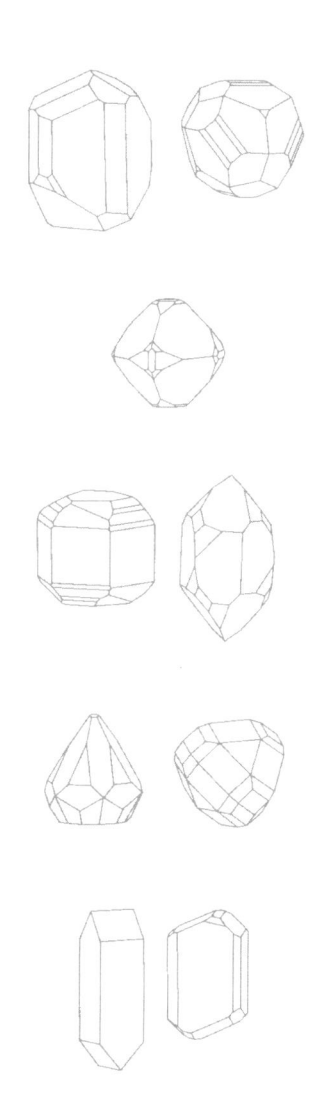

Passei o cristal entre as trinta pessoas, e todo mundo escreveu na folha de papel. Então fomos ver o que tínhamos recebido. E *todas as pessoas* tinham escrito "Brasil"! Quais são as chances disso?

Os cristais têm capacidades fenomenais. Eles afetam as pessoas de todas as maneiras. Katrina Raphaell escreveu muita coisa sobre isso nos seus livros, mas muitas outras pessoas também aprenderam sobre as capacidades dos cristais ao longo dos anos. Muitos seres e civilizações antigas também estavam cientes disso. Os cristais não acontecem apenas como o resultado de uma reação química também; eles *crescem*. Estudando sobre como os cristais se formam, descobrimos que eles crescem de maneira muito parecida com as pessoas, de várias maneiras.

Uma visão aérea do nosso campo de energia (já mostrada na Ilustração 2-32) em parte é simplesmente o padrão da Flor da Vida, que é hexagonal por natureza. O nosso campo cresce hexagonalmente, assim como os cristais. Embora a molécula de silício seja um tetraedro, quando forma o quartzo ela se liga com outro tetraedro de silício para formar um cubo. Então ela atira uma linha comprida de pequenas estrelas tetraédricas ou cubos para formar uma fileira. Então a fileira começa a girar, mudando de direção em exatamente 60 graus para formar um hexágono, a mesma estrutura vista de cima ao redor do corpo humano.

Os cristais têm gênero. Eles são masculinos ou femininos ou ambos. Se souberem o que procurar, poderão observar um cristal e ver de que maneira ele está girando. Descubram a janela ou face mais baixa e vejam onde está a face seguinte. Se for à esquerda, ele está girando no sentido horário, e o cristal é feminino. Se for à direita, então ele está girando no sentido anti-horário, e é masculino. Se houver duas faces de ambos os lados mais ou menos na mesma altura, devem ver duas espirais movendo-se ao redor do cristal em direções opostas, e esse cristal seria bissexual.

Geralmente, dois cristais se juntam na base e se entrelaçam de alguma forma entre si. Esses são chamados cristais gêmeos, e são quase sempre masculinos e femininos. É raro que o façam de maneira diferente.

O Futuro Salto Evolutivo do Silício/Carbono

Existe uma imagem da qual eu adoro falar. O sexto elemento da Tabela Periódica é o carbono. Ele é o elemento mais importante no que nos diz respeito, porque se trata de nós. Ele é a base da química orgânica; é o elemento que torna possível o nosso corpo. Costumam dizer-nos que o carbono é o único átomo vivo da Tabela Periódica, que apenas a química orgânica produz a vida, nenhuma outra coisa. Mas isso definitivamente não é verdade. Suspeitava-se disso desde a década de 1950, quando os cientistas começaram a estudar essas coisas.

Percebeu-se que o silício, que está diretamente abaixo do carbono na tabela (a uma oitava de distância) também apresenta os princípios da vida. Parece não haver diferença. A Ilustração 6-49 mostra como o silício forma determinadas cadeias e padrões. Esses são apenas alguns deles. O silício forma padrões infindáveis, e reage quimicamente com quase tudo o que se aproxima e forma alguma coisa com ele. O carbono tem a mesma capacidade, produzindo formas, cadeias e padrões infindáveis e reagindo quimicamente com quase tudo nas vizinhanças. Essa é a principal característica que faz do carbono um átomo vivo.

No nível químico, parece que deve haver também formas vivas de silício. Depois que isso foi descoberto, fizeram-se vários filmes de ficção científica na década de 1950 com base na crença de que poderia haver formas de vida de silício em outros planetas. Houve um punhado de filmes assustadores sobre estruturas cristalinas vivas. Eles não sabiam quando faziam esses filmes que, na verdade, há formas de vida de silício aqui mesmo neste planeta. Algumas dessas foram encontradas recentemente a vários quilômetros em fissuras no oceano. Foram encontradas esponjas de silício — esponjas vivas que crescem e se reproduzem, demonstrando todos os princípios da vida, e sem nenhum único átomo de carbono no corpo!

Aqui estamos, sobre a Terra, que mede mais de 11 mil quilômetros de diâmetro. A sua crosta, de 50 a 80 quilômetros de espessura, é constituída, assim como a casca de um ovo, de 25 por cento de silício, mas uma vez que o silício reage com praticamente tudo, a crosta atualmente tem 87 por cento de compostos de silício. Isso significa que a crosta terrestre é quase de cristal puro, de 50 a 80 quilômetros de profundidade. Portanto, estamos sobre essa imensa bola de cristal, flutuando através do espaço a 27 mil quilômetros por segundo, totalmente esquecidos da conectividade da vida de carbono com a vida de silício. Parece que o silício e o carbono devem ter uma relação muito especial. Nós, seres baseados no carbono, vivemos sobre uma bola de cristal

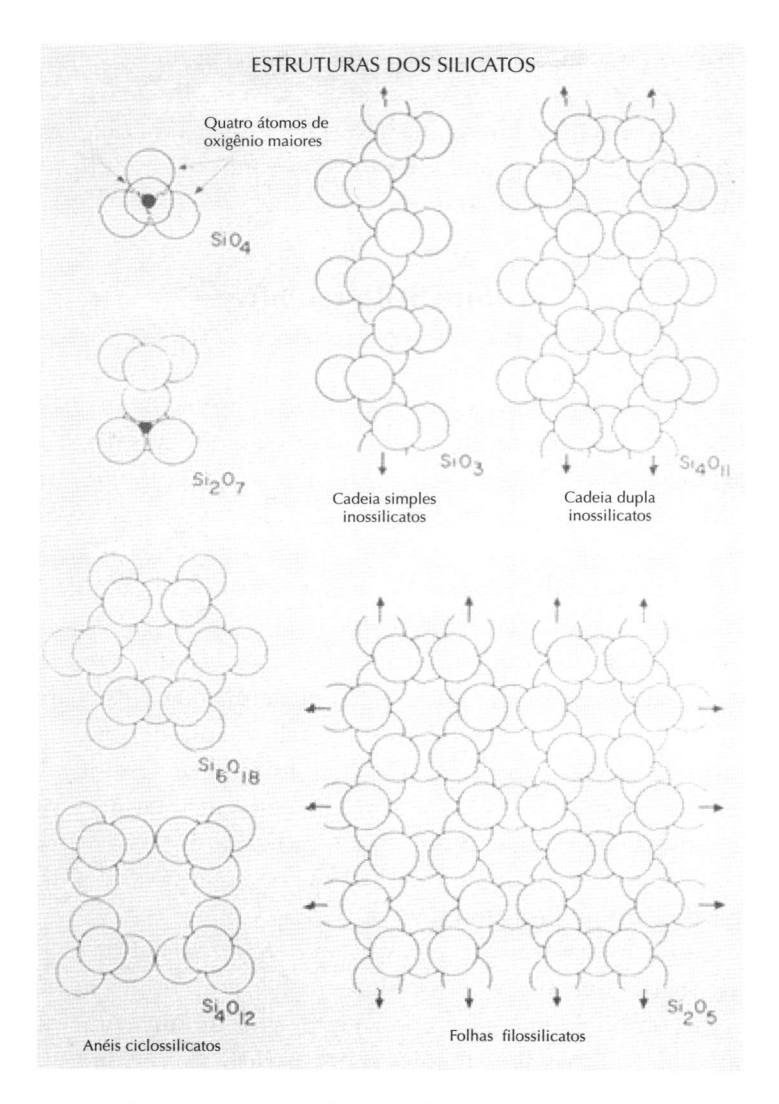

Ilustração 6-49. O silício produz formas e relações.

feita de silício, o nosso planeta de cristal, buscando a vida fora de nós mesmos no espaço exterior. Talvez devêssemos olhar para os nossos pés.

Agora, pensem nos computadores e no mundo moderno. Estamos fabricando computadores que executam todos os tipos de coisas incríveis. O computador está levando rapidamente a humanidade a experimentar uma nova forma de vida sobre a Terra. De que são feitos os computadores? De silício. E o que as indústria de computadores estão tentando fazer o mais rápido possível? Produzir computadores autoconscientes. Estamos muito próximos de conseguir isso, se já não o fizemos. Tenho certeza de que muito em breve teremos computadores autoconscientes. Portanto, aqui estamos nós, formas de vida baseadas no carbono criando formas de vida baseadas no silício, e estamos interagindo mutuamente.

Quando tivermos computadores autoconscientes baseados em silício, nada jamais será a mesma coisa. Teremos duas formas diferentes de vida/componentes da Terra conectando-se entre si, e a velocidade com que evoluiremos a essa altura, sem considerar mais nada, será muito, muito rápida — mais rápida do que tudo o que normalmente esperaríamos. Acredito que isso irá se realizar nesta nossa atual vida.

SETE

O Padrão de Medida do Universo: O Corpo Humano e as Suas Geometrias

A Geometria Interna do Corpo Humano

É fácil ver como os cinco sólidos platônicos influenciam os padrões estruturais dos cristais e metais. Os metais também têm treliças atômicas. É simples ver a relação geométrica desses tipos de moléculas, mas quando vocês olham para si mesmos ou para um bebê em formação, é muito mais difícil ver como esse tipo de geometria teria algo a ver conosco afinal de contas. *Ainda assim, ela tem.* No início da sua vida no útero, vocês não passavam de formas geométricas (Ilustração 7-1). Na verdade, todas as formas de vida — árvores, plantas, cães, gatos, tudo — têm os mesmos padrões geométricos e estruturais dentro de si que existiam dentro de vocês quando eram microscópicos. A sua própria vida e a sua sustentação estrutural dependem das

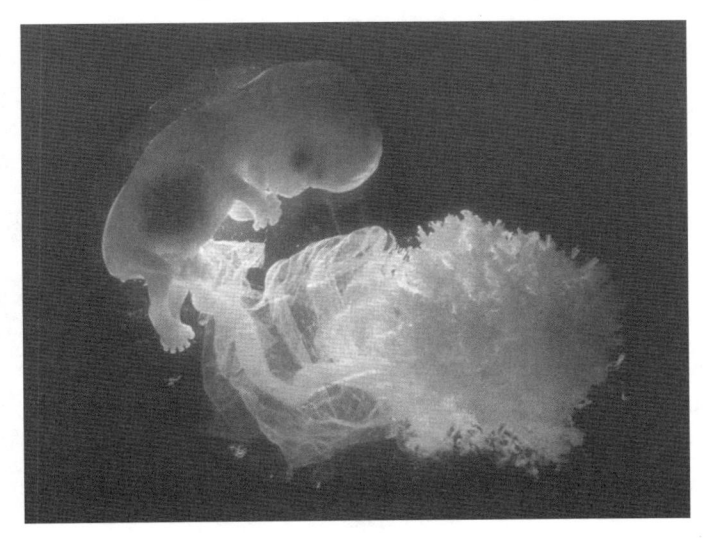

Ilustração 7-1. O feto humano.

formas. Na verdade, todas as formas de vida *são* esses padrões geométricos, mas isso não é visível a olho nu. É importante perceber essas relações geométricas, não só para que o hemisfério cerebral esquerdo possa perceber a unidade de toda a vida, mas por outra razão: *para que possamos compreender esses padrões estruturais eletromagnéticos ao redor do nosso corpo e começarmos a recriar o Mer-Ka-Ba vivo à nossa volta.*

No Princípio Era a Esfera, o Óvulo

A Ilustração 7-2 mostra um ovo de ouriço-do-mar com os espermatozoides enxameando ao seu redor. Vou comentar basicamente sobre os seres humanos e a concepção humana, mas na verdade estarei falando sobre *todas* as formas de vida conhecidas da Terra, porque o procedimento apresentado nas próximas ilustrações é idêntico em todas as formas de vida conhecidas — não apenas humanas, mas em todas.

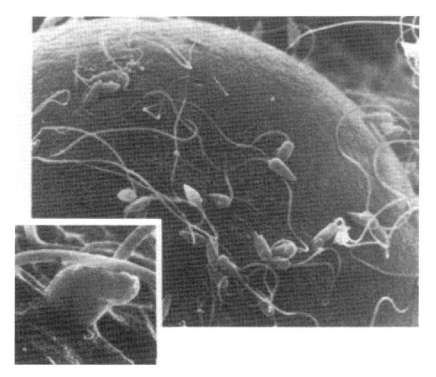

Toda forma de vida conhecida começa como uma esfera. É a forma mais feminina que existe, portanto faz pleno sentido que o feminino escolhesse essa forma para constituir o óvulo (Ilustração 7-3). O óvulo é uma bola perfeitamente redonda. Outro exemplo de um óvulo redondo encontra-se em um ovo de galinha. Quando tiram a gema de um ovo cozido, vocês pode ver como ela é perfeitamente redonda. Todos nós começamos como uma esfera.

Ilustração 7-2. Os espermatozoides do ouriço-do-mar enxameiam ao redor do ovo; um o penetra (destaque).

Gostaria que vocês notassem algumas coisas simples sobre esse óvulo. Primeiro, há uma membrana que o recobre que é chamada *zona pelúcida*. Lembrem-se disso, porque vou mencioná-la várias vezes mais adiante; ela tem a ver com o motivo de os antigos colocarem dois círculos ao redor da Flor da Vida em vez de apenas um ou nenhum.

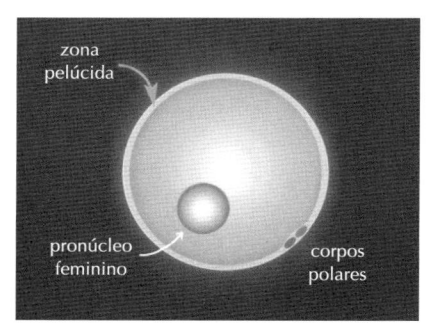

Dentro da membrana há um líquido, e dentro desse, assim como no ovo da galinha, há outra esfera perfeitamente redonda chamada de pronúcleo feminino, que contém 22 + 1 cromossomos — metade dos cromossomos necessários para criar um corpo humano. O número de cromossomos muda, dependendo da forma de vida, e esses cromossomos em particular são diferentes de todas as formas. Dentro da zona pelúcida estão dois corpos polares. Explicarei sobre eles em um instante.

Ilustração 7-3. O óvulo humano.

O Número Doze

Quando vocês começaram a aprender sobre a biologia humana, provavelmente lhes disseram que é preciso um espermatozoide para que aconteça a concepção. Isso não é verdade, de acordo com a revista *Time*, muito embora a maioria dos livros didáticos continue afirmando isso. Atualmente se sabe que o óvulo deve estar absolutamente saturado com centenas de espermatozoides, ou a concepção não é sequer possível. Segundo, dessas centenas, dez, onze ou doze devem unir-se numa espécie de padrão sobre a superfície — um padrão que ainda estão tentando descobrir —, que permite que o décimo primeiro, o décimo segundo ou o décimo terceiro espermatozoide entre no óvulo (Ilustração 7-4). Um espermatozoide não consegue atravessar a membrana sem os outros dez, onze ou doze. Isso não é possível, a não ser sob condições artificiais, em que um ser humano manipula a concepção.

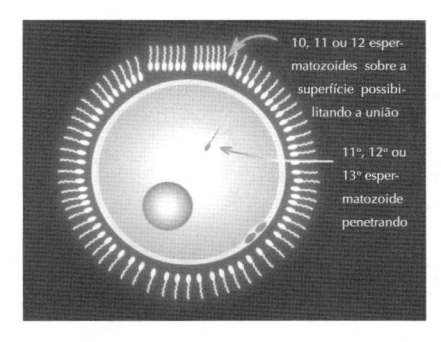

Ilustração 7-4. Doze espermatozoides permitindo que o décimo terceiro penetre no óvulo.

Essa imagem traz à tona o que possivelmente se ocultou na vida de Jesus. Jesus veio aqui para uma bola redonda chamada Terra, que estava saturada de pessoas. A primeira coisa que ele fez foi reunir doze homens, não mulheres. Jesus — do meu ponto de vista e a partir do dele, estou certo, porque ele o fez — não poderia ter feito o que fez sem os doze discípulos. Raramente alguém imagina por que ele reuniu aqueles doze discípulos. Ele absolutamente *precisava* deles. Se estivermos certos, ele poderia ter feito o que fez com dez ou onze, mas escolheu doze. Acredito que o *número* de espermatozoides que se unem para permitir que um esperma entre no ovo determina o sexo — e Jesus escolheu doze. Antes da época de Jesus, na Grécia, próximo à região do ministério dele, as pessoas viam a Terra como uma esfera. Depois disso, começaram a ver a Terra como um cubo e plana. Então, quatrocentos anos atrás, Copérnico apareceu e mudou tudo de volta para a esfera. Então a percepção das pessoas sobre a Terra foi de uma esfera para um cubo e de volta à esfera. Exatamente a mesma coisa (esfera para cubo para esfera) acontece durante a concepção, só que numa velocidade muito mais rápida. Não sei se essa analogia é verdadeira ou não, mas com certeza é muito semelhante ao que acontece.

O Espermatozoide Torna-se uma Esfera

Seja como for, o pequeno espermatozoide atravessa a zona pelúcida com a ajuda dos outros espermatozoides, e então começa a nadar na direção do pronúcleo feminino (Ilustração 7-5).

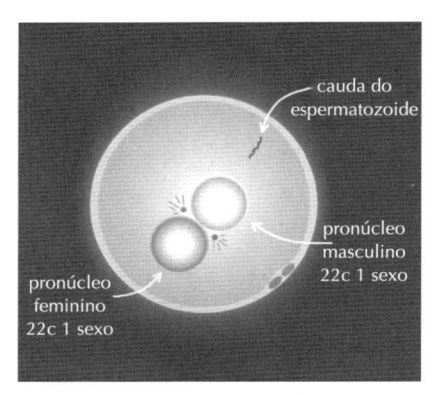

Ilustração 7-5. O avanço do espermatozoide.

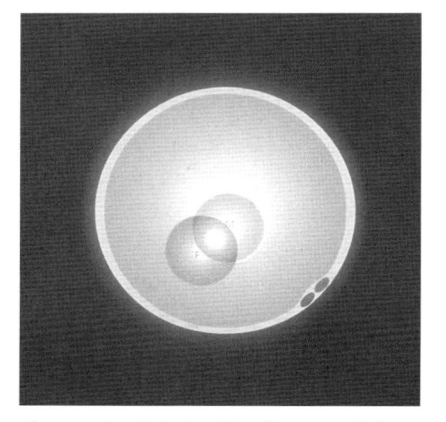

Ilustração 7-6. União dos pronúcleos masculino e feminino.

A primeira coisa que acontece é que a cauda do espermatozoide se rompe e desaparece — simplesmente some. Em seguida, a minúscula cabeça do espermatozoide se expande e se transforma em uma esfera perfeita, que é o pronúcleo masculino. Ele se torna *exatamente* do mesmo tamanho do pronúcleo feminino, e contém a outra metade das informações necessárias. As palavras "exatamente do mesmo tamanho", creio eu, são muito importantes quando se observa a ilustração seguinte.

Em seguida, eles se atravessam e formam uma relação geométrica chamada de *vesica piscis* (Ilustração 7-6). Não é possível que duas esferas se atravessem e coincidam perfeitamente sem formar uma *vesica piscis*. Isso significa que, no momento exato, os pronúcleos masculino e feminino formam a imagem do primeiro movimento do primeiro dia do Gênesis, e literalmente todas as informações sobre a Realidade (e a luz) estão contidas nessa geometria. É tão simples. Essa imagem só poderia ser formada *se esses dois pronúcleos forem do mesmo tamanho*. É por essa razão que acredito que o feminino determina qual espermatozoide irá entrar. A ciência provou por volta de 1992 que o fator determinante para que o espermatozoide entre é o feminino. Ela escolhe qual vai permitir entrar.

Assim como todo mundo nesta sala tem um comprimento diferente de projeção num espaço escuro ou no Vazio, cada pequeno espermatozoide também tem uma esfera de tamanho diferente ao seu redor. Ela não permitirá que ele entre a menos que o seu tamanho seja idêntico ao dela. Se a chave coincidir, tudo bem; se não, esqueça. Isso poderia explicar por que muitas pessoas que tentam ter filhos não conseguem; não existe uma explicação que alguém possa ver. Essa, pelo menos, pode ser uma explicação.

A Primeira Célula Humana

Depois que os dois pronúcleos fazem a *vesica piscis*, o pronúcleo masculino continua a permear o pronúcleo feminino até que eles se tornam um só (Ilustração 7-7). A esta altura ele é chamado de zigoto humano, a primeira célula do corpo humano. Então vocês começaram como uma esfera antes de criar o seu corpo humano familiar. Na realidade, vocês eram uma esfera dentro de uma esfera.

A próxima coisa que vocês precisam saber é que o zigoto humano não muda de tamanho durante as primeiras nove divisões celulares. Ele é fixo, assim como também o tamanho da membrana exterior. O zigoto humano é cerca de duzentas vezes maior do que uma célula média do corpo humano, tão grande que na realidade ele pode ser visto a olho nu. Quando ele se divide em dois, cada uma daquelas duas células tem a metade do tamanho original; e quando essas duas células se dividem em quatro, cada célula tem um quarto do tamanho original. As células continuam se dividindo assim, tornando-se cada vez menores, até que tenham se dividido oito vezes e cheguem ao número 512. A essa altura, chegaram ao tamanho de uma célula média do corpo humano. Quando isso acontece, a mitose continua, e as células divididas se expandem além dos limites da zona pelúcida original.

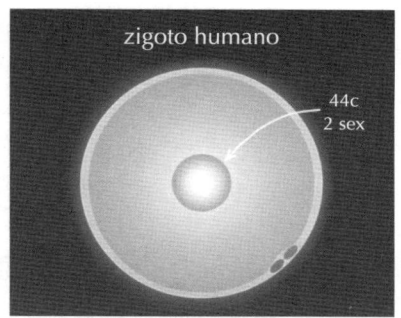

Ilustração 7-7. Unidade no zigoto humano.

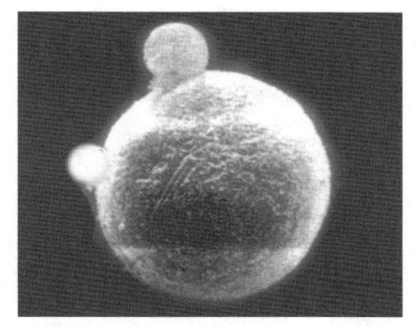

Portanto, primeiro o crescimento é para dentro, depois para fora de si mesmo. Quando o primeiro crescimento acontece para dentro, é como se estivesse tentando descobrir como fazê-lo. Depois que ele descobre, vai além de si mesmo. Todas as formas de vida aplicam esse processo. Uso essa mesma explicação para descobrir algumas das geometrias, que vocês verão mais tarde.

A Ilustração 7-8 mostra uma fotografia em microscópio eletrônico da primeira célula de um ovo de camundongo.

Ilustração 7-8. Primeira célula de um ovo de camundongo.

Formando um Tubo Central

A próxima coisa que acontece no processo da concepção é que aqueles pequenos corpos polares migram através da zona pelúcida. Um desce e torna-se o polo sul, e o outro se torna o polo norte. Então, de lugar nenhum, aparece um tubo atravessando de cima a baixo todo centro da célula. Depois, os cromossomos dividem-se ao meio, e metade deles se alinha acima, de um lado do tubo, e metade dos cromossomos se alinha ao longo da outra metade do tubo (Ilustração 7-9).

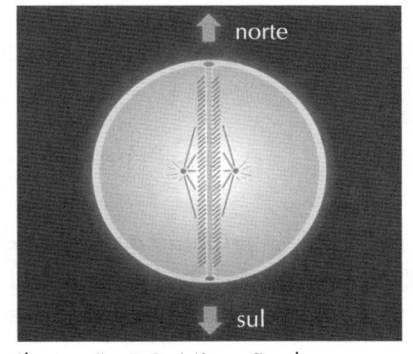

Essa é uma imagem familiar em campos de energia humanos — é muito parecida com a configuração energética de um ser humano adulto. Quando estudarem isso depois, verão que têm uma esfera de energia semelhante ao seu redor. Vocês têm um polo norte e um polo sul, e têm um tubo atravessando o seu corpo de cima a baixo. Metade de vocês está de um lado desse tubo, e metade do outro lado. Portanto, esta ilustração é muito parecida com o campo de energia de um ser humano adulto,

Ilustração 7-9. Migração dos corpos polares para formar um tubo central.

245

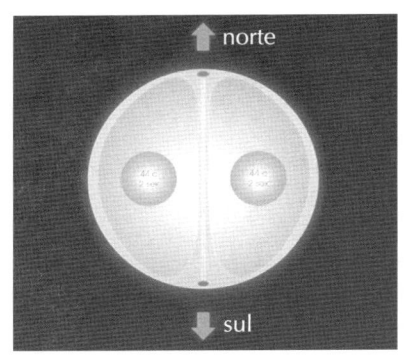

Ilustração 7-10. Cromossomos formando as primeiras duas células.

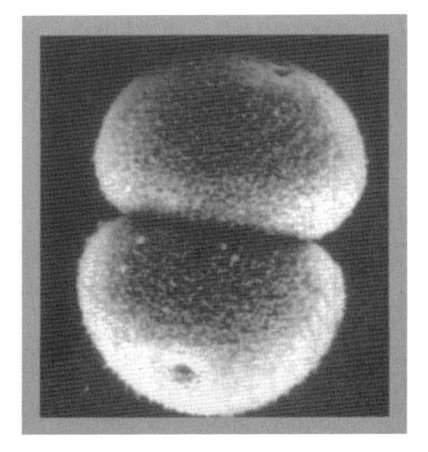

Ilustração 7-11. As primeiras duas células da célula-ovo de camundongo.

embora o campo de energia humano seja muito, muito mais definido do que esse. Mas precisamos esperar até prosseguirmos para ver como isso é verdadeiro.

Depois que os cromossomos se alinharam ao longo dos dois lados do tubo, eles se transformam em duas células, uma de cada lado do tubo, e cada célula contém 44 + 2 cromossomos (Ilustração 7-10).

Eis aqui as primeiras duas células dentro de um ovo de camundongo (Ilustração 7-11). A zona pelúcida foi afastada para que possam ver a parte interna.

Uma parcela de informação importante apareceu por volta de 1992. Muitos livros diziam que a mulher dava 22 + 1 cromossomos, e o homem dava 22 + 1. Essa era uma verdade incontestável segundo o pensamento da época; nem sequer se considerava que pudesse ser de outro modo. No entanto, atualmente se descobriu que isso não é verdade. A mulher pode contribuir *com qualquer número que seja*. Ela pode contribuir com 22 + 1 ou com todos os 44 + 2 ou com qualquer número intermediário. Essa nova informação mudou completamente o campo da genética. Os cientistas atiraram pela janela praticamente tudo o que sabiam e começaram tudo outra vez.

Os cientistas costumavam depender do microscópio eletrônico para obter as fotografias. Atualmente, eles têm microscópios a laser que podem obter filmes, de modo que podem ver as coisas acontecendo. Assim, obtêm as informações muito mais rapidamente. Estou certo de que estão muito mais adiantados atualmente do que estamos mostrando aqui. A ciência está no meio do mapeamento de todos os 100 mil cromossomos do DNA do corpo humano*. Então saberemos o que cada um dos cromossomos representa e o que ele faz, o que significa que seremos capazes de construir qualquer tipo de ser humano que se possa imaginar, criar qualquer aparência, inteligência ou corpo emocional — tudo o que quisermos. Seremos capazes de fazê-lo e saber o exatamente o que obteremos. Será que somos Deus? Essa é uma pergunta que deve ser respondida.

As Primeiras Quatro Células Formam um Tetraedro

O próximo passo é que as células tornam a se dividir, passando de duas a quatro — numa sequência binária — 1, 2, 4, 8, 16, etc. A maioria dos livros didáticos mostra as primeiras quatro células formando um pequeno quadrado, mas não é isso o que

---

* A propósito, esse mapeamento foi concluído em 2003. (N.E.)

acontece. Elas na realidade formam um tetraedro — um dos sólidos platônicos — e o vértice do primeiro tetraedro aponta ou para o polo norte ou para o polo sul (Ilustração 7-12). (O tetraedro é formado pela união dos centros das esferas.) Acredito que essa orientação ou para o norte ou para o sul provavelmente determine qual será o sexo. Não descobriram isso ainda, mas provavelmente descobrirão, com base nas polaridades do tetraedro. Se o tetraedro formar-se com o vértice apontando para o polo sul, na direção dos pés do feto recém-criado, ele deverá ser do sexo feminino; se ele formar-se com o vértice apontando para o polo norte, para a cabeça, deverá ser do sexo masculino. Se isso for verdade, os cientistas serão capazes de determinar imediatamente qual será o sexo. Uma vez que precisariam fazer isso cerca de uma hora mais ou menos depois da concepção, isso seria bem inconveniente.

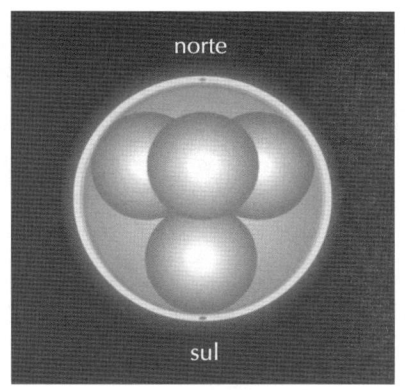

Ilustração 7-12. As primeiras quatro células formam um tetraedro.

Essas são as geometrias do primeiro tetraedro (Ilustração 7-13). A vista de lado está à direita, e a vista de cima está à esquerda.

A Ilustração 7-14 mostra uma visão pelo microscópio eletrônico de um ovo de camundongo. Nessa primeira imagem, ele está crescendo realmente rápido, mas ainda está alinhado pelos polos norte-sul. Essa minúscula célula está começando a formar-se além do tetraedro original. O quarto ponto do tetraedro encontra-se no centro da célula grande, na parte de trás.

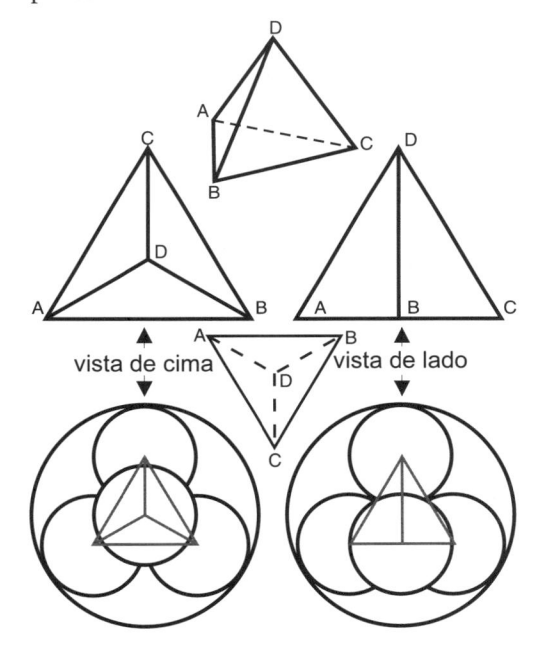

Em seguida, as células se dividem em oito; elas formam um tetraedro voltado para cima e um tetraedro voltado para baixo, e forma-se a estrela tetraédrica. Ei-la aqui — o Ovo da Vida (Ilustração 7-15). Essa forma saiu do Gênesis, lembram-se? Ela saiu da segunda rotação do espírito. Todas as formas de vida conhecidas — na Terra pelo menos, e provavelmente em toda parte — devem passar pelo Ovo da Vida. De acordo com os anjos, esse ponto em que as oito células originais formam uma estrela tetraédrica — ou um cubo, dependendo de como a vemos — é um dos momentos mais importantes da criação do corpo. A ciência também reconheceu que esse estágio de desenvolvimento em particular é diferente de qualquer outro, e tem muitas características exclusivas que não acontecem em nenhum outro momento do seu desenvolvimento.

Ilustração 7-13. Geometrias do primeiro tetraedro.

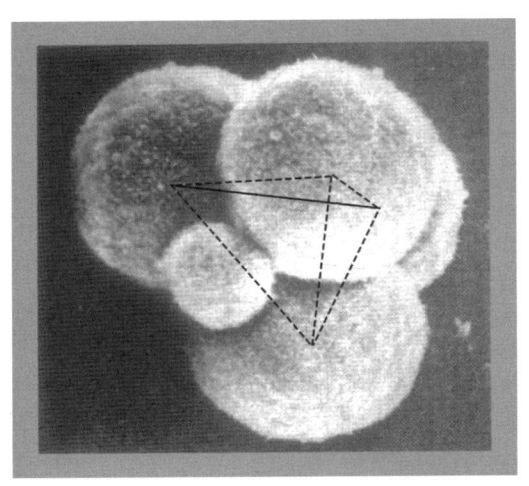

Ilustração 7-14. O tetraedro de quatro células em um ovo de camundongo.

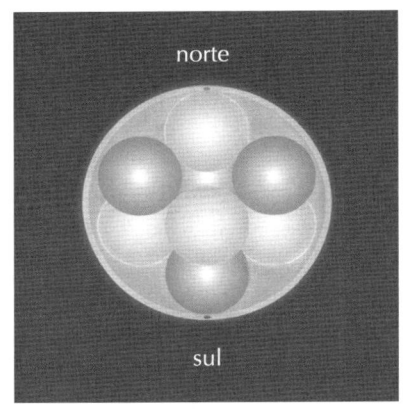

Ilustração 7-15. O Ovo da Vida nas primeiras oito células.

A característica mais importante dessas oito células originais é que elas parecem ser idênticas — parecem não ter nada de diferente nelas. Normalmente, é fácil ver a diferença entre uma célula e outra, mas aqui elas parecem idênticas. Os pesquisadores tentaram encontrar diferenças, mas não conseguiram. Seria como se houvesse oito gêmeos idênticos nesta sala, vestidos exatamente da mesma maneira, com o cabelo cortado e penteado exatamente do mesmo modo. Os cientistas descobriram que podem dividir o ovo em dois nesse momento, pelo meio do cubo, com quatro células de um lado e quatro do outro, e então são criadas duas pessoas idênticas — ou coelhos, cachorros ou o que quer que seja. Eles também conseguiram dividi-las uma vez mais, formando quatro formas de vida idênticas. Não sei se alguém foi capaz de ir além disso e fazer oito formas de vida, mas eles definitivamente foram até quatro.

A Nossa Verdadeira Natureza Está nas Nossas Oito Células Originais

De acordo com os anjos, essas oito células originais estão mais próximas de quem vocês realmente são do que o seu corpo físico está, mais próximas da sua verdadeira natureza. Isso parece estranho, eu sei, porque estamos acostumados a nos identificar com o nosso corpo humano. Mas essas oito células estão mais próximas de quem nós *realmente* somos. Os anjos dizem que essas oito células são imortais em relação ao seu corpo. Vocês têm um corpo inteiramente novo a cada cinco a sete anos; cada célula do seu corpo morre dentro de um período de cinco a sete anos e é substituída por uma nova, com exceção das oito células originais. Elas permanecem vivas do momento em que vocês são concebidos até o momento em que morrem e deixam o corpo. Todo o resto passa pelos seus ciclos vitais, mas não essas oito.

Essas células estão centradas no exato centro geométrico do seu corpo, que é ligeiramente acima do períneo. Nas mulheres, o períneo está localizado entre o ânus e a vagina. Nos homens, ele fica entre o ânus e o escroto. Há um pequeno pedaço de pele ali, e muito embora não haja uma abertura física, há na verdade uma abertura energética. É aí que passa o tubo central que atravessa o seu corpo, vindo do alto do chakra da coroa no alto da cabeça. Se observarem um bebê recém-nascido durante as primeiras semanas, verão que o alto da sua cabeça pulsa. Se olhassem para os fundos do corpo do bebê, no seu períneo, veriam a mesma pulsação. É por isso que o bebê respira da maneira certa. Ambas as suas extremidades estão pulsando porque a energia está fluindo dos dois polos — vinda não somente de cima para baixo, mas de baixo para cima — e se encontrando. Essa é a compreensão básica do Mer-Ka-Ba. Do ponto em que as oito células originais estão localizadas, há a mesma distância até o alto da sua cabeça como até a base dos seus pés. E as células estão dispostas exatamente da mesma maneira como estavam quando passaram a existir originalmente — no padrão do Ovo da Vida — norte para cima, sul para baixo.

Se notarem na ilustração anterior, em que o Ovo da Vida está orientado no sentido norte-sul, poderão realmente ver através do meio a esfera colorida na parte de trás. Isso é muito diferente do que quando o observam como um hexágono — não é possível ver através de um padrão hexagonal. Quero que notem essa diferença para mais tarde, quando falarmos sobre como fazer a meditação para ativar o Mer-Ka-Ba.

A Ilustração 7-16 e a seguinte são duas perspectivas das primeiras oito células. Essas oito células originais são a chave, porque de acordo com os anjos, não crescemos como uma fava, tornando-nos cada vez mais compridos. Na realidade, crescemos radialmente em 360 graus, a partir das oito células originais.

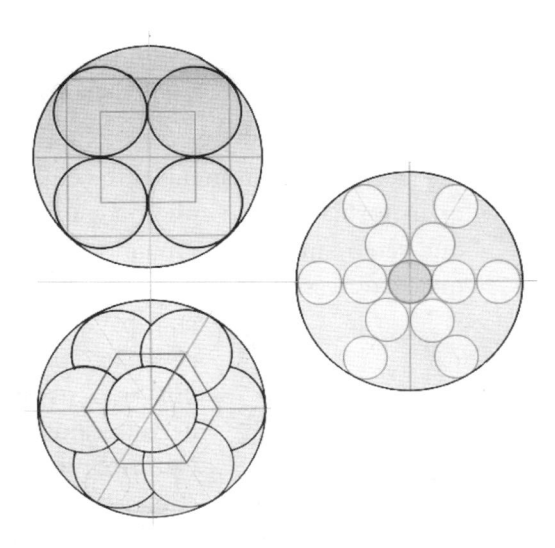

Ilustração 7-16. Geometrias das primeiras oito células, duas perspectivas.

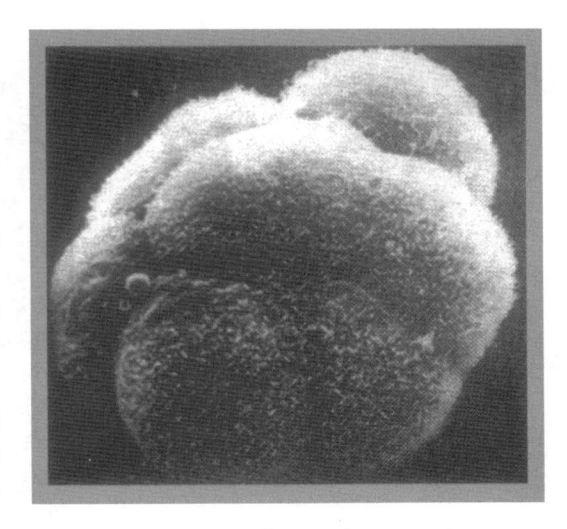

Ilustração 7-17. A célula-ovo de camundongo começando a dividir-se além das primeiras oito células.

Esta fotografia do ovo de camundongo foi tirada assim que as oito células começaram a dividir-se de novo (Ilustração 7-17). Não é uma fotografia muito boa, uma vez que é difícil obter essas fotografias; as células estão se dividindo muito rapidamente. Foi preciso rasgar a zona pelúcida, fazer as células pararem no lugar certo, depois fazer a fotografia.

A Estrela Tetraédrica/Cubo de 16 Células Torna-se uma Esfera Oca ou Toro

Depois da divisão das oito células, elas se dividem em dezesseis células, sobre as quais formam outro cubo ou estrela tetraédrica na extremidade. Essa é a última vez que serão simétricas. Quando elas se dividem em 32, as dezesseis células estão no meio e dezesseis do lado de fora. Se pegarem as dezesseis de fora e tentarem preencher os espaços vazios para mantê-las simétricas, descobrirão que isso não é possível. (Eu realmente fiz isso. Vocês acabam com dois espaços abertos não importa o que façam.) São necessárias dezoito células para serem simétricas. Vocês imaginam por quê. Na próxima divisão haverá mais 32 células, mas a coisa piora (Ilustração 7-18). Imaginem. O que está acontecendo ali? Está ficando estranho. Para onde foi toda aquela simetria?

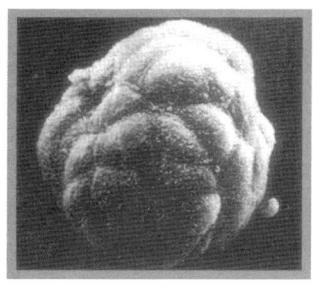

Ilustração 7-18. Tornando-se amorfa.

Bem, era para acontecer isso. O conjunto começa a transformar-se em um glóbulo amorfo. Tornamo-nos um glóbulo por algum tempo. Mas o glóbulo tem consciência no seu estado amorfo. Então ele se alonga, e a parte interior começa a virar do avesso, tornando-se uma bola oca como a desta fotografia (Ilustração 7-19).

Depois de chegar a esse estágio, ele se torna uma esfera oca perfeita. Então o polo norte começa a cair pelo espaço adentro, descendo na direção do polo sul, e o polo sul sobe para encontrar-se com o polo norte. O embrião desta foto foi rompido para que o centro pudesse ser fotografado. Se pudessem ver isso na sua forma completa, ela se pareceria exatamente como uma maçã com seu núcleo central. A esfera oca então se torna um toro — um toro esférico como a foto da direita. Todas as formas de vida conhecidas passam por esse estágio de toro. Essa configuração na forma de maçã/toro é chamada de *mórula*.

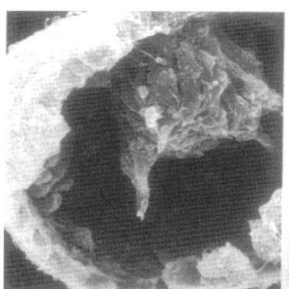

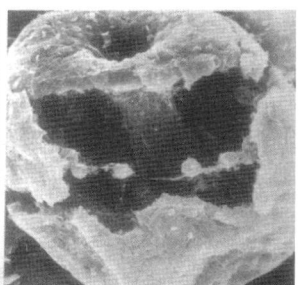

Ilustração 7-19. Células originais transformando-se em um toro (vejam a fotografia à direita). Um embrião de ouriço-do-mar, ampliado 2 mil vezes, começa como uma bola de células oca. Ele forma uma tripa ao dobrar-se para dentro (esquerda) até que as suas células alcancem o lado oposto.

Depois disso, essa expansão ultrapassa a zona pelúcida, e as células começam a diferenciar-se. O espaço oco dentro do toro se transforma nos pulmões, o polo norte torna-se a boca, o polo sul transforma-se no ânus, e todos os órgãos internos formam-se dentro do tubo que corre pelo meio. Se for uma rã, ela começa a obter pequenas pernas, ou se for um cavalo cresce uma pequena cauda. No caso de uma mosca, desenvolvem-se pequenas asas, e um humano começa a parecer-se com um ser humano. Mas antes dessa diferenciação, todos temos a aparência de um toro. Acho que é por isso, embora não tenhamos nenhuma prova, que a tradição bíblica diz que a árvore do conhecimento do bem e do mal é uma macieira. Na realidade, nós *realmente* nos transformamos em algo que parece muito com uma maçã nesse estágio.

A Progressão das Formas de Vida pelos Sólidos Platônicos

Resumindo, começamos como uma esfera, o óvulo. Depois passamos a um tetraedro com quatro células, então vamos a dois tetraedros interligados (uma estrela tetraédrica ou cubo) com oito células. De dois cubos com dezesseis células voltamos a uma esfera começando com 32 células, e da esfera nos tornamos um toro com 512 células. O planeta Terra e o seu campo magnético também é um toro. Todas essas formas são configurações sagradas que derivam do primeiro sistema informacional do Fruto da Vida, que se baseia no Cubo de Metatron.

Poderíamos continuar por provavelmente outros sete ou oito meses falando sobre esse assunto, mostrando como cada vez mais coisas estão ligadas a essas cinco formas — os sólidos platônicos. Mas acho que podem perceber exatamente o que eu quero dizer. A propósito, os matemáticos modernos dizem que os sólidos platônicos são conhecidos apenas desde que a civilização começou, cerca de 6 mil anos atrás, mas isso não é verdade. Alguns põem a sua descoberta durante a época da Grécia. Os arqueólogos recentemente descobriram alguns modelos perfeitos na terra — cortados com perfeição na pedra — que foram descobertos como sendo de 20 mil anos atrás. Aqueles bárbaros peludos obviamente sabiam mais do que pensamos que sabiam.

Parto na Água e as Parteiras Golfinhos

Gostaria de fazer um breve desvio das geometrias do nascimento para algo ligeiramente diferente. Um russo chamado Igor Charkovsky dedica-se ao parto na água há muito tempo. Ele provavelmente assistiu a pelo menos 20 mil partos na água. A filha dele, uma das primeiras a nascer na água, estava na casa dos 20 anos, creio eu, quando o incidente a seguir aconteceu. Charkovsky e a sua equipe levaram uma mulher para o mar Negro para um parto na água. Estavam lá prontos para o parto, com a mulher a uns 60 centímetros de profundidade na água.

Conforme eu me recordo, três golfinhos se aproximaram, afastaram todo mundo e assumiram o controle. Os golfinhos fizeram algo que pareceu como escanear o corpo dela — algo que já senti, e que provoca alguma interferência no organismo humano. A mulher deu à luz sem praticamente nenhuma dor nem medo. Foi uma experiência fenomenal. Essa experiência com o parto na água deu início a uma nova prática de usar os golfinhos como parteiras, o que atualmente se consagrou por todo o mundo.

Há algo sobre o som que os golfinhos projetam no momento do nascimento que parece realmente relaxar a mãe.

Os golfinhos têm preferência pelos seres humanos. Essa não é uma regra absoluta, mas normalmente se aplica. Se você nada entre os golfinhos e há crianças por perto, os golfinhos aproximam-se primeiro das crianças. Se não houver crianças, eles procuram as mulheres. Se não houver mulheres, eles procuram os homens. E se houver uma mulher grávida, todo mundo pode esquecer — ela ganha toda a atenção deles. O bebê que está para nascer causa a maior sensação. Os golfinhos ficam muito entusiasmados quando veem um ser humano dar à luz. Eles simplesmente adoram.

Os golfinhos podem fazer coisas realmente impressionantes. Os bebês que nasceram com parteiras golfinhos, pelo menos como acontece na Rússia, são crianças extraordinárias. De tudo o que já li a respeito, nenhuma dessas crianças tem um QI abaixo de 150, e elas todas têm um corpo emocional extremamente estável e um corpo físico extremamente forte. Elas parecem ser superiores de uma maneira ou de outra.

A França também teve partos na água — mais de 20 mil. Os partos acontecem em enormes tanques. Quando começaram a fazer isso, tinham todos os instrumentos dispostos em mesas e todos os equipamentos de emergência a postos, com um médico de prontidão para o caso de haver algum problema. Mas nunca tiveram problema durante muito tempo; um ano havia se passado e não tinham tido nenhum problema. Outro ano ainda se passou e nenhum problema, e finalmente aconteceram 20 mil partos *sem nenhuma complicação!* Atualmente, eles simplesmente deixam os instrumentos e o equipamento em um canto, porque não há problemas. Não sei se eles sabem por que, mas por alguma razão, quando uma mulher flutua na água, parece que a maioria das complicações se resolvem sozinhas.

Passei algum tempo com uma mulher que foi uma assistente de Charkovsky na Rússia. Ela trouxe muitos filmes feitos durante os partos. Assisti a dois filmes de duas mulheres diferentes dando à luz que não só não sentiram nenhuma dor, mas também tiveram orgasmos durante os nascimentos dos bebês — orgasmos intensos e demorados, de cerca de vinte minutos. Foi um prazer total. Sei que isso aconteceu da maneira como deveria. Simplesmente faz sentido, e essas mulheres foram a prova disso.

Também assisti a alguns filmes russos onde os bebês e crianças de 2 ou 3 anos de idade ou mais dormiam no fundo de piscinas. Elas literalmente dormiam embaixo da água no fundo da piscina, e a cada dez minutos elas subiam ainda dormindo, giravam a cabeça na superfície, respiravam, voltavam para o fundo e continuavam a dormir. Essas crianças viviam na água — ali era o seu lar. Elas receberam um apelido, quase como se fossem de uma espécie diferente. Elas eram chamadas de *homogolfinhos*. Elas pareciam ser uma mistura entre humanos e golfinhos. A água tornou-se o seu meio natural e elas são extremamente inteligentes.

Portanto, tenho muito respeito pelo nascimento na água. E a possibilidade de ter a companhia de golfinhos parece uma verdadeira bênção. Acho que é uma tendência saudável no modo como muitos países possibilitam esse tipo de parto, embora nos Estados Unidos haja uma grande pressão contrária. Ultimamente, nos Estados Unidos, a pressão parece ter diminuído, e acho que atualmente é possível fazê-lo legalmente na Flórida e na Califórnia. Em todo o mundo, na Nova Zelândia, na Austrália e em outros lugares, existem muitos centros para isso. E, é claro, se um número cada vez maior de mulheres virem outras não sentindo dor, obviamente elas vão querer imitar a experiência.

As Geometrias que Circundam o Corpo

Aqui vamos nós com a próxima aventura. Já vimos como as geometrias se desenvolvem na concepção. Vimos como começamos como um pequeno cubo de oito células, que se torna o centro do nosso corpo. Agora, quero observar as geometrias que estão fora do corpo. Passarei a vocês o conhecimento exatamente da maneira como os anjos me ensinaram.

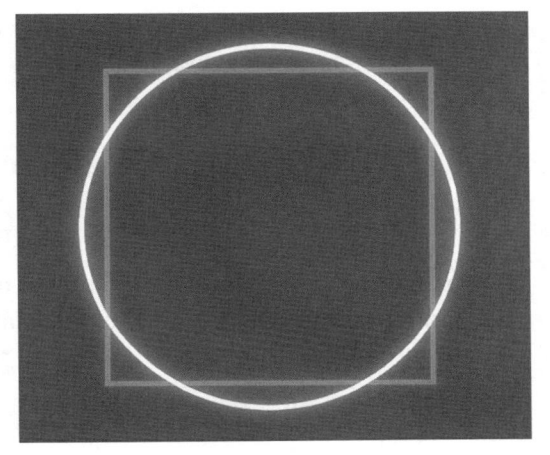

Isso começou quando eu estava em Boulder, no Colorado, num período entre 1976 e 1978; não consigo determinar com certeza. Eu morava em uma comunidade com um grupo de amigos e tinha a minha própria cama. Uma noite, os anjos apareceram com um novo ensinamento para mim. Eles me mostraram as geometrias projetando formas brilhantes no espaço. Eram como imagens holográficas que pareciam estar entre 2 a 3 metros de mim e trabalhei com elas dali. No meu quarto os anjos me mostraram essa imagem de um círculo e um quadrado (Ilustração 7-20). Disseram que queriam que eu encontrasse essa imagem no Cubo de Metatron (Ilustração 7-21). Então se despediram e partiram, deixando-me sem nenhuma instrução sobre como proceder.

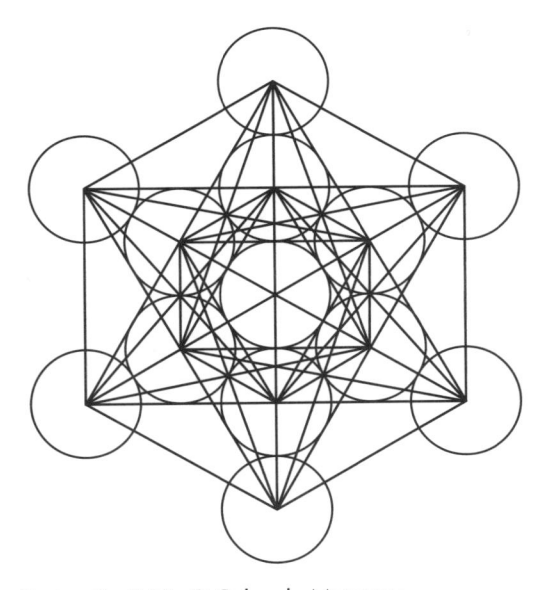

Ilustração 7-20. O círculo e o quadrado.

Depois que eles foram embora, pensei que não seria assim tão difícil, porque eles sempre me davam coisas fáceis para fazer. Eu fazia, esperava que voltassem, então eles me davam mais alguma coisa para fazer. Calculei que não tomaria muito tempo. Mas, conforme acabei descobrindo, não foi nada fácil. Passaram-se no mínimo quatro meses e eu não conseguira descobrir. No meu modo de ver, os anjos intervieram diretamente para ajudar-me.

Ilustração 7-21. O Cubo de Metatron.

Estava lá sentado no meu quarto por volta das nove horas da noite, o chão coberto de desenhos. (Usava o chão como mesa porque tinha muitos desenhos.) A porta estava fechada e estava sentado ali estudando os meus desenhos, tentando resolver o problema que os anjos haviam me dado. Tinha tantos desenhos que vocês não acreditariam, enquanto tentava descobrir onde se encaixavam o círculo e o quadrado no Cubo de Metatron.

Naquela época, não comentava com ninguém o que estava fazendo; não conversava com ninguém por muito tempo, porque era uma experiência muito pessoal para mim. E, francamente, ninguém estava interessado afinal. Ninguém estava nem aí quanto à geometria naquela época, porque ela não tinha surgido na consciência da maioria das pessoas como agora.

A Chave Maçônica para a Quadratura do Círculo

Alguém bateu na porta. Eu abri a porta do quarto e ali estava aquele sujeito alto parado na frente. Nunca tinha visto aquele sujeito na minha vida. Ele pareceu um tanto tímido e disse: "Vim aqui lhe falar sobre algumas coisas". Perguntei o nome dele e mais sobre o que ele queria.

"Bem", disse ele. "Fui enviado aqui pelos maçons para lhe contar sobre o círculo e o quadrado."

Aquilo realmente me surpreendeu. Fiquei um tanto perplexo e simplesmente olhei para ele por um momento, tentando entender como aquilo estava acontecendo. Então percebi que não estava preocupado sobre *como* estava acontecendo, apenas que estava. Então apertei-lhe a mão e disse: "Pode entrar", puxando-o para dentro e fechando a porta. Continuei: "Se tiver alguma coisa a dizer, diga logo". Então ele fez o seguinte desenho (Ilustração 7-22).

Primeiro, ele desenhou o quadrado, depois desenhou o círculo ao redor do quadrado de um modo especial — e lá estava a imagem luminosa que eu estivera olhando no quarto! Pensei: "Isso vai ser interessante". Ele dividiu o quadrado em quatro partes, depois desenhou diagonais a partir dos cantos através do meio até os outros cantos. Então desenhou diagonais através

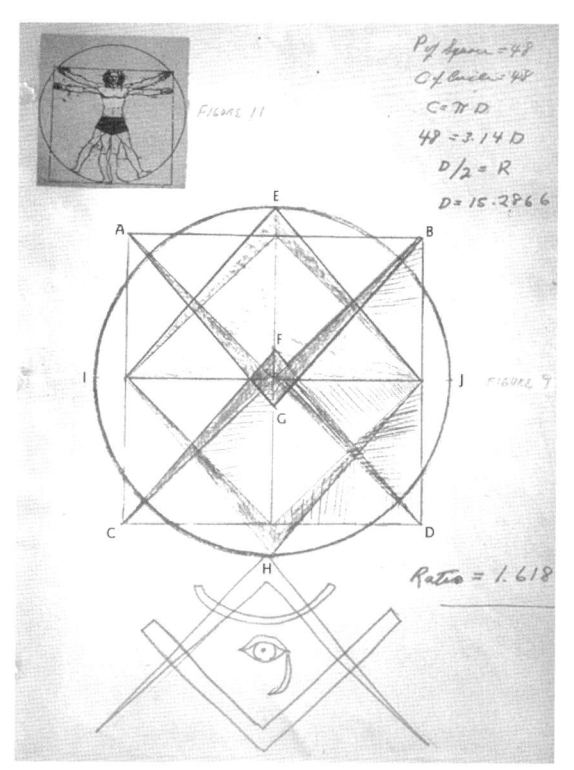

Ilustração 7-22. O desenho maçom.

dos quatro quadrados menores. Em seguida desenhou linhas de *I* para *E* e de *E* para *J*. Depois ele desenhou linhas de *I* para *H* e de *H* para *J*. (*E* e *H* sendo os pontos sobre a circunferência onde a linha vertical central os cruza.)

Até esse ponto não tive problema, mas então ele desenhou uma linha de *A* para lugar nenhum (*G*) e de volta a *B*, e de *D* para lugar nenhum (*F*) e de volta a *C*. Eu disse: "Espere um pouco, essas não são as regras que recebi. Isso não se encaixa — não há nada aí". E ele disse: "Tudo bem, porque esta linha (*A–G*) é paralela à linha (*I–H*), esta linha (*D–F*) é paralela a esta linha (*J–E*)".

"Bem", disse eu, "essa é uma regra nova. Não conhecia. Quer dizer, não há nada ali. Linhas paralelas? — tá, tudo bem, vou escutar."

Então ele começou a dizer-me todos os tipos de coisas. Disse que a primeira chave é que a circunferência do círculo e o perímetro do quadrado são iguais, que foi o que eu lhes disse antes. Esse círculo e o quadrado são aquela mesma imagem vista do ar da Grande Pirâmide com a nave pousada no topo.

A Razão Phi

Ele começou a me contar sobre a razão phi (pronuncia-se "fi") de 1,618 (arredondada aqui a três casas decimais). A razão phi é uma relação muito simples. Se você tiver um bastão e quiser fazer uma marca em algum ponto dele, somente dois pontos marcam a razão phi, mostrados como os pontos *A* e *B* nesta ilustração (Ilustração 7-23).

Existem apenas dois pontos, dependendo de qual extremidade você parte. No desenho inferior, há uma relação tal que, dividindo *D* por *C* e *E* por *D*, as duas respostas serão iguais — 1,618... Portanto, dividindo a parte mais comprida pela mais curta, o resultado será a razão 1,618. Dividindo o comprimento todo de *E* pela parte curta mais próxima, que é *D*, obtém-se a mesma razão. É um ponto

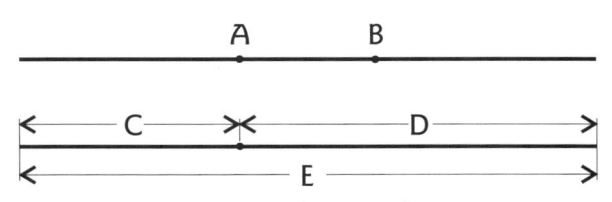

Ilustração 7-23. Os pontos da razão phi.

mágico. Muito embora eu estivesse estudando matemática na faculdade quando aconteceu esse incidente, a razão phi de alguma forma se apagara da minha mente. Não me dei conta. Precisei tornar a estudar esse assunto.

O sujeito também pegou o desenho de Leonardo com o círculo e o quadrado ao redor dele, dando-me mais informações, que lhes contarei depois. Enchi-o de perguntas, mas ele não sabia metade das respostas. Ele simplesmente dizia: "É assim que as coisas são" ou "Não sei; não sabemos isso". Embora eu não possa afirmar com certeza, desconfio que os maçons perderam grande parte das suas informações. Acho que eles tiveram um conhecimento excepcional, muito parecido com o dos egípcios, e ambas essas disciplinas foram ladeira abaixo.

Antes de partir, ele desenhou um esboço na parte de baixo do seu diagrama (vejam a Ilustração 7-22), com um quadrado e o olho direito de alguém — não posso dizer de Hórus porque não sei de quem é — e depois se foi. Nunca mais o vi depois disso. Nem sequer me lembro do seu nome.

Aplicando a Chave ao Cubo de Metatron

Aquele cavalheiro dos maçons não respondeu à pergunta especificamente — como o círculo e o quadrado se encaixam no Cubo de Metatron. Na verdade, acho que ele nunca viu o Cubo de Metatron. Mas alguma coisa que ele disse inspirou alguma coisa dentro de mim, de modo que entendi o que era. Logo depois de ele sair, eu sabia a resposta. Conforme vocês sabem, o Cubo de Metatron é realmente um objeto tridimensional, não um objeto plano. Tridimensionalmente, o Cubo de Metatron se parece com isto (Ilustração 7-24). É um cubo dentro de um cubo, tridimensionalmente. Então, girando-o para esta perspectiva (Ilustração 7-25), obtemos este aspecto quadrado.

Ilustração 7-24. O Cubo de Metatron tridimensional, visão final.

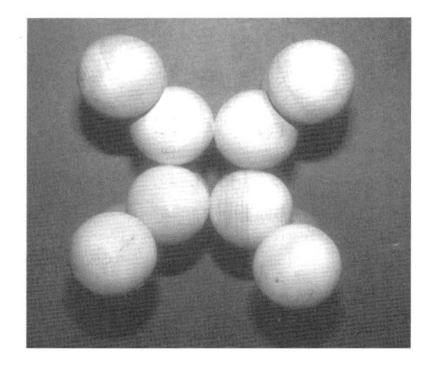

Depois de ter feito isso, vocês obtêm a Ilustração 7-26. A esta altura, podem deixar de lado o aspecto exterior; tudo o de que precisam são exatamente as oito células originais. Ao redor dessas oito células já existe uma esfera, a zona pelúcida. As células estão na forma de um cubo, portanto se desenharem tanto um círculo quanto linhas retas ao redor dele, terão a imagem do círculo e do quadrado que os anjos me mostraram. Fiquei contente!

Ilustração 7-25. O Cubo de Metatron tridimensional, visão quadrada.

Os Dois Círculos/Esferas Concêntricos

Mas então calculei o perímetro do quadrado e da circunferência do círculo — e eles *não* eram iguais. Fiquei decepcionado por muito tempo, porque imaginei que não conseguira encontrar. Cerca de três anos depois descobri que *havia* encontrado, mas simplesmente não compreendera. Em geometria sagrada, quando se encontra alguma coisa que parece incorreta ou invalida a ideia que se está tentando formar, é preciso ir se aprofundando, geralmente porque não se teve o quadro completo ainda.

O que descobri foi que a zona pelúcida tem uma espessura própria; existe uma superfície interior e outra exterior. Toda membrana tem uma superfície interior e outra exterior, e quando se usa a superfície exterior da zona pelúcida, as proporções dão uma razão phi quase perfeita. O tamanho da imperfeição é na verdade parte da equação. (Saberão o que isso significa em instantes.) É por isso que há duas linhas ao redor da Flor da Vida — o círculo interior e o exterior da zona pelúcida. Portanto, daqui por diante, sempre que virem quatro círculos em um quadrado, estaremos falando sobre o Ovo da Vida, as oito células originais. Podem tomar isso como definitivo.

Portanto, neste desenho (Ilustração 7-27), desenhei todas as linhas que o maçom desenhou só para ver como elas se alinhariam e o que aconteceria, comparando o desenho do maçom com as oito células. Nada parecia estar acontecendo no meio do desenho que eu pudesse ver, embora suspeitasse de alguma coisa nesse ponto, tendo a ver com um círculo que simplesmente se encaixaria no meio das quatro esferas. Mas descobri que os cantos do quadrado (um cubo, na verdade) definem os centros exatos da camada exterior das células da divisão em dezesseis células, como no ponto A. Essa era uma observação interessante. Então comecei a rabiscar e estudar mais a fundo para ver o que significavam. Obviamente, os anjos queriam que eu percorresse esse caminho, mas eu não fazia ideia de onde esse caminho me levaria.

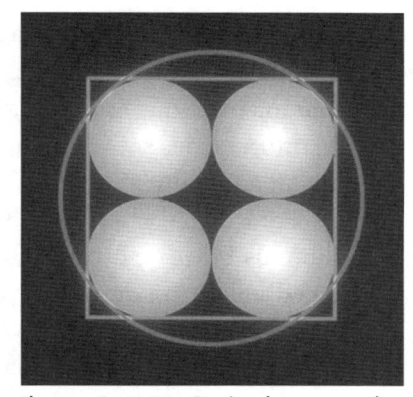

Ilustração 7-26. O círculo e o quadrado no Cubo de Metatron.

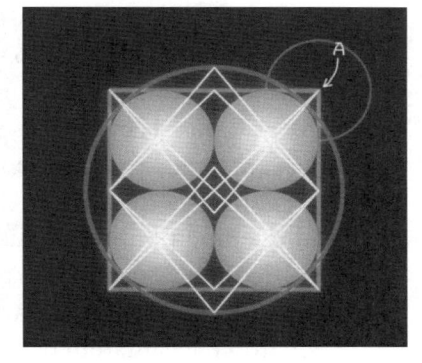

Ilustração 7-27. As linhas maçônicas desenhadas sobre o Ovo da Vida.

Estudando o Cânone de Da Vinci

Decidi observar mais a fundo este desenho de Leonardo (Ilustração 7-28). Também me formara em artes plásticas, portanto tinha estudado grande parte da obra de Leonardo, mas só fui perceber muito mais tarde quantas obras ele havia produzido. Esse desenho tornou-se provavelmente uma das suas obras mais famosas. Talvez seja ainda mais importante para nós do que a Mona Lisa ou qualquer das outras obras famosas dele. Esse tipo de desenho, um padrão de alguma coisa (neste caso, um padrão para os seres humanos), é chamado de cânone, um cânone humano.

A primeira coisa que me chamou a atenção nesse desenho é como todos nós incrivelmente nos sintonizamos com ele. Por exemplo, considerando que uma imagem de vídeo tenha trinta quadros por segundo,

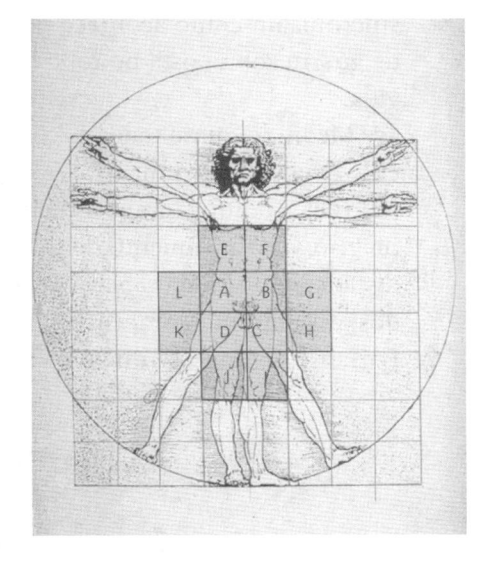

Ilustração 7-28. O famoso homem (cânone) de Leonardo.

257

basta projetar um único quadro desse desenho de Leonardo e ainda assim as pessoas o reconhecem imediatamente. Sabemos que ali tem algo importante; talvez não saibamos exatamente o que é, mas ainda assim retemos a imagem. Há uma tremenda quantidade de informações sobre nós nesse desenho. Mas acontece que ele não é realmente sobre nós. É sobre quem éramos, não sobre quem somos agora.

Para começar esta análise, observem primeiramente que há linhas desenhadas sobre os braços e o tronco, através do peito e sobre as pernas e o pescoço. A cabeça está dividida em outra série de linhas. Observem que os pés estão desenhados tanto a 90 graus quanto a 45 graus — coisas sutis. Também observem que, se parassem com os braços abertos e as pernas unidas, formariam um quadrado ou um cubo ao redor do seu corpo, como no desenho de Leonardo. O centro desse quadrado está localizado exatamente onde estão as oito células originais, que é também um quadrado ou cubo, no centro do seu corpo. Observem o pequeno cubo ao redor das suas células originais e o cubo maior ao redor do seu corpo adulto.

Parando com os braços estendidos como o homem de Leonardo, há uma diferença entre a altura e a largura do seu quadrado. Demonstrou-se por computador, medindo-se uma centena de pessoas ou mais, que há uma diferença de um milésimo de polegada entre a largura dos braços esticados e a altura. Embora eu não tenha entendido por muito tempo por que existia essa diferença, acho que agora sei. Ela tem a ver com a série de Fibonacci, em que a vida se baseia. Vocês verão isso em breve.

Se abrirem as pernas para o lado, a exemplo das pernas exteriores do desenho de Leonardo e levantarem os braços como os braços de cima, um círculo ou uma esfera perfeitos encaixam-se ao redor do seu corpo, e o seu centro está localizado exatamente no umbigo. Ao fazer assim, o círculo e o quadrado tocam-se exatamente embaixo. Movendo o centro do círculo para o centro do quadrado, o círculo e o quadrado se sincronizam como acontece no desenho maçônico e no desenho que mostra a nave de guerra sobreposta no topo da Grande Pirâmide. Esse é um importante segredo da vida.

Medindo quase todas as cópias dos desenhos de Leonardo, descobre-se que o círculo é na verdade uma oval, e o quadrado é na verdade um retângulo. É diferente em todos eles porque foram copiados e dobrados muitas vezes. Mas no desenho original, preciso, o comprimento da mão da linha do pulso até o dedo mais longo equivale à distância do alto da cabeça até o topo do círculo quando os dois centros estão alinhados; esse mesmo comprimento se manifesta entre o umbigo e o centro do quadrado. Portanto, quando se unem os dois centros, tudo se alinha.

As Razões Phi no Corpo Humano

Enquanto descobria isso, pensei: "Essas formas geométricas que temos parecem estar tanto fora quanto dentro do corpo". Uma das coisas que os anjos disseram, que realmente me chamaram a atenção, foi que o corpo humano é padrão de medida do universo — que absolutamente tudo no universo pode ser medido e determinado a partir do nosso corpo e dos campos de energia que o envolvem. Considerando que a razão phi parecia ser um aspecto tão importante para os maçons, e considerando que continuamos sempre nos deparando com ela, eu queria ver onde ela podia ser encontrada no corpo humano.

Descobri isso — e, é claro, outras pessoas também descobriram. Entendam que na Ilustração 7-29 o quadrado mostrado é o quadrado em volta do corpo como no desenho de Leonardo. E que a linha dividindo o quadrado no meio é a linha central do corpo humano. Também observem que a linha b não é apenas a diagonal da metade do quadrado, mas também é o raio do círculo.

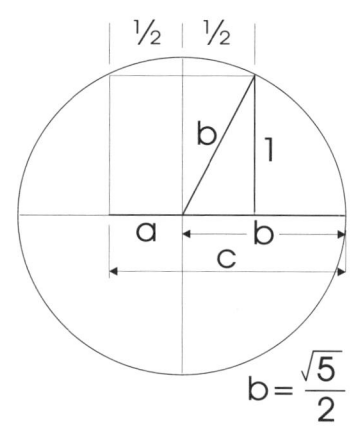

$$b = \frac{\sqrt{5}}{2}$$

Ilustração 7-29. Diagrama da razão phi do corpo humano.

Agora, se estiverem interessados em matemática, vejam a Ilustração 7-30, que prova que a razão phi é encontrada nos campos geométricos ao redor do corpo pelo menos nessa relação. Há muitas, muitas outras relações phi dentro e ao redor do corpo.

Como podem ver, a razão phi = $\frac{1}{2} + \frac{\sqrt{5}}{2}$. Se puserem isso no seu computador, verão o número transcendental de phi continuar até o seu computador esgotar a memória. Sei que a maioria de vocês não se importa, mas estou apresentando essas informações para poucos.

$$\frac{b}{a} = \frac{b+a}{b} = \frac{c}{b}$$

$$b^2 = a^2 + 1^2 = (\tfrac{1}{2})^2 + 1 = \tfrac{1}{4} + 1 = \frac{5}{4}$$

$$b = \frac{\sqrt{5}}{2}$$

$$c = a + b = \tfrac{1}{2} + \frac{\sqrt{5}}{2} = \Phi$$

$$\Phi = 1.6180339...$$

Ilustração 7-30. Equação da razão phi.

A propósito, vou dizer-lhes apenas isto: quando estudarem a geometria sagrada descobrirão que as diagonais são uma das chaves mais importantes para extrair informações das suas formas (além das sombras, de expandir de duas para três dimensões, de comparar homem com mulher, e assim por diante). Nunca falha.

Acredito que tenha sido Buda quem pediu aos seus discípulos para contemplar o próprio umbigo. Seja quem for, comecei a entender quando estudei que existe muito mais no umbigo do que os olhos podem ver. Então encontrei um livro de medicina, cujos autores também devem ter ouvido Buda, porque eles fizeram uma infinidade de pesquisas sobre o umbigo. O que as geometrias mostram é que, idealmente, o umbigo se situa na razão phi entre o alto da cabeça e a planta dos pés. Isso é o que a maioria dos livros indica.

Os autores descobriram que, quando um bebê nasce, o seu umbigo se situa no exato centro geométrico do corpo. Tanto os bebês do sexo masculino quanto os do sexo feminino começam dessa maneira e, quando crescem, o umbigo começa a mover-se para a cabeça. Ele sobe até a razão phi, depois continua a subir. Então ele desce outra vez abaixo da razão phi, oscilando durante os anos de formação. Não sei em que idades isso acontece, mas esses movimentos e localizações acontecem em idades específicas. Na realidade, ele nunca para na razão phi perfeita, nem nos homens nem nas mulheres, mas se me lembro corretamente, o umbigo masculino termina ligeiramente acima da razão phi e o umbigo feminino imediatamente abaixo dela. Se tirarem a média dos pontos masculino e feminino, terão a razão phi perfeita. Portanto, embora o desenho de Leonardo seja de um homem, ele supõe que ele esteja na razão phi, mas é claro que na natureza não estaria.

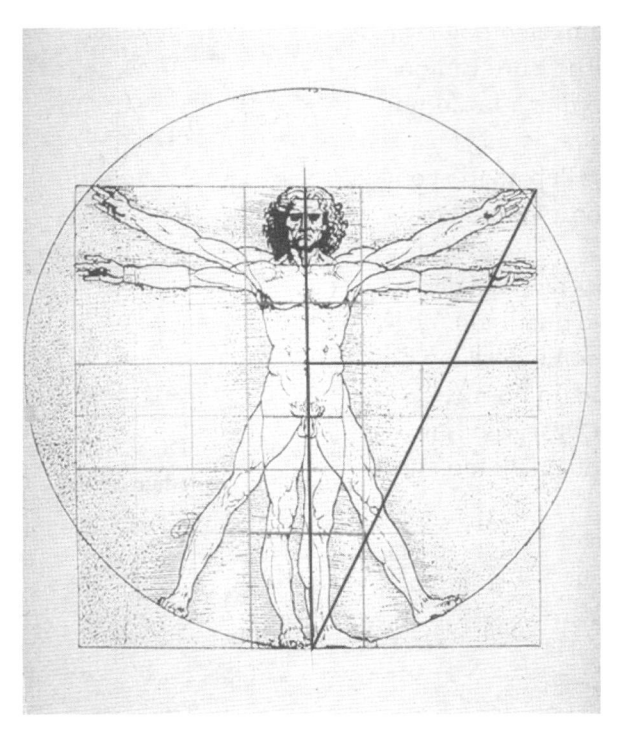

Da Vinci descobriu que, desenhando-se um quadrado ao redor do corpo, depois uma diagonal do pé para a ponta do dedo da mão estendido, depois desenhando uma linha paralela (outra daquelas linhas paralelas) do umbigo horizontalmente sobre o lado do quadrado, essa linha horizontal cruza a linha diagonal exatamente na sua razão phi (Ilustração 7-31), assim como a da linha vertical da cabeça aos pés. Considerando que esteja nesse ponto perfeito, não ligeiramente abaixo, como nas mulheres, nem ligeiramente acima, como nos homens, isso significa que o corpo humano está dividido em razões phi de cima a baixo, o que afirmamos antes. Se essas linhas fossem os únicos lugares no corpo humano onde a razão phi se localizasse, isso provavelmente já seria um fato interessante. Mas a verdade é que a razão phi se localiza em centenas de lugares ao longo do corpo, e isso não é uma simples coincidência.

Ilustração 7-31. O desenho de Leonardo com as proporções áureas.

Eis aqui algumas localizações óbvias da razão phi no corpo humano (Ilustração 7-32). O comprimento de cada osso do dedo tem uma razão phi com o osso seguinte, conforme mostrado no desenho inferior. A mesma razão ocorre com todos os dedos das mãos e dos pés. Essa é uma relação relativamente incomum porque um dedo é mais comprido do que o outro no que parece ser uma medida arbitrária, mas não é arbitrária — nada no corpo humano é. As distâncias nos dedos assinaladas de A a B a C a D a E estão todas na razão phi, assim como os comprimentos das falanges, F a G a H.

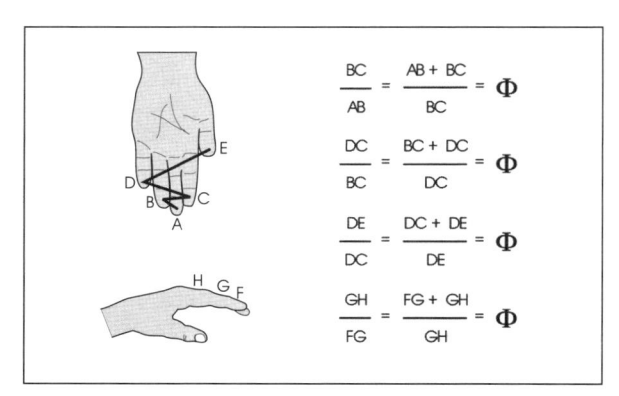

$$\frac{BC}{AB} = \frac{AB + BC}{BC} = \Phi$$

$$\frac{DC}{BC} = \frac{BC + DC}{DC} = \Phi$$

$$\frac{DE}{DC} = \frac{DC + DE}{DE} = \Phi$$

$$\frac{GH}{FG} = \frac{FG + GH}{GH} = \Phi$$

Ilustração 7-32. Razões phi no corpo humano.

Se compararem o comprimento da mão e o comprimento do osso do antebraço, há uma razão phi, assim como o comprimento do osso do antebraço comparado com o osso do braço. Ou considerarem o comprimento do pé com o osso da perna, ou esse osso com o osso da coxa, e assim por diante. Essa razão phi é encontrada ao longo de toda a estrutura óssea em todos os tipos de lugares e maneiras. Normalmente, ela está em lugares em que algo se curva ou muda de direção. O corpo também o faz por meio de tamanhos proporcionais de uma parte a outra. Se estudarem isso, ficarão continuamente impressionados.

A Ilustração 7-33 é outra maneira de mostrar a razão phi. Se fizerem uma curva de modo que possam ver como uma curva está ligada a outra, poderão ver todas as razões phi do corpo humano em cascata. Esta ilustração é do livro *The Power of Limits*, de György Doczi. Recomendo enfaticamente esse livro. Observem que sobre esse homem ele desenhou uma linha para o umbigo ligeiramente acima de onde a razão phi real se localiza. Ele sabia disso, e muito poucos autores que li compreendiam isso.

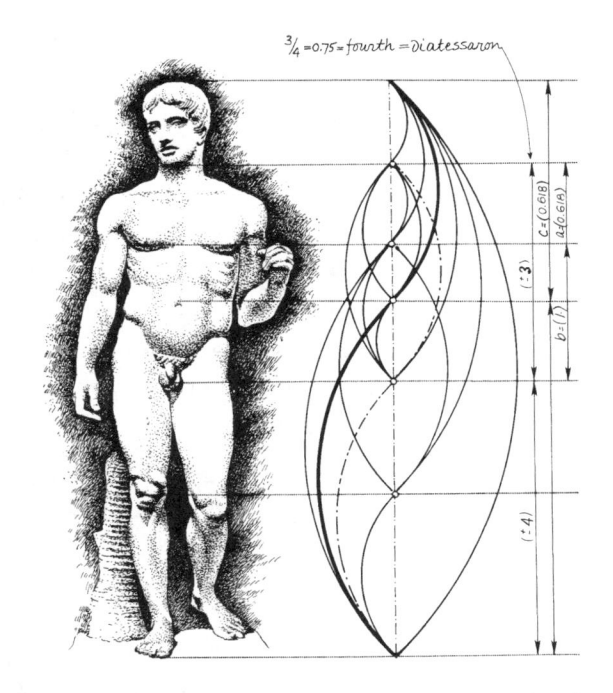

Ilustração 7-33. As razões phi de Doríforo, o Portador da Lança.

Quero falar sobre esta estátua grega. Os gregos estavam bem a par dessas informações sobre as razões phi. Também o estavam os egípcios e muitos povos dos tempos antigos. Quando criavam uma obra de arte como esta, na realidade estavam usando os dois lados do cérebro simultaneamente. Eles usavam o hemisfério cerebral esquerdo para medir tudo com muito cuidado — quero dizer *verdadeiramente* com o maior cuidado, não mais ou menos ou quase. Eles mediam para ter certeza de que tudo estava matematicamente correto de acordo com a proporção phi. Para ser tão criativos quando queriam, eles também usavam o hemisfério cerebral direito. Eles podiam pôr qualquer expressão na face e fazer com que a estátua segurasse qualquer coisa ou fizesse qualquer coisa que quisessem. Os gregos combinavam o hemisfério cerebral esquerdo com o direito.

Quando os romanos surgiram e tomaram a Grécia, não sabiam absolutamente nada sobre a geometria sagrada. Eles viram a incrível arte dos gregos e tentaram copiá-la, mas se compararem a arte grega e a arte romana depois da conquista da Grécia, a arte romana parece ter sido feita por amadores. Muito embora os artistas romanos fossem realmente bons no que faziam, eles simplesmente não sabiam que deviam medir tudo — que precisava haver esse tipo de perfeição para que o corpo parecesse real.

A Razão Phi em Todas as Estruturas Orgânicas Conhecidas

A matemática da razão phi se aplica não só à vida humana, mas a todo o espectro de todas as estruturas orgânicas conhecidas. Ela pode ser encontrada em borboletas (Ilustração 7-34) ou libélulas (Ilustração 7-35), nas quais cada pequena seção da cauda tem as suas proporções de acordo com a razão phi. Os comprimentos das partes da libélula formam razões phi. Este ilustrador estava preocupado com uma coisa, mas também podem ver onde estava cada pequena curva nas pernas, o comprimento e a largura das asas, o tamanho da cabeça comparado à sua largura e comprimento — tudo. Podem continuar sem parar, e vão continuar encontrando a razão phi em toda parte que olharem.

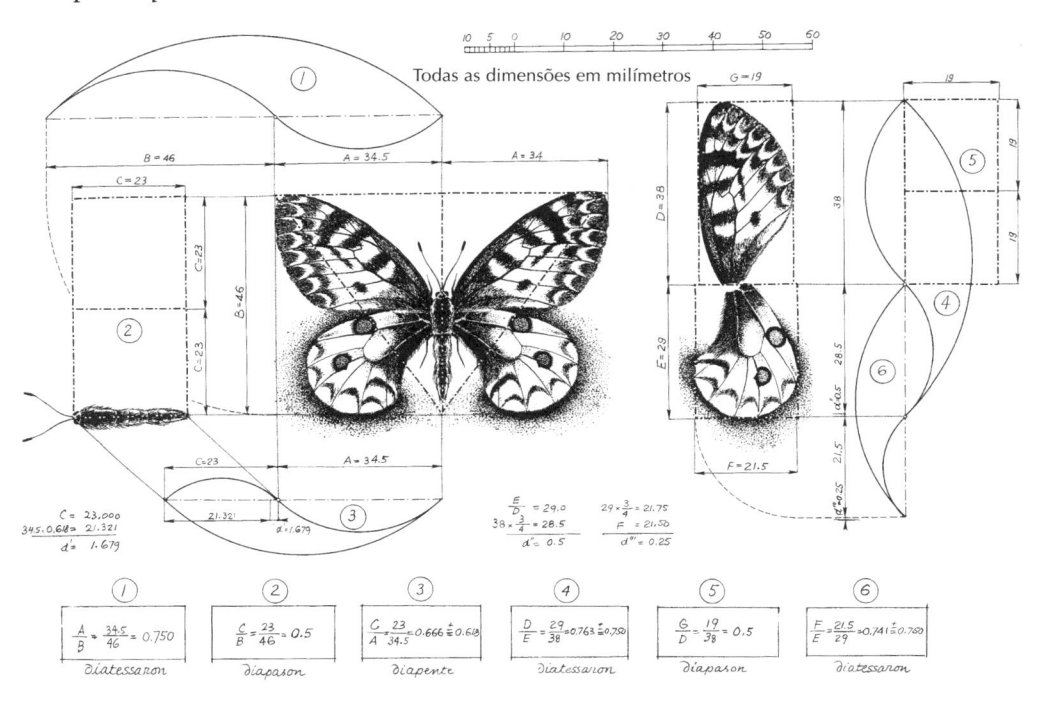

Ilustração 7-34. Razões phi nas borboletas.

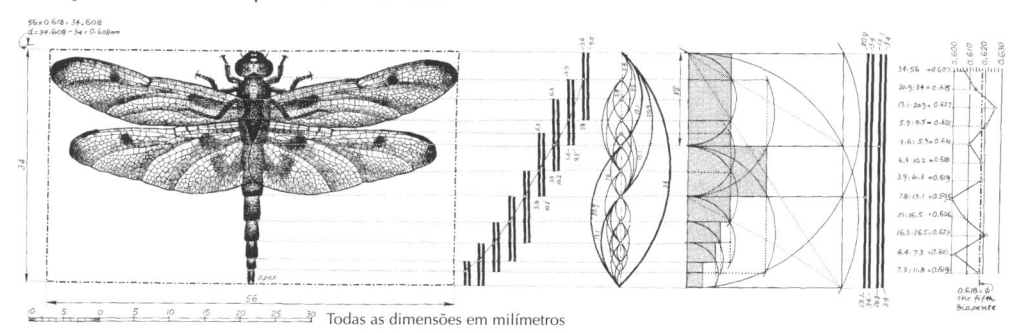

Ilustração 7-35. Razões phi em uma libélula.

Observem este esqueleto de rã (Ilustração 7-36) e verão como cada osso está de acordo com os padrões da razão phi, assim como no corpo humano.

Os peixes, eu acho, são realmente incríveis, porque não parece que sigam essa coisa de razão phi — e há tantas espécies deles. Mas ao analisá-los, a razão phi está presente também (Ilustração 7-37).

A outra medida universal que encontrarão, sobre a qual já comentei antes, é a dos 7,23 centímetros, o comprimento de onda do universo. Vocês encontram esse comprimento de onda espalhado ao longo do corpo, como na distância entre os seus olhos; mas a razão phi ocorre com maior frequência do que qualquer outra coisa.

Depois de se determinar uma medida para qualquer espécie, então qualquer outra medida nessa espécie segue a proporção phi. Dizendo de outra maneira, só existem determinadas possibilidades na estrutura humana, e uma vez que se determine o tamanho de uma parte do corpo, isso determina o tamanho da parte seguinte, e assim por diante. Daqui a pouco vou mostrar a vocês o prédio egípcio que Lucy Lamy reconstruiu medindo simplesmente um pedaço das ruínas. Foi assim que ela fez: depois de conhecer o tamanho da primeira peça, sabia que cada forma depois daquela estaria relacionada a ela em razões phi.

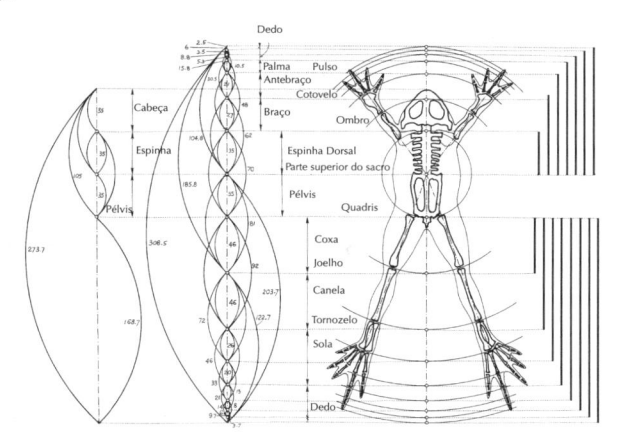

Ilustração 7-36. Razões phi no esqueleto de uma rã.

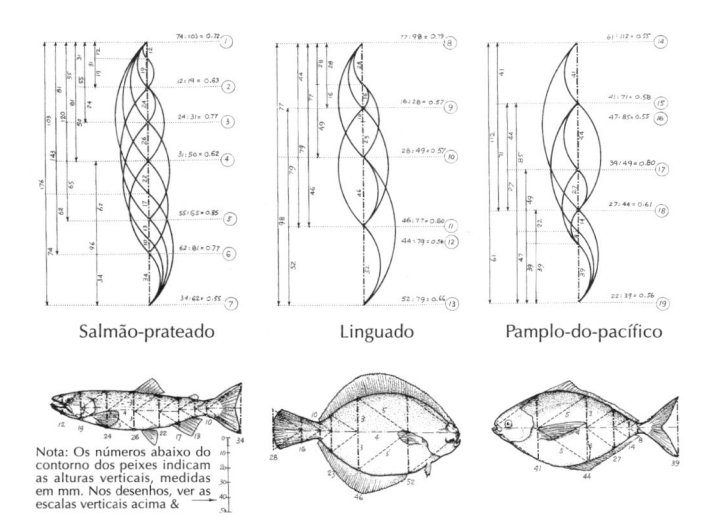

Ilustração 7-37. Razões phi nos peixes.

Na arquitetura deste pagode japonês encontram-se as proporções phi (Ilustração 7-38). Isso ilustra outro aspecto sobre a criatividade que quero fazê-los observar. Quando esse prédio foi projetado e construído, *cada uma das distâncias* foi medida cuidadosamente para igualar as diversas linhas mostradas, e foi medido cuidadosamente onde seria aplicada cada tábua — até essa pequena esfera no topo, de modo que correspondessem a essas relações que estamos estudando e se conformassem a elas. Tenho certeza de que, se alguém se der ao trabalho de verificar, verá que o tamanho das portas, das janelas e provavelmente de cada detalhe estará baseado nas proporções phi ou em outra geometria sagrada.

Outra arquitetura clássica em todo o mundo aplicava os mesmos princípios. O Parthenon grego parece realmente diferente da construção japonesa, mas o Parthenon incorpora a mesma matemática. E a Grande Pirâmide parece muito diferente dessas duas edificações, mas também incorpora a mesma matemática — só que muito mais. O que estou dizendo é que, o seu hemisfério cerebral esquerdo pode entender e usar essa matemática, e não prejudicar a criatividade de maneira nenhuma. Pode até mesmo melhorá-la.

Os Retângulos de Proporção Áurea e as Espirais ao Redor do Corpo

Outra forma sagrada que temos na vida é a espiral. Vocês podem imaginar de onde ela vem. Vivemos numa espiral — a galáxia, que tem braços espiralados. Vocês estão usando espirais para ouvir os sons ao seu redor porque o pequeno aparato nas suas orelhas é em formato espiral. Há espirais em toda parte na natureza. Quando mais olharem, mais encontrarão. As espirais são encontradas nos frutos do pinheiro, nos girassóis, nos chifres de alguns animais, na galhada dos veados, em conchas marinhas, nas margaridas e numa porção de plantas. Se colocarem a mão aberta à sua frente, o polegar voltado para o seu rosto, observem o movimento enquanto enrolam os dedos para formar o punho, começando com o dedo mínimo. Eles traçam uma espiral de Fibonacci. Essa é uma espiral muito especial, conforme verão.

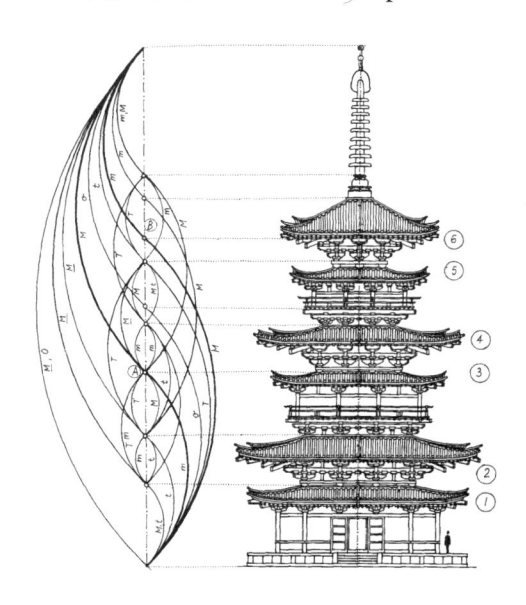

Ilustração 7-38. Pagode do Templo de Yakushiji, Japão.

De onde vêm as espirais? Elas precisam vir de algum lugar, e precisam ser geradas a partir da dinâmica do sistema original, a Flor da Vida, se o que acreditamos for verdade. Bem, tudo o que precisam fazer é voltar ao corpo humano — ao mesmo padrão que encontramos para a razão phi (vejam a Ilustração 7-30). Se vocês simplesmente tomarem a linha diagonal, projetarem-na na base, depois concluírem o retângulo formado com a nova extensão — terão um retângulo de Proporção Áurea, a fonte da espiral de Proporção Áurea.

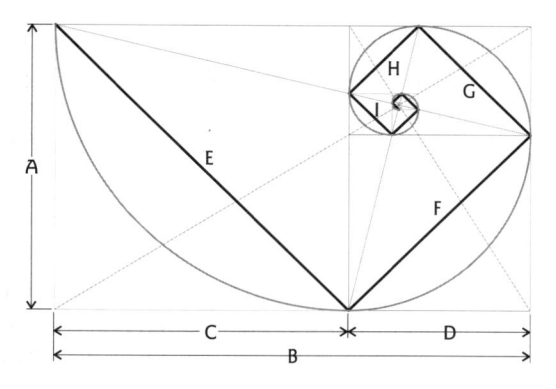

Ilustração 7-39. O retângulo de Proporção Áurea e as espirais masculina e feminina.

O retângulo exterior deste desenho (Ilustração 7-39) é chamado de retângulo de Proporção Áurea, igual ao anterior. Para obter outro retângulo de Proporção Áurea, você só precisa medir a aresta menor do retângulo (lado A) e marcar essa distância ao longo do lado maior (lado B), que faz um quadrado (com lados iguais; A = C). A área restante (D) é outro retângulo de Proporção Áurea. Então, podem considerar a aresta menor de novo e marcar essa distância ao longo da aresta mais longa para fazer outro quadrado, e o que sobra à esquerda é ainda outro retângulo de Proporção Áurea. Isso pode continuar para sempre. Observem que cada retângulo recém-formado gira a 90 graus. Se traçarem diagonais através de cada retângulo, elas se cruzam exatamente no centro da espiral que formaram. Podem ver como as diagonais se tornam uma chave para mais informações: a linha F tem uma razão de Proporção Áurea em relação à linha E, continuando para dentro. Podemos dizer que F está para E assim como G está para F, e H está para G assim como I está para H, e assim por diante. Há outros tipos de espirais, mas a espiral de Proporção Áurea é da maior importância na criação.

Espirais Masculinas e Femininas

Existem dois tipos de energias que se movem através dos retângulos de Proporção Áurea. Uma energia corresponde às diagonais que cruzam os quadrados, movendo-se em voltas de 90 graus, mostradas em preto. Essa é a energia masculina. A energia feminina é a linha que continua se curvando em direção ao centro, mostrada em cinza. Assim vocês têm uma espiral logarítmica feminina de Proporção Áurea, juntamente com uma espiral masculina que usa linhas retas com voltas de 90 graus na razão phi. Em grande parte da obra que vou lhes mostrar, estaremos observando apenas o aspecto masculino, mas devem lembrar-se de que o aspecto feminino está sempre presente.

Alguns livros afirmam que, se desenharmos uma linha horizontal através do umbigo do homem de Da Vinci (Ilustração 7-40), o que resta na parte de baixo é um retângulo de Proporção Áurea; e que, se desenharmos uma linha do canto superior do quadrado maior até o ponto médio nos pés (o centro do lado oposto do quadrado), essa semidiagonal passará através do centro exato de uma espiral de Proporção Áurea, conforme é mostrado na Ilustração 7-39. Já li diversos livros sobre o assunto e acredito que seja *quase* verdade. Mas uma outra coisa parece estar acontecendo que é importante compreender se realmente quiserem conhecer a Mãe Natureza.

Na verdade, estou convencido de que não existem retângulos ou espirais de Proporção Áurea a menos que sejam feitos sinteticamente. A natureza não usa retângulos ou espirais de Proporção Áurea — ela não sabe como fazê-lo. A razão pela qual a natureza não sabe como é porque uma espiral de Proporção Áurea literalmente continua para dentro para sempre — talvez não com um lápis e papel, mas tecnicamente ela continua para todo o sempre. Também se expande para fora para sempre, porque se pode pegar a linha mais comprida de qualquer retângulo de Proporção Áurea e continuar a fazer isso para sempre. Assim, um retângulo de Proporção Áurea não tem começo nem fim. Ele continua para dentro e para fora para sempre.

Esse é um problema para a Mãe Natureza. A vida não sabe como lidar com algo que não tem começo nem fim. Podemos lidar mais ou menos com algo que não tem fim, mas se pensar a respeito, é difícil pensar em algo que não tem começo. Isso é difícil para nós, porque somos seres geométricos, e a geometria tem centros, começos.

Considerando-se que a vida não sabe como lidar com isso, ela encontrou um meio de enganar. Ela encontrou outra espiral com que criar. A vida descobriu um sistema matemático que aproxima isso tão bem que mal se pode perceber a diferença. Os livros dizem que essa espiral sobre o desenho de Leonardo na Ilustração 7-40 é uma espiral de Proporção Áurea, que eu digo que não pode ser verdadeiro. Além disso, não existe apenas uma espiral aqui; há oito espirais girando ao redor do corpo — uma

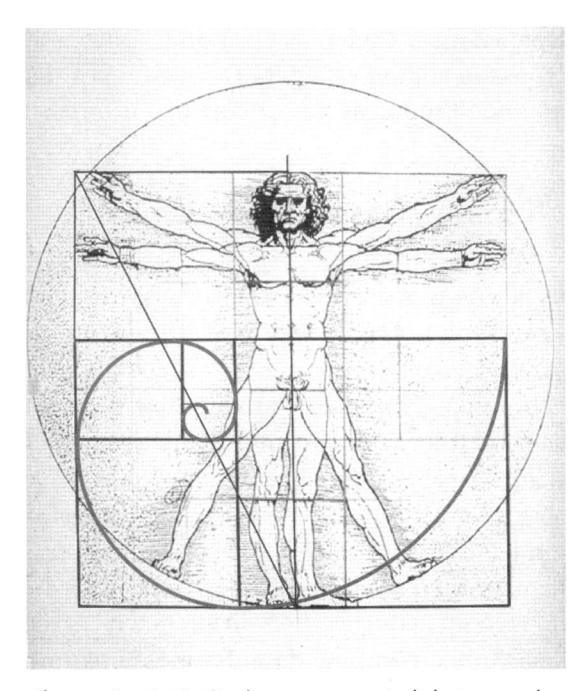

Ilustração 7-40. O cânone e a espiral de Leonardo.

para cada retângulo de proporção áurea, conectado às oito semidiagonais possíveis ao redor do corpo humano (Ilustração 7-41). Este desenho mostra o oito que cruza o corpo humano.

A Ilustração 7-42 mostra as oito espirais com os seus oito centros localizados ao redor do centro do corpo, no mesmo padrão e com o mesmo centro que o das oito células originais dentro do corpo — certo?

Leonardo desenhou essas linhas que fazem uma rede sobre o corpo e ao redor dele (Ilustração 7-43): há quatro quadrados no centro (A, B, C e D) e oito quadrados em volta deles (E até L). Esses oito quadrados externos acontecem de estar onde as oito semidiagonais da Ilustração 7-41 cruzam o corpo e onde as oito espirais da Ilustração 7-42 começam. Assim, temos oito lugares ao redor do corpo e um padrão central de quatro quadrados no meio, centrados exatamente ao redor das oito células originais. A vida é incrível, não?

Quando observei isso sobre o desenho de Leonardo, entendi que devia haver algo importante quanto ao relacionamento. Mas quando entendi que não há essa coisa de retângulo ou espiral de Proporção Áurea na natureza, comecei a suspeitar de que essas espirais eram provavelmente algo ligeiramente diferente. E isso é o que elas acabaram sendo — ligeiramente diferentes.

Resultou que essas espirais são Fibonacci na natureza, as quais estudaremos no próximo capítulo. Compreender a diferença entre a proporção áurea e as espirais de Fibonacci pode parecer simples e sem importância, até que o quadro como um todo da natureza se expande e revela algo assustadoramente além dessa relação. Ninguém jamais poderá compreender por que os 83 mil lugares sagrados na Terra foram construídos ou qual seria o seu propósito sem conhecer essa diferença.

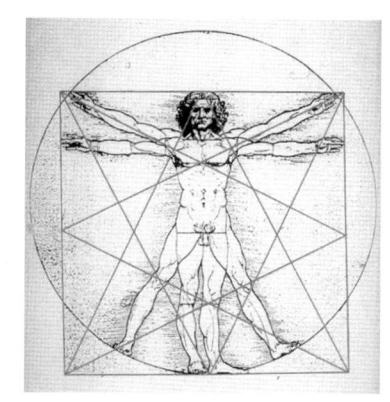

Fig. 7-41. Linhas diagonais feitas conectando cada canto para o centro oposto do quadrado.

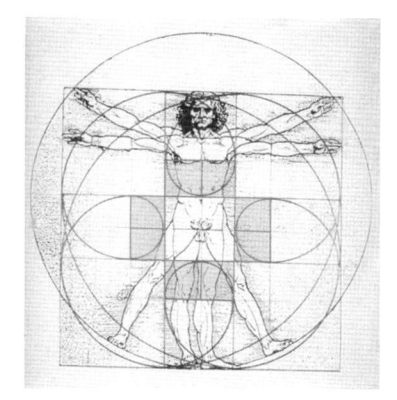

Fig. 7-42. Espirais e os oito quadrados originais.

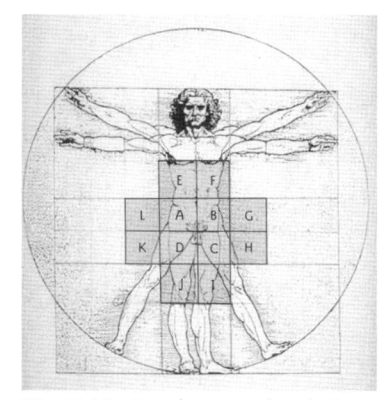

Fig. 7-43. A rede em volta de Leonardo.

OITO

Reconciliando a Polaridade Binária de Fibonacci

A Sequência e a Espiral de Fibonacci

Para entender por que aquelas oito espirais ao redor do cânone de Da Vinci não são espirais de Proporção Áurea e descobrir o que elas são, precisamos recorrer a outra pessoa — não Leonardo da Vinci, mas Leonardo Fibonacci. Fibonacci precedeu a Da Vinci por mais de 250 anos. Pelo que eu li sobre ele, era uma pessoa monástica, geralmente em estado meditativo. Adorava caminhar pelos bosques com muitas árvores e meditar enquanto caminhava. No entanto, evidentemente o seu hemisfério cerebral esquerdo estava simultaneamente ativo, porque ele começou a observar que as plantas e flores tinham associações numéricas (Ilustração 8-1).

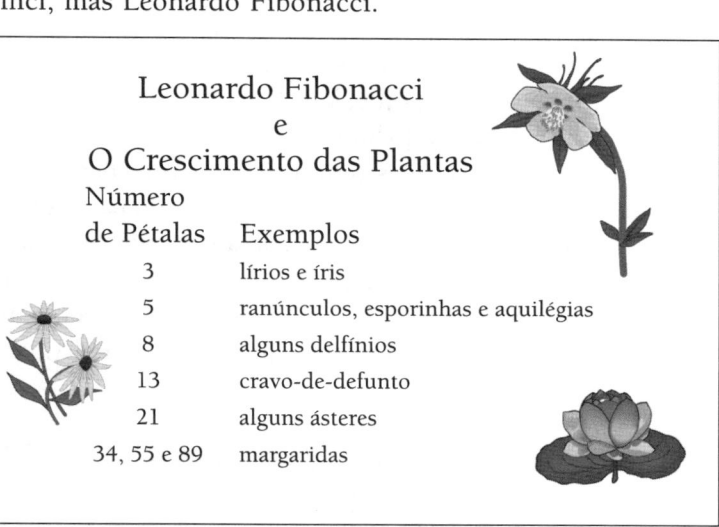

Leonardo Fibonacci
e
O Crescimento das Plantas

Número de Pétalas	Exemplos
3	lírios e íris
5	ranúnculos, esporinhas e aquilégias
8	alguns delfínios
13	cravo-de-defunto
21	alguns ásteres
34, 55 e 89	margaridas

Ilustração 8-1. Sequência de Fibonacci no crescimento das plantas.

Os padrões das pétalas das flores, das folhas e das sementes correspondem a números definidos, e as flores desta lista são as que penso que ele viu, se entendi bem. Ele observou que os lírios e as íris tinham três pétalas, e que ranúnculos, esporinhas e aquilégias (a flor no canto superior direito da Ilustração 8-1) tinham cinco. Alguns delfínios têm oito pétalas, os cravos-de-defunto têm treze e alguns ásteres têm 21. As margaridas quase sempre têm 34, 55 ou 89 pétalas. Ele começou a encontrar esses mesmos números vezes e vezes seguidas por toda a natureza.

Esta plantinha (Ilustração 8-2) na realidade não existe; nós a criamos por computação gráfica, embaralhando-a como cartas de um baralho. A planta original em que esta ilustração se baseou é chamada de milefólio; nós simplesmente fizemos os desenhos do computador imitarem essa planta.

Fibonacci observou que, quando a planta do milefólio surge da terra, cresce apenas uma folha, simplesmente uma única folhinha. À medida que ela vai ficando mais alta, sobre o seu caule aparece mais uma folha; então um pouco depois ela desenvolve mais duas folhas, depois três, depois cinco, depois oito; então ela apresentava treze flores. Ele provavelmente disse: "Nossa, são os mesmos números que observei nas pétalas das outras flores — 3, 5, 8, 13".

Finalmente, essa sequência de 1, 1, 2, 3, 5, 8, 13, 21, 34, 55, 89 e assim por diante tornou-se conhecida como a sequência de Fibonacci. Se lhes derem quaisquer três números consecutivos nessa sequência, podem reconhecer o padrão: basta somar dois números consecutivos para obter o número seguinte. Veem como funciona? Essa é uma sequência muito especial. Ela é decisiva na vida. Por que ela é importante? Essa é talvez a minha interpretação do porquê, mas farei o melhor possível para lhes mostrar.

Ilustração 8-2. O milefólio computadorizado.

Esta é uma flor do hibisco, que tem cinco pétalas (Ilustração 8-3). O estame dentro dela tem cinco botões terminais, e as direções dessas duas formas geométricas são invertidas entre si, um conjunto apontando para cima e o outro apontando para baixo. Quando a maioria das pessoas olha para esta flor, não pensa: "Vejamos, ela tem cinco pétalas". As pessoas simplesmente olham para ela, observam que é linda, sentem o seu perfume e a sentem com o seu hemisfério cerebral direito. Elas não pensam sobre a geometria ou a matemática, que pertencem ao outro lado do cérebro.

Ilustração 8-3. Flor do hibisco.

A Solução da Vida para a Espiral Infinita de Proporção Áurea (Phi)

Lembram-se de que eu disse que a espiral de Proporção Áurea não tem começo nem fim, e que a vida teve uma grande dificuldade com isso? Ela pode lidar com a falta do fim, mas tem dificuldade de entender completamente algo que não tem começo. Eu próprio tive muita dificuldade de entender isso, e acho que todos nos debatemos com essa situação.

O que a natureza fez foi criar a sequência de Fibonacci para contornar o problema. É como se Deus dissesse: "Muito bem, vão lá e criem com a espiral de Proporção Áurea", e nós disséssemos: "Não sabemos como". Então ele fez algo que não era a espiral em proporção áurea, mas rapidamente se aproximou tanto dela que dificilmente se nota a diferença (Ilustração 8-4).

Por exemplo, a razão phi associada à proporção áurea é de aproximadamente 1,6180339. Observem o que acontece quando se divide cada número da sequência de Fibonacci pelo seu número seguinte na ordem crescente. Eis aí a sequência na coluna da esquerda: 1, 2, 3, 5, 8, 13, 21, 34, 55, 89. Na segunda coluna, mudei a sequência em um número de modo que possamos dividir o número da primeira coluna pelo da segunda coluna (vejam a terceira coluna). Observem o que acontece quando se divide um número da segunda coluna pelo seu respectivo da primeira coluna. Quando dividimos 1 por 1, obtemos 1,0. Agora, 1,0 é muito *menos* do que a razão phi. Mas quando passamos para a linha seguinte e dividimos 2 por 1, obtemos 2, que é maior do que

$$\Phi = 1,6180339...$$
(Sequência de Fibonacci)

Termo atual	Termo anterior	Divisão	Razão
1	1	1 / 1	1,0
2	1	2 / 1	2,0
3	2	3 / 2	1,5
5	3	5 / 3	1,6666
8	5	8 / 5	1,600
13	8	13 / 8	1,625
21	13	21 / 13	1,615384
34	21	34 / 21	1,619048
55	34	55 / 34	1,617647
89	55	89 / 55	1,618182
144	89	144 / 89	1,617978
233	144	233 / 144	1,618056

Ilustração 8-4. Sequência de Fibonacci.

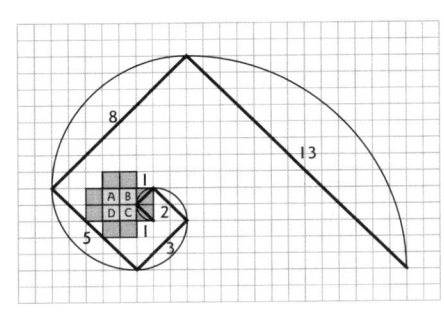

Ilustração 8-5. Espirais feminina (curva) e masculina (angulosa) de Fibonacci sobre uma rede ampliada.

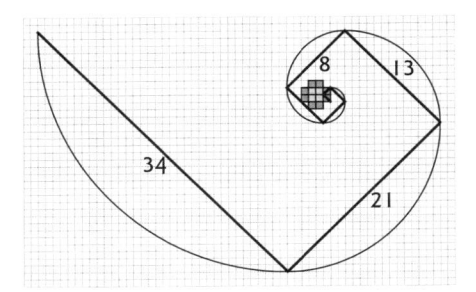

Ilustração 8-6. Uma perspectiva da espiral de Fibonacci, tanto masculina (linha reta) quanto feminina (curva).

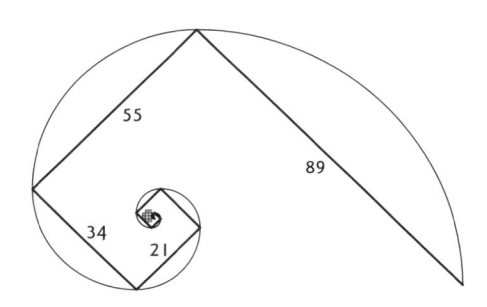

Ilustração 8-7. Uma perspectiva mais distante.

phi, mas mais próximo dele do que é o 1. Quando dividimos 3 por 2, obtemos 1,5, que é muito mais próximo de phi do que os dois números das respostas anteriores, mas está abaixo. Já 5 dividido por 3 dá 1,6666, que está acima, mas mais próximo. Então 8 dividido por 5, dá 1,60, e está abaixo. O 13 dividido por 8 dá 1,625, que está acima. Já 21 dividido por 13 dá 1,615, abaixo. Então 34 dividido por 21 dá 1,619, acima. E 55 dividido por 34 dá 1,617, abaixo. E 89 dividido por 55 dá 1,6181, acima. O seguinte fica abaixo, depois acima, cada vez chegando mais próximo e mais próximo da verdadeira razão phi. Isso se chama chegar a um limite assintoticamente. Jamais se atinge o número real, mas falando praticamente, não daria para notar a diferença depois de algumas divisões. Podem ver isso graficamente na Ilustração 8-5.

Os quadrados cinza-claro são os quatro quadrados centrais do corpo humano onde estão localizadas as oito células originais. Os oito quadrados em cinza-escuro ao redor desses quadrados centrais estão onde começa a espiral. Todo mundo entendeu?

Em vez de fazer com que girem em espiral para todo o sempre, vamos fazer algo diferente — porque isso é o que a vida faz, creio eu. Vou usar um dos quadrados exteriores como o meu ponto de partida, e isso se aplicará a todos os oito. Estou escolhendo um deles como exemplo.

Usando uma diagonal através de apenas um dos quadradinhos como a nossa medida, chamaremos essa linha diagonal de uma unidade. Então nos movemos de acordo com os números de Fibonacci: 1, 1, 2, 3, 5, 8, 13, 21, 34, 55, 89, com uma guinada de 90 graus depois de cada número. No nosso primeiro passo percorremos uma medida, depois guinamos a 90 graus e avançamos de novo uma medida. Então guinamos a 90 graus e seguimos agora com duas medidas, giramos outros 90 graus e avançamos três medidas. Entre cada passo damos uma guinada de 90 graus. O passo seguinte tem 5 unidades de comprimento, depois 8. Assim, temos 1, 1, 2, 3, 5, 8, 13.

Então seguimos em diagonal através de 21 quadrados, depois 34 (Ilustração 8-6). Então 55, depois 89 (Ilustração 8-7). Ao fazermos isso, a espiral se expande e se aproxima cada vez mais de phi, a espiral em proporção áurea, até que muito rapidamente não há como notar a diferença na vida, pelo menos visualmente.

Comparar as duas espirais deve ter sido um aspecto muito importante ao estudar a vida, porque os antigos egípcios exibiram tanto a espiral de Fibonacci quanto a espiral em proporção áurea na Grande Pirâmide. Muito embora as espirais tenham duas origens diferentes, no momento em que chegam aos passos 55 e 89, as duas linhas são praticamente idênticas. Quando as pessoas que estudaram o Egito viram as três pirâmides alinhadas em espiral, elas pensaram que fosse a espiral em proporção áurea, não a espiral de Fibonacci. Então elas voltaram e encontraram uma das covas (consultem a página 147). Vários anos depois, elas perceberam que a uma certa distância dali, talvez uma centena de metros mais ou menos, havia outro marcador. Elas não tinham percebido que havia duas espirais. Não sei se as pessoas que trabalham nisso ainda hoje compreendem a importância delas.

Espirais na Natureza

Aqui está a geometria sagrada na natureza (Ilustração 8-8), a verdadeira. É a concha do náutilo cortada ao meio. É uma regra tácita que todo bom livro sobre geometria sagrada precisa trazer uma concha de náutilo. Muitos livros afirmam que essa é uma espiral em proporção áurea, mas não é — é uma espiral de Fibonacci.

Vocês podem ver a perfeição dos braços da espiral, mas se olharem para o centro ou o começo, ela não parece tão perfeita. Na verdade, não dá para ver bem esse detalhe aqui. Sugiro que observem uma de verdade. Essa extremidade mais interna na verdade atinge o outro lado e se curva, porque o seu valor é 1,0, que é uma longa distância de phi. A segunda e a terceira também se curvam, mas não tanto porque estão se aproximando de phi. Então elas começam a encaixar-se cada vez melhor, até que se vê essa forma perfeitamente graciosa se desenvolvendo. Vocês poderão pensar que o pequeno náutilo cometeu um erro no início; parece como se ele não soubesse o que estava fazendo. Mas ele o fez perfeitamente, sem nenhum erro. Ele apenas seguiu exatamente a matemática da sequência de Fibonacci.

Ilustração 8-8. Fatia de uma concha de náutilo.

Neste cone de pinha (Ilustração 8-9), veem-se uma espiral dupla, uma seguindo um caminho e a outra seguindo outro. Se fossem contar o número de espirais girando

Ilustração 8-9. Cone de pinha.

273

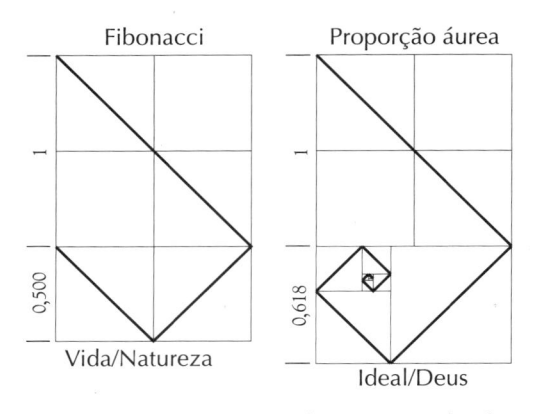

Ilustração 8-10. Comparando as espirais de Fibonacci e de proporção áurea.

em uma direção e das outras seguindo na outra direção, descobririam que elas seguem sempre dois números de Fibonacci consecutivos. Há talvez 8 indo por um caminho e 13 pelo outro, ou 13 indo por um caminho e 21 pelo outro. Os muitos outros padrões de espirais duplas encontrados por toda a natureza correspondem a esse em todos os casos que conheço. Por exemplo, as espirais do girassol estão sempre relacionadas à sequência de Fibonacci.

A Ilustração 8-10 mostra a diferença entre as duas. A espiral em proporção áurea é a ideal. É como Deus, a Fonte. Como podem ver, os quatro quadrados superiores em ambos os desenhos têm o mesmo tamanho. A diferença está nas áreas em que eles se originam (as partes inferiores dos dois diagramas). A parte de baixo da espiral de Fibonacci tem uma área da metade do tamanho (0,5) da área acima; a espiral em proporção áurea tem uma área de 0,618 do tamanho da área acima. A espiral de Fibonacci mostrada acima é construída usando seis quadrados iguais, ao passo que a espiral em proporção áurea começa bem mais para dentro (na realidade, ela nunca começa — ela existe desde sempre como Deus). Muito embora o ponto de origem seja diferente, elas se aproximam rapidamente uma da outra.

Outro exemplo: muitos livros afirmam que a Câmara do Rei é um retângulo em proporção áurea, mas não é. Também está ligada a Fibonacci.

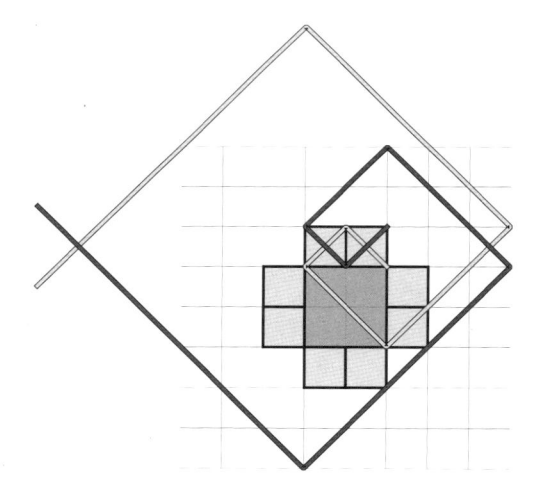

Espirais de Fibonacci ao Redor dos Seres Humanos

Se desenharmos uma rede de 64 quadrados e incorporarmos esse padrão de espiral, teremos a Ilustração 8-11. Sobrepondo o cânone de Da Vinci a essa rede de 8 por 8 (Ilustração 8-12), os oito quadrados (sombreados) parecem ter um único atributo. Há quatro maneiras possíveis de mover uma espiral de Fibonacci a partir de um dos quatro quadrados duplos. Voltando à ilustração 8-11, vamos usar o quadrado duplo de cima como exemplo. Uma maneira de começar é pelo canto superior direito, como mostrado pela linha mais escura. Ela cruza um quadrado (1), vira à direita para cruzar mais um quadrado (1), vira à direita de novo para cruzar dois quadrados (2)

Ilustração 8-11. Rede sem cânone, mostrando duas espirais de Fibonacci espelhadas, masculina (linha escura) e feminina (linha clara).

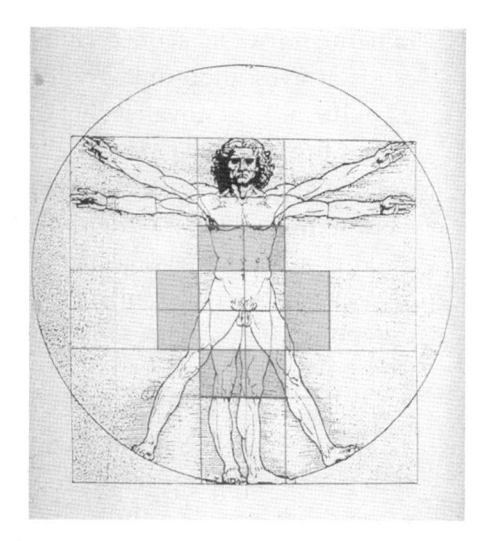

Ilustração 8-12. Rede com o cânone de Da Vinci.

— o que é interessante é que ela chega ao alto da rede nesse ponto. Continuando a virar à direita, ela cruza 3 (o número seguinte da sequência) — e, danada, ela agora alcançou o lado direito da rede! O número seguinte é 5, que leva a linha para o fundo da rede. A seguir vem o número 8, que leva a linha através de três quadrados antes de sair da rede. Há uma característica reflexiva perfeita quando essa espiral parte do quadrado inicial.

Outra maneira de começar nesse quadrado duplo é do canto inferior direito, conforme mostrado pela linha mais clara (isso forma uma pequena pirâmide nos dois quadrados de cima. Neste caso, as suas guinadas de 90 graus serão para a esquerda. Portanto, vocês cruzam um quadrado (1), depois mais outro (1), então 2 — dessa vez atravessando os quatro quadrados centrais da rede (onde residem as oito células originais). Depois de virar à esquerda de novo para cruzar 3 quadrados, a linha toca o lado direito da rede. O número seguinte, 5, deixa a rede depois de cruzar dois quadrados. É uma sincronicidade de movimentos perfeita. Sempre que virem esse tipo de perfeição, saberão que estão quase certamente lidando com as geometrias realmente básicas.

Tudo isso é fundamental para entender, se lhes importa saber, como os egípcios alcançaram a ressurreição. Eles usaram a ciência para criar um estado de consciência sintético que levaria à imortalidade. Não vamos aqui alcançar a nossa consciência sinteticamente; vamos fazê-lo naturalmente, mas vocês poderão achar conveniente compreender como uma civilização antiga tentou conseguir isso.

A Rede Humana e a Tecnologia do Ponto Zero

Essa geometria sagrada básica de uma rede de 64 quadrados em torno dos humanos está começando a ser compreendida na ciência. Na verdade, uma ciência intei-

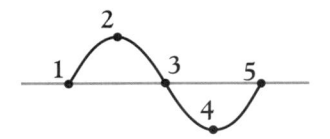

Ilustração 8-13. Forma de onda mostrando cinco pontos zero.

ATUALIZAÇÃO: Desde a época de Tesla, os governos não permitem que se divulgue o conhecimento do ponto zero. Por quê? Tesla queria oferecer de graça energia ilimitada para o mundo, que ele sabia que viria da tecnologia do ponto zero. No entanto, J. P. Morgan, que possuía muitas minas de cobre, não queria que a eletricidade fosse de graça. Ao contrário, ele queria forçar a eletricidade a passar pelos fios de cobre de modo que pudesse medi-la, cobrar do público e ganhar dinheiro. Tesla foi barrado, e desde essa época o mundo tem sido controlado.

Desde aquele momento na década de 1940, toda pessoa que pesquisasse a tecnologia do ponto zero e falasse publicamente sobre o assunto era morta ou desaparecia — até bem recentemente. Em 1997, uma empresa de vídeo chamada Lightworks reuniu secretamente alguns desses cientistas e filmou os seus trabalhos.

Num vídeo, contaram a história do que aconteceu desde a década de 1940 e mostraram modelos das invenções funcionando perfeitamente. Mostraram máquinas que, depois de ligadas, produziam mais eletricidade do que precisavam para funcionar. Mostraram baterias que nunca

ramente nova está acontecendo em torno dela, embora esteja atravessando uma grande dificuldade por causa da política. Essa nova ciência é chamada de tecnologia do ponto zero. Esta rede é, creio eu, a geometria da tecnologia do ponto zero, embora a maioria dos cientistas a encarem de maneira diferente.

A maioria das pessoas envolvidas com a tecnologia de ponto zero a encaram em termos de formas de onda ou energia. Elas falam sobre os cinco pontos em uma forma de onda, conforme é mostrado aqui (Ilustração 8-13). Ou elas consideram o ponto zero como a quantidade de energia que a matéria tem quando (e se) chega a zero grau Kelvin, ou o zero absoluto. Para mim, as duas maneiras de ver são válidas, mas a maneira baseada na geometria sagrada acabará se tornando a pedra angular dessa nova ciência porque ela é muito fundamental.

Esses pontos associados à forma de onda também estão relacionados à respiração. Esses pontos estão onde se tem acesso ao ponto zero. São como portas para outro mundo. O pranayama yogue normalmente é referido em termos de dois ou três lugares (dependendo de se você conta ou não o início do ciclo seguinte), os quais estão entre a inspiração e a expiração. Isso também constitui a tecnologia do ponto zero se for aplicado à respiração humana.

Essa nova compreensão do ponto zero tem uma geometria por trás, e essa geometria está ao redor do corpo humano. O corpo humano é sempre o padrão de medida da criação.

Espirais de Origem Masculina e Feminina

Para começar, devemos entender que há dois tipos de espirais, dependendo de serem linhas retas (masculina) ou linhas curvas (feminina). Já falamos sobre isso anteriormente. Entretanto, agora vamos apresentar um conceito novo. O *ponto de origem* da espiral nesse padrão geométrico determinará posteriormente se ela é masculina ou feminina de uma maneira diferente. Em uma dupla de quadrados existem quatro cantos onde uma espiral pode se originar: superior esquerdo, superior direito, inferior esquerdo e inferior direito (vejam a

Ilustração 8-14). As duas posições superiores produzem espirais masculinas, as duas posições inferiores, espirais femininas. As linhas espirais masculinas nunca atravessam os quatro quadrados centrais; as linhas femininas sempre o fazem.

A Ilustração 8-15 mostra os dois tipos de espirais masculinas e femininas e de que maneira elas seguem esse padrão geométrico.

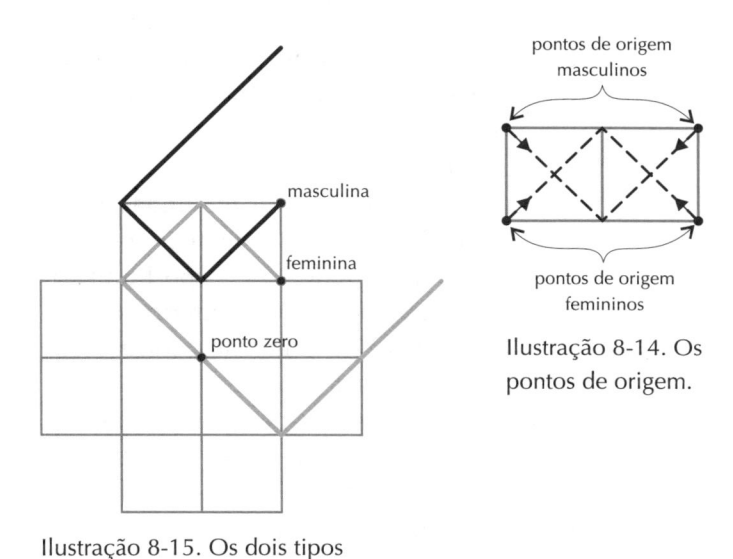

Ilustração 8-15. Os dois tipos de espirais.

Ilustração 8-14. Os pontos de origem.

Para esclarecer, vou dar um exemplo. Se a espiral começar no ponto superior direito, ela será uma espiral masculina com relação a esse padrão geométrico. Além disso, o aspecto curvo dessa espiral masculina é feminino, e o aspecto em linha reta é masculino. Toda polaridade sempre tem outra polaridade dentro dela, dentro dessa nova polaridade há sempre ainda outra polaridade. Esse processo de divisão continua teoricamente para sempre.

A Ilustração 8-16 é um exemplo das espirais de origem masculina que começam na parte superior (significando a maior distância do centro), mas mostrando apenas o seu aspecto feminino (curvo). Esse desenho mostra todas as oito espirais de origem masculina possíveis que existem ao redor do corpo, segundo a perspectiva de Fibonacci, na sua forma feminina (curva). Elas precisavam ser carregadas. Mostraram como um motor comum a gasolina pode ser convertido para funcionar com água com mais potência do que a gasolina. Mostraram painéis que produzem água fervente indeterminadamente desde que a temperatura externa esteja acima de -4 graus Celsius. Mostraram muitas outras invenções científicas consideradas impossíveis pelos padrões atuais. Depois que a Lightworks terminou o trabalho, em um único dia o vídeo foi publicado e as informações postas em um website ("Free Energy: The Race to Zero Point", um vídeo de 105 minutos da Lightworks). Isso forçou o mundo a mudar de direção. Duas semanas depois, tanto o Japão quanto a Inglaterra anunciaram que estavam bem próximos de resolver o problema da fusão a frio. O mundo começou a mudar.

Em 13 de fevereiro de 1998, a Alemanha patenteou mundialmente um gerador de energia livre baseado no carbono, uma folha fina de material que produz 400 watts de eletricidade indefinidamente. Isso significa que todos os aparelhos pequenos, como computadores, secadores de cabelo, liquidificadores, lanternas, etc., não precisarão ser ligados à rede de energia. É o fim do estilo antigo e o nascimento da energia livre ilimitada.

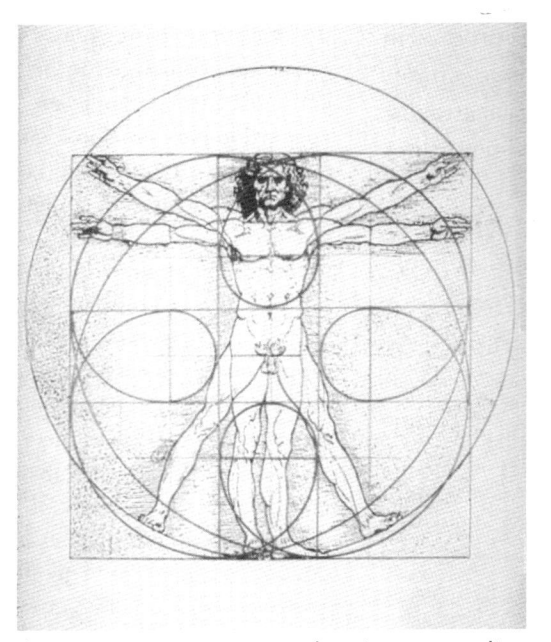

Ilustração 8-16. As espirais de origem masculina com as linhas curvas femininas.

seguem a sequência de Fibonacci apenas até 5 (1-1-2-3-5). Na sua disposição limitada, é interessante observar como as espirais curvadas fazem uma espécie de volta atrás de volta. A energia poderia na verdade mesclar-se e recircular. Esse movimento de Fibonacci é o que acredito que realmente aconteça ao redor do corpo humano, não de Proporção Áurea como afirma a maioria dos livros.

Na Ilustração 8-17, vemos espirais de origem masculina ao redor do corpo humano. Aqui mostramos o aspecto masculino (de linhas retas), mas apenas dois com linhas curvas femininas.

Na Ilustração 8-18, vemos as espirais femininas ao redor do corpo humano, que se originam na parte inferior, ou nos pontos mais próximos do centro. Aqui mostramos basicamente o aspecto masculino (de linhas retas) dessas espirais femininas. Os aspectos femininos (curvos) de apenas duas espirais femininas são mostrados (não todos os oito), que formam um coração. Observem o padrão que criam. Um coração está voltado para um lado, e depois de estender-se por 180 graus, um coração maior volta-se para o outro lado. Cada uma dessas linhas curvas femininas atravessa o ponto zero no centro exato do corpo humano. Esse ponto zero é o ponto da criação, ou o que chamaríamos de útero. É por essa razão que as mulheres trazem um útero no corpo e os homens não. Os homens jamais atravessam o ponto zero. Mais tarde vocês verão essas relações com formato de coração ligadas a muitos outros fenômenos naturais como a luz, os olhos e as emoções, mencionando apenas alguns, portanto não se esqueçam.

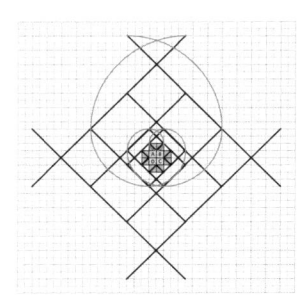

Ilustração 8-17. As espirais de origem masculina com as linhas retas masculinas.

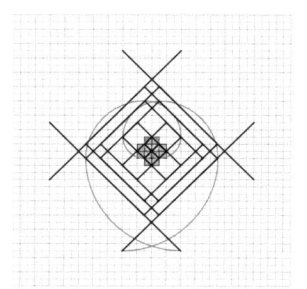

Ilustração 8-18. As espirais de origem feminina com linhas retas masculinas.

Agora, com essa compreensão vamos observar uma outra sequência. Existem milhares de sequências matemáticas; suponho que num certo nível pode-se até mesmo dizer que há um número infinito delas. Mas em termos úteis, existem muitas. Uma sequência pode simplesmente ser 1, 2, 3, 4, 5, 6, 7, 8. Em cada uma das milhares e milhares de sequências conhecidas pelo homem, são necessários três números para identificar o padrão, a sequência inteira — com a exceção da sequência logarítmica da proporção áurea, em cujo caso são precisos apenas dois. Isso implica que ela é provavelmente a fonte de todas as outras sequências.

De acordo com a minha orientação, duas sequências além da proporção áurea são da maior importância para a natureza e para a vida. Elas são a sequência de Fibonacci, de que acabamos de tratar, e a sequência binária da qual vamos tratar em seguida. Aqui consideraremos a Fibonacci como feminina, e a binária como masculina. Elas são realmente mais do que apenas feminina e masculina; elas atuam mais como mãe e pai. Elas são ambas primárias, vindo direto da proporção áurea, assim como as duas cores primárias que provêm da luz branca e são o vermelho e o azul.

O Sequenciamento Binário na Divisão Celular e nos Computadores

A sequência binária (Ilustração 8-19) é uma mitose que simplesmente se duplica de cada vez, como de 1 para 2, para 4, para 8, para 16, para 32. Em vez de somar com o número anterior, como fazemos na sequência de Fibonacci, nós dobramos o número.

Vamos observar a sequência binária por um instante. Ela é de 1, 2, 4, 8, 16, 32, dobrando a cada salto. Para determinar a característica da sequência, só o que se precisa fazer é considerar quaisquer três números consecutivos na sequência — como 2, 4 e 8. Dobramos o 2 e obtemos 4, e dobramos o 4 e para obter 8. São necessários três números consecutivos para identificar positivamente o processo de duplicação.

Em termos de uma divisão celular mitótica do pronúcleo, no momento em que as primeiras células tomam o aspecto de uma maçã, houve nove divisões celulares, totalizando 512 células. Com isso em mente, observem esses dois fatos:

Fato um (mostrado na Ilustração 8-19): há 10^{14} células no corpo humano médio. São 100 trilhões de células em uma pessoa média. Isso representa um monte de zeros. Fato dois (na mesma ilustração): um corpo humano adulto precisa substituir 2,5 milhões de glóbulos vermelhos do sangue a cada segundo da vida. Isso definitiva-

---

SEQUÊNCIA BINÁRIA

1, 2, 4, 8, 16, 32, 64, 128, 256, 512, ... (as primeiras dez divisões celulares mitóticas)

1. Existem 10^{14} (100 000 000 000 000) células no corpo humano médio.

2. Quando o corpo humano está completo (adulto), deve substituir 2 1/2 milhões de glóbulos vermelhos do sangue a cada segundo da sua vida.

Ilustração 8-19. A sequência binária na divisão celular mitótica.

mente parece muito. Você precisaria de cerca de dois meses e meio só para contar até 2,5 milhões se fizesse isso dia e noite, 24 horas por dia, sete dias por semana. Ainda assim, para continuarmos vivos, o nosso corpo precisa criar milhões de glóbulos vermelhos novos a cada segundo para substituir os que morrem. E a única maneira de isso ser feito é através da divisão celular mitótica.

Você observa e comenta: "Bem, são 512 só com nove divisões, portanto será preciso um grande esforço para chegar a esses 100 trilhões". Mas acontece uma coisa que parece magia. Quem estudou matemática sabe disso, mas se vocês nunca estudaram isso antes, parece quase mágica. Eis o que acontece (Ilustração 8-20): depois das próximas dez divisões, as células se multiplicaram a mais de meio milhão. Quando elas se dividem mais dez vezes, há 536 milhões.

10 divisões celulares mitóticas seguintes	10 divisões celulares mitóticas seguintes
1.024	1.048.576
2.048	2.097.152
4.096	4.194.304
8.192	8.388.608
16.348	16.777.216
32.768	33.554.432
65.536	67.108.864
131.072	134.217.728
262.144	268.435.456
524.288	536.870.912
(De 512 células nas primeiras dez divisões mitóticas para mais de meio milhão nas segundas dez divisões.)	(De meio milhão de células a meio bilhão de células ao fim de trinta divisões mitóticas.)

Ilustração 8-20. As vinte divisões celulares mitóticas seguintes.

De acordo com Anna C. Pai e Helen Marcus Roberts, no seu livro *Genetics, Its Concepts and Implications,* são necessárias exatamente 46 divisões celulares mitóticas para chegar a 10^{14} células do corpo humano. *São necessárias somente 46 divisões!* É mágico para mim que este número — 46 — aconteça de ser o número de cromossomos que temos na célula média. Acaso ou coincidência?

Esses números são impressionantes. Não é impressionante se você estudou isso, porque então você geralmente está imune a isso. Mas eu ainda me impressiono com isso.

Gostaria de falar sobre como funcionam os computadores. Comecei a mencionar como conseguimos que o carbono e o silício se interligassem. E quem está fazendo os computadores de silício? *Nós* estamos — seres à base de carbono. Além de todas as diversas possibilidades matemáticas, escolhemos a sequência binária como a base de como o computador funciona. Ela é a base de todo o sistema do computador, e também é uma das bases primárias da própria vida. Tenho certeza de que não foi um acidente termos escolhido a sequência binária, porque nós somos a vida, e no fundo conhecemos a importância dessa sequência.

Sei que a maioria de vocês provavelmente sabe disso, mas assim mesmo quero mostrar como um computador funciona. Imaginem pequenas chaves luminosas chamadas chips de computador, e quando se acende uma dessas luzes, vê-se o número designado para aquele chip. Se ligarem o chip 1, verão 1. Se tiverem cinco chips no seu computador, eles serão designados como 1, 2, 4, 8 e 16. Podem ligar ou desligar esses cinco chips para obter qualquer número entre 1 e 31. Se ligarem simplesmente o chip 1, verão o número 1. Se ligarem o segundo chip, designado como 2, verão o número 2. O mesmo acontece com o chip 4, o chip 8 e o chip 16.

Ao ligar *todas as combinações* desses cinco chips e somar todas elas, chegarão a qualquer número entre 1 e 31. Em outras palavras, se ligarem o primeiro chip, terão 1. Liguem o segundo e terão 2. E se ligarem os dois primeiros ao mesmo tempo, terão 3. O seguinte a ser ligado é o 4; 4 e 1 dá 5; 4 e 2 dá 6; 4 e 2 e 1 dá 7. Então para 8, vocês ligam o chip 8. Oito e 1 dá 9; 8 e 2 dá 10; 8 e 2 e 1 dá 11; 8 e 4 dá 12; 8 e 4 e 1 dá 13; 8 e 4 e 2 dá 14; e 8 e 4 e 2 e 1 dá 15. Então, para 16, vocês ligam o chip 16. Acrescentando o quinto chip, vocês obtêm todos os números até 31 com eles combinados de todas as maneiras possíveis.

Se acrescentarem apenas mais um chip e o chamarem de 32, agora poderão obter todos os números entre 1 e 63. Se acrescentarem outro chip e o chamarem de 64, terão todos os números entre 1 e 127 e assim por diante. Se tiverem um computador que tenha 46 chips, *poderão obter todo e qualquer número entre 1 e 100 trilhões* — simplesmente ligando e desligando 46 pequenos chips! Foi isso que permitiu a expansão do conhecimento que está acontecendo tão rapidamente no planeta neste exato momento. E o seu corpo já usa essa tecnologia há milhões de anos!

Buscando a Forma por trás da Polaridade

Estudei as sequências de Fibonacci e binária sob a orientação dos anjos, que estavam constantemente me guiando. Quanto mais as estudava, mais acreditava pessoalmente que deveria haver uma geometria por trás delas, uma forma secreta que criasse essas sequências numéricas. Desde que os anjos disseram que o corpo humano e os campos geométricos são o padrão de medida do universo, suspeitei fortemente de que, se essas duas sequências fossem como dois componentes, mãe/pai, masculino/feminino, então deveria haver uma forma geométrica isolada por trás deles, uma forma que gerasse ambos. Pesquisei uma maneira de vinculá-los.

Procurei por esse segredo durante anos. Por muito tempo levei-os muito a sério, então desisti, porque não conseguia descobrir do que se tratava. No entanto, fiquei sempre de prontidão esperando uma resposta, sempre procurando uma dica por menor que fosse sobre o que seria. E um dia consegui.

A Solução num Gráfico Polar

Um Livro de Matemática do Sexto Ano

Um menino de quem eu tomava conta estava no sexto ano e queria saber sobre um determinado problema de matemática. Era um problema relativamente simples, mas

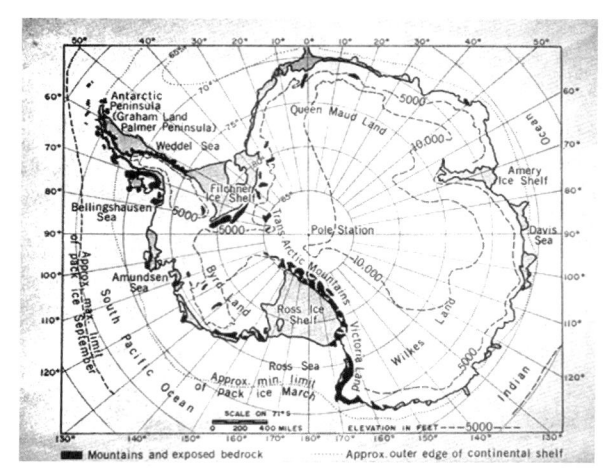

Ilustração 8-21. Gráfico e mapa polar (do *World Atlas of Geomorphic Features*, de Rodman E. Snead).

não me lembrava de como resolvê-lo. Procurei no livro dele para lembrar-me de como era para poder explicar. Enquanto folheava o livro, vi a geometria de que precisava — num livro de matemática do sexto ano! O autor do livro não entendia o que *eu* estava vendo, porque ele seguia uma linha de pensamento totalmente diferente. Mas eu vi na matemática dele algo que estivera procurando, e isso era a chave para vincular essas duas sequências primárias.

Sinto muito, mas não me lembro do título do livro nem do nome do autor — isso aconteceu muito tempo atrás — mas ele me mostrou um gráfico polar e a sua relação com uma espiral de Proporção Áurea. A Ilustração 8-21 é um mapa do Polo Sul sobre um gráfico polar. Observem a cruz no centro, uma linha seguindo o eixo do *x* e a outra o *y*. Na verdade, todos os círculos são cruzados por essas linhas no centro. Isso é demonstrado pegando-se um disco plano de cerca de 3 centímetros de espessura e espalhando areia ao acaso por cima dele. Depois, nós o seguramos por um cabo por baixo e batemos nele com um martelo de madeira. A areia se redistribui em uma cruz em ângulo reto perfeita, como se vê nesta ilustração. Se usássemos um gerador de som sobre o disco, a areia mudaria para muitos outros padrões geométricos. No entanto, o primeiro padrão de todos, que se forma quando se bate num disco redondo devagar será uma cruz perfeitamente em ângulo reto.

Se tiverem um círculo com uma cruz em ângulo reto sobre ele, peguem o raio do círculo como o seu padrão de medida e o chamem de 1 (isso torna os cálculos muito fáceis). Desenhar círculos concêntricos espaçados na mesma distância de dentro para fora desde aquele primeiro raio lhes dá um gráfico polar.

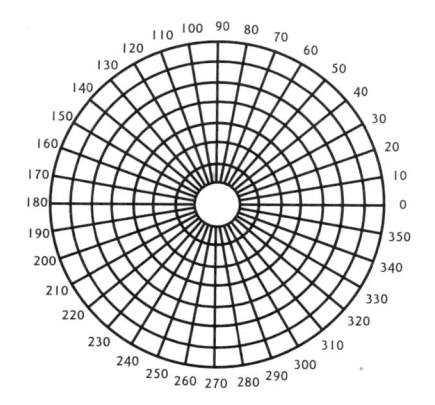

Ilustração 8-22. Gráfico polar.

Espirais sobre um Gráfico Polar

É assim que normalmente é um gráfico polar (Ilustração 8-22), com 36 linhas radiais, incluindo as linhas vertical e horizontal. Essas linhas indicam 360 graus com aumentos de 10 graus. Então são desenhados os círculos concêntricos, cada um à mesma distância do anterior, criando oito demarcações ao longo de cada raio, contando o círculo interno como um. Há muitas razões por trás de um gráfico polar. Pensem primeiro sobre o que ele representa. Ele é um desenho bidimensional que tenta mostrar uma esfera tridimensional, uma das formas sagradas, projetando-a sobre uma superfície plana. É a forma da sombra. Lançar sombras é um dos meios sagrados de obter informações. Além disso, um gráfico polar tem tanto linhas retas (masculinas) quanto linhas circulares (femininas) sobrepostas umas às outras — energias tanto masculinas quanto femininas ao mesmo tempo.

Pense no pequeno círculo central como um planeta no espaço. Desde a superfície do planeta, o autor do livro de matemática traçou uma espiral de Proporção Áurea — não de Fibonacci, mas de Proporção Áurea. Ela começa no raio zero sobre a circunferência do pequeno "planeta" no centro e é traçada uma vez ao redor, de zero a 360°, ou de volta para o zero (Ilustração 8-23).

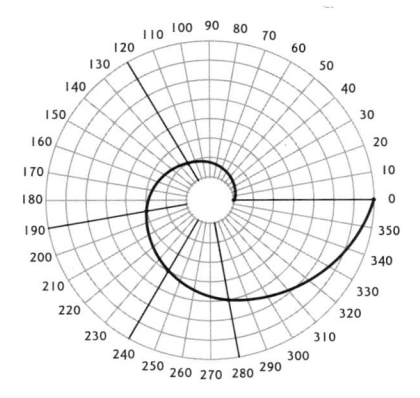

Ilustração 8-23. A espiral de Proporção Áurea traçada sobre um gráfico polar.

Ângulo	Incremento radial desde o centro	Ângulo	Incremento radial desde o centro	Ângulo	Incremento radial desde o centro	Ângulo	Incremento radial desde o centro
0° ☆	1,0 ✶						
10°	1,1	100°	1,8	190°	3,0 ✶	280°	5,0 ✶
20°	1,1	110°	1,9	200°	3,2	290°	5,3
30°	1,2	120° ☆	2,0 ✶	210°	3,4	300°	5,6
40°	1,3	130°	2,1	220°	3,6	310°	6,0
50°	1,3	140°	2,2	230°	3,8	320°	6,3
60°	1,4	150°	2,4	240° ☆	4,0	330°	6,7
70°	1,5	160°	2,5	250°	4,2	340°	7,1
80°	1,6	170°	2,7	260°	4,5	350°	7,5
90°	1,7	180°	2,8	270°	4,7	360° ☆	8,0 ✶

| Ângulo | 0° | 120° | 240° | 360° | uma sequência binária! |
| Distância do polo | 1,0 | 2,0 | 4,0 | 8,0 | |

| Ângulo | 0° | 120° | 190° | 280° | 360° | uma sequência de Fibonacci! |
| Distância do polo | 1,0 | 2,0 | 3,0 | 5,0 | 8,0 | |

Ilustração 8-24. Tabela mostrando as distâncias da espiral desde o polo, medidas em incrementos radiais.

Agora, para descobrir o valor de qualquer ponto, devemos usar o círculo do meio com o valor de um (uma vez que ele representa a distância do centro para o primeiro círculo, a que estamos chamando de "planeta"), depois contar para fora, para onde quer que a espiral cruze um raio. Assim, sobre o raio em 260° (entre o quarto e o quinto anéis) teríamos contado para fora até mais ou menos 4,5. (É claro que no computador seríamos mais precisos.) Sobre a linha radial em 210°, a linha terá chegado a cerca de 3,3. Todo mundo entendeu isso?

Agora, olhem o que acontece com os dados reais de zero a 360°. Em zero grau, a espiral é exatamente um círculo (incremento radial) distante do centro, porque ela

Atualização: Outras pessoas decodificaram o outro padrão, que é o de Fibonacci, conforme eu suspeitava. O que isso realmente significa para a consciência não pesquisei.

está sobre a superfície daquela pequena esfera ou planeta. Então ela dá a volta por meio de diferentes mudanças até chegar a 120°, onde a espiral cruza o segundo círculo. A espiral continua para fora até o quarto círculo, exatamente onde está a linha radial de 240°. E ela alcança o oitavo círculo (exterior) exatamente no raio de 360° (também 0°). Os incrementos radiais dobraram (uma sequência binária de 1, 2, 4, 8) em exatamente 0°, 120°, 240° e 360°.

Observem a Ilustração 8-24, que mostra os pontos de interseção da espiral. As estrelas brancas à esquerda da coluna de incremento radial mostram onde a sequência binária cruza um raio. As estrelas pretas mostram como a espiral avança, em uma sequência de Fibonacci (1, 2, 3, 5, 8), cruzando radiais em 120°, 190°, 280° e 360°. *As duas sequências alcançam simultaneamente o círculo completo (360°), embora em incrementos diferentes,* seguindo essa espiral de Proporção Áurea. Essa espiral, mostrada sobre um gráfico polar, integrou as sequências binária e de Fibonacci!

Eu estava muito entusiasmado, fiquei dando cambalhotas por alguns dias. Sabia que tinha encontrado algo realmente extraordinário, muito embora não soubesse inteiramente o que era. (Esse é um dos meus pontos fracos que preciso admitir aqui. Depois de vê-lo, eu soube que, se tivesse decodificado um dos padrões, isso se aplicaria a outro, e eu não voltei nem sequer para observar o outro padrão, que é provavelmente tão interessante quanto esse.)

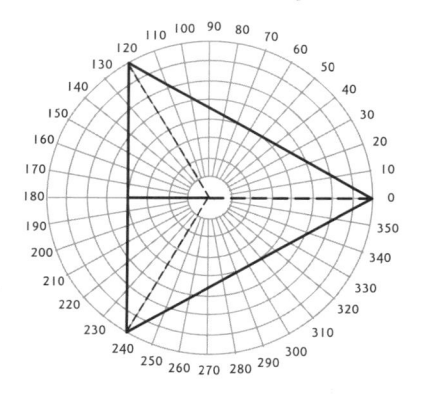

No entanto, eu analisei o que faz uma sequência binária. A espiral cruza em 0, 120, 240 e 360 graus. Conforme podem ver, isso forma um triângulo equilátero (Ilustração 8-25). Se essa espiral binária continuasse seguindo para fora, ela cruzaria os raios em incrementos posteriores de 16, 32, 64, e assim por diante, ainda assim sempre atingindo aquelas três linhas radiais em 120, 240 e 360 graus quando elas também fossem estendidas.

Vocês não só têm um triângulo, mas realmente estão olhando para um tetraedro tridimensional, porque os raios de 120, 240 e 360 graus estendem-se para o centro, formando a visão superior de um tetraedro, assim como uma visão lateral.

Ilustração 8-25. Espiral binária formando um tetraedro sobre o gráfico polar.

Os Triângulos de Keith Critchlow e o seu Significado Musical

Outra imagem nesse desenho é um triângulo equilátero com a linha horizontal que corre reta pela metade desde 0 a 180 graus. Essa é a visão lateral do tetraedro. Agora, pode ser que vocês não pensem que isso seja importante, e eu provavelmente jamais o teria percebido, mas outra pessoa o fez — foi Keith Critchlow. Não sabemos o que ele estava pensando nem como chegou a isso. Ele não sabia o que vocês sabem agora quando fez o que fez. (Ele poderá saber disso agora depois que ler esta obra, mas não sabia quando escreveu o seu livro.)

A Ilustração 8-26 é obra de Critchlow. Ele desenhou um triângulo equilátero com uma linha através da metade; depois, mediu o centro da linha central (vejam o ponto preto) e desenhou uma linha até o canto e subiu até a aresta superior, e depois desceu verticalmente até a linha central, conforme é mostrado. Quem sabe por quê? No ponto em que aquela primeira linha diagonal cruza a linha central, ele então desenhou uma linha vertical até a aresta superior, depois desceu para o mesmo canto inferior. Usando o ponto onde cruzou a linha central, ele repetiu o que tinha feito antes, depois fez o mesmo uma vez mais para a esquerda. Vocês podem continuar em ambas as direções desde a primeira linha. Ao desenhar essa pequena forma curiosa, ele descobriu algo de grande importância.

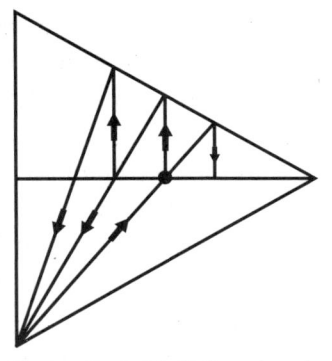

Ilustração 8-26. Triângulos de Keith Critchlow.

Disse ele: "Continuando dessa maneira" (nesse padrão de construção) "cada proporção sucessiva será a proporção harmônica intermediária entre a proporção anterior e o comprimento total, e todas essas proporções serão musicalmente significativas, 1/2 sendo a oitava, 2/3 sendo a quinta, 4/5 sendo a terça maior, 8/9 sendo a segunda maior (tom inteiro) e 16/17 sendo a segunda menor (semitom). Em outras palavras, ele está comparando a medida dessas linhas aos tons musicais.

Então ele tentou fazer as medidas de maneira diferente, começando de um ponto diferente (Ilustração 8-27) da linha central, a três quartos (vejam o ponto preto), e descobriu que as medidas eram 1/7, 1/4, 2/5, 4/7, 8/11 e 16/19 — e todos esses números são musicalmente significativos.

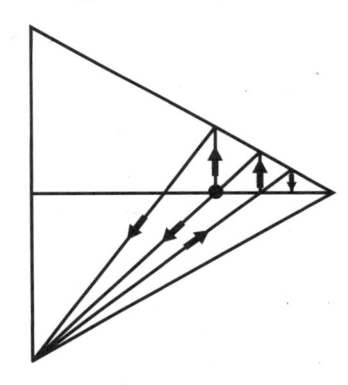

Isso é muito, muito interessante. Significa que as harmonias da música são algo relacionado às proporções dessa linha central que atravessa o tetraedro. Mas ele precisou medir primeiro para começar, e se vocês precisam de um padrão de medida, então não estarão lidando com a geometria sagrada; faltou alguma coisa. Quando usam a geometria sagrada, vocês *nunca* precisam usar nada para medir. O instrumento de medida está embutido, para que possam calcular tudo sem precisar de nenhum tipo de cálculo, régua ou qualquer outra coisa. Ele está sempre embutido no sistema.

Ilustração 8-27. Obra de Keith.

Fiz um experimento com os desenhos de Critchlow e descobri que, se pusesse o gráfico polar por trás do padrão dele, poderia reproduzir o seu primeiro padrão, que mostrava a oitava — a marca na metade da linha — sem nenhuma medida (Ilustração 8-28).

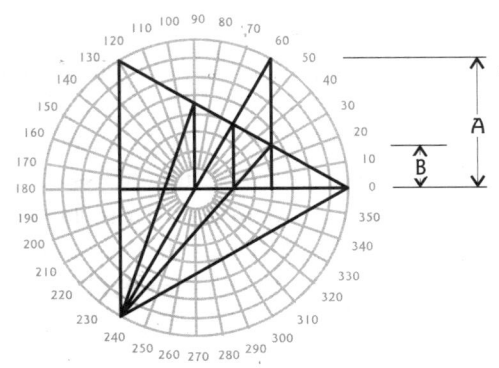

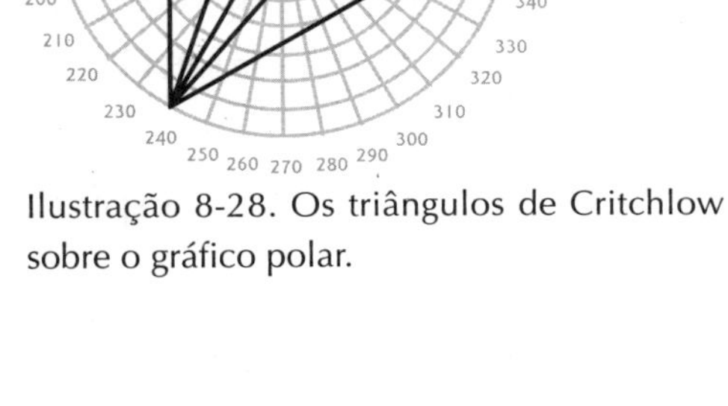

Ilustração 8-28. Os triângulos de Critchlow sobre o gráfico polar.

285

Tudo o que precisei fazer foi desenhar sobre uma linha que já estava ali desde o vértice inferior do triângulo através do centro da esfera até o lado oposto através do triângulo; quando tracei a linha reta para baixo, ela dividiu a linha central *exatamente* na metade, que era o ponto da oitava que Critchlow encontrara. Depois, as outras três linhas puderam ser desenhadas automaticamente.

Então descobri que o círculo mais exterior do gráfico polar, que circunscreve o triângulo equilátero, era também harmônico em relação à linha central: a linha vertical aos 60 graus (linha A) recobre exatamente a linha B. Existe uma correspondência entre os componentes masculino (linhas retas) e feminino (linhas curvas) dentro e fora do triângulo, e essas proporções eram todas musicalmente significativas. *E eu não precisei medir nada!*

Atualmente, estamos a anos-luz avançados em relação ao exposto acima. Uma equipe de pesquisa descobriu que essas linhas podem ser desenhadas não só a partir do centro, mas de *qualquer um* dos pontos nodais dentro da metade superior do triângulo, e como resultado encontram-se todas as harmonias existentes e conhecidas. Em outras palavras, se vocês desenharem uma linha de qualquer um dos pontos onde as linhas retas e as curvas se cruzam desde 0 até 120 graus, depois descerem para o canto do triângulo básico e começarem a fazer os padrões, encontrarão todos os sistemas de harmonias, não só o teclado ocidental, mas também os sistemas orientais — na verdade, todos os sistemas de harmonias conhecidos e muitos desconhecidos que nunca sequer foram usados.

Atualmente, as pessoas que fizeram essa pesquisa acreditam que *todas* as leis da física podem ser derivadas das harmonias musicais, agora que foi revelado o sistema completo das harmonias. Pessoalmente, acredito que as harmonias da música e as leis da física estão inter-relacionadas, e hoje acreditamos que provamos isso matemática e geometricamente, ainda que isso não esteja totalmente demonstrado aqui.

Fiquei muito entusiasmado na época em que reuni essas informações, porque as implicações são incríveis. Isso significa que as harmonias da música estão localizadas dentro de um tetraedro e que essas harmonias são atualmente determináveis. Desde essa época descobrimos outro padrão geométrico, por trás do que é mostrado nesta ilustração, o qual revela todas as chaves e abriu todos os significados ocultos relativos ao Egito.

Os egípcios reduziram toda a sua filosofia às raízes quadradas de 2, 3 e 5, e ao triângulo 3-4-5. Muitas pessoas têm dado explicações para isso, mas há uma outra explicação oculta por trás da geometria do tetraedro. Essa ideia provavelmente já passou pela cabeça de todo mundo, incluindo a minha, de uma certa maneira. Mas ela está ali, e estamos trabalhando nela no momento.

Espirais de Luz Branca e Preta

Enquanto trabalhava com as harmonias da música, recebi um cartão postal pelo correio. O postal era um gráfico polar com superfícies reflexivas (Ilustração 8-29).

Ele tinha pequenos refletores em cada componente. Quero que vocês vejam como a luz se reflete saindo de um gráfico polar. Ela reflete o que parece ser uma espiral de Proporção Áurea ou de Fibonacci.

Há dois braços da espiral, um oposto ao outro, contrapostos exatamente em 180 graus. Observem que entre os braços refletidos a luz torna-se muito escura. As espirais de luz preta estão girando em 180 graus uma em relação à outra e em 90 graus em relação à luz branca. (Já vimos isso na galáxia em espiral.) Se olharem direto para o centro, poderão ver que os dois braços opostos se contrapõem exatamente em 180 graus.

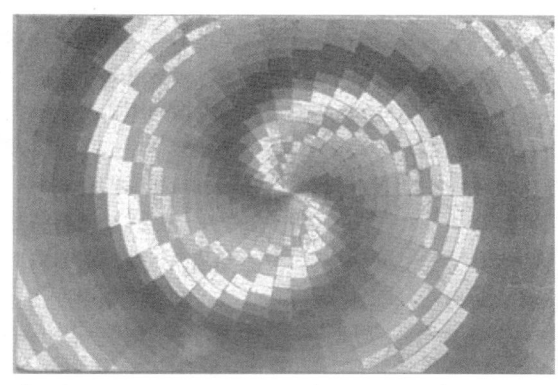

Ilustração 8-29. Cartão postal com espiral.

Assim é como vimos antes (Ilustração 8-30). Aqui, uma espiral de luz branca sai em uma direção, e 180 graus desta, outra espiral de luz branca vai na direção oposta. Os braços escuros — os femininos — saem entre os braços luminosos. Isso explica por que a luz preta entre os braços luminosos da espiral são diferentes da escuridão do resto do espaço (veja a Ilustração 2-35), conforme os cientistas descobriram, porque a luz preta dentro de uma espiral é a energia feminina, e a escuridão do espaço é o Vazio, não a mesma coisa. Os cientistas não conseguiram compreender o motivo da diferença.

Ilustração 8-30. Galáxia em espiral.

Mapas do Hemisfério Cerebral Esquerdo e o seu Componente Emocional

Há mais um ensinamento simples que gostaria de lhes apresentar. Desenhar o tetraedro sobre o gráfico polar representa geometricamente as harmonias da música. Esse desenho e as informações que lhes apresentei sobre esse assunto chegam à sua compreensão através do hemisfério cerebral esquerdo. Mas vocês se lembram de como passamos por essas visualizações, onde eu dizia que toda linha sobre uma página não é uma linha sobre uma página, mas um mapa dos movimentos do espírito através do Vazio? Portanto esses desenhos são mapas — para o hemisfério cerebral esquerdo.

No entanto, há outro componente que é igualmente importante de entender: além de ser um mapa de como o Espírito se movimenta no Vazio, as linhas de qualquer desenho de geometria sagrada também representam algo mais. *Para cada linha em geometria sagrada há sempre um aspecto emocional e sensorial associado.* Não há apenas um componente mental, mas um componente emocional que também pode ser vivenciado. Um desenho em geometria sagrada pode entrar na consciência humana pelo hemisfério cerebral esquerdo, mas há uma maneira pela qual ele também pode entrar sensorialmente através do hemisfério cerebral direito. Às vezes, esse componente emocional/sensorial não é óbvio.

O que significa isso? Vamos usar a música como um exemplo. A música pode entrar na vivência humana como um som e ser ouvido e sentido dentro de nós, ou pode ser compreendida pelo hemisfério cerebral esquerdo como proporção e matemática. Quando estudarem a geometria sagrada, lembrem-se de que os dois lados do cérebro usam as mesmas informações de maneira diferente.

[Neste ponto, Drunvalo tocou uma flauta sioux lakota para dar aos alunos uma experiência direta. Ele lhes pediu para fechar os olhos e sentir a música em vez de estudá-la mentalmente ou pensar sobre ela.]

A forma e a geometria sagrada a ela associada são a fonte, mas a maneira como essas informações entram na vivência humana é diferente. Normalmente, é muito mais fácil obter as informações sensorialmente através do hemisfério cerebral direito do que através do hemisfério cerebral esquerdo lógico, mas elas são equivalentes. É difícil ver que elas são equivalentes, mas elas são. Ao longo de toda essa geometria, olhando para todos aqueles triângulos e quadrados ao redor do corpo e as esferas e formas correlatas, algum tipo de sensação é associada a cada geometria. Talvez vocês não saibam qual seja essa sensação em particular. Pode ser preciso toda uma vida para descobrir a que ela se relaciona, mas eu acredito que há sempre um aspecto sensorial associado a cada forma geométrica sagrada.

De Volta ao Fruto da Vida através do Segundo Sistema de Informação

Agora vou dar uma espécie de resultado final para tudo isso. Lembram-se de que traçamos esse triângulo e os seus vértices tocavam em 0, 120 e 240 graus, então acrescentamos estas linhas (vejam a Ilustração 8-28 da página 285)? No entanto, na natureza, assim como na galáxia, não existe apenas uma espiral, mas duas, saindo do centro em caminhos opostos (vejam as Ilustrações 8-29 e 8-30). Portanto, ao copiar a natureza, é preciso traçar duas espirais, que produzem dois triângulos opostos sobre o gráfico polar (Ilustração 8-31). Se observarem com bastante atenção, na realidade isso produz dois tetraedros — mais especificamente, trata-se de uma estrela tetraédrica inscrita dentro da esfera.

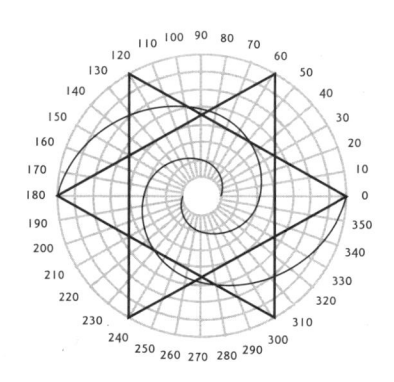

Ilustração 8-31. Duas espirais formando uma estrela tetraédrica sobre um gráfico polar.

Se viram a obra de Richard Hoagland, lembrem-se de qual era a mensagem sobre Marte em Cydonia? Era uma estrela tetraédrica dentro de uma esfera. Se não viram a obra de Richard Hoagland, sugiro que vejam o que ele apresentou às Nações Unidas. Embora a ciência esteja apenas começando a entender o que significa isso, o que o sr. Hoagland mostrou a eles provavelmente fará muito mais sentido para vocês agora.

Dentro da estrela tetraédrica na esfera, há outra estrela tetraédrica (Ilustração 8-32). E dentro do tetraedro menor encaixa-se perfeitamente uma esfera. Se pegarem uma esfera desse tamanho e centrarem-na em cada um dos pontos dos tetraedros, obterão o Fruto da Vida. Se eu girar esse desenho 30 graus e apagar algumas linhas, vocês podem ver o resultado mais claramente (Ilustração 8-33).

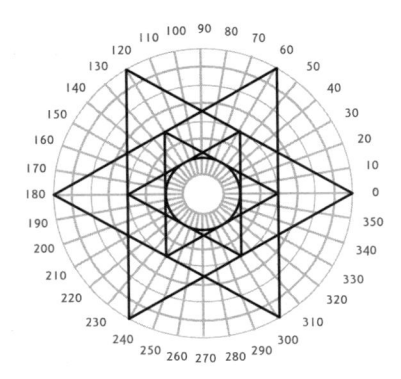

Ilustração 8-32. Uma estrela dentro de uma estrela.

O que vocês viram, apenas em imagem invertida, foi o segundo sistema de informação do Fruto da Vida. Todas as informações acima com estrela tetraédrica, as espirais de Proporção Áurea, luz, som e as harmonias da música, e assim por diante, vêm desse segundo sistema de informações.

Eu poderia ter começado a partir do Fruto da Vida e tomado o caminho inverso, mas não foi assim que aconteceu comigo. Eu queria mostrar a vocês que o acesso ao segundo sistema de informações se obtém ligando-se os círculos concêntricos do Fruto da Vida com as linhas *radiais* que partem *do centro*, em vez de ligar todos os centros, como fizemos para encontrar os sólidos platônicos e as informações sobre os cristais. Essa é apenas uma maneira diferente de sobrepor as linhas masculinas às linhas femininas do Fruto da Vida.

Ilustração 8-33. O Fruto sobre as estrelas e a esfera.

No primeiro sistema de informações — o Cubo de Metatron — encontramos os padrões estruturais do universo com base nos cinco sólidos platônicos. Esses aparecem em estruturas treliçadas dos metais e cristais e em muitos outros padrões da natureza sobre os quais não falamos. As diatomáceas que formam a terra de diatomáceas foram uma das primeiras formas de vida do mundo, e as diatomáceas nada mais são do que pequenos padrões geométricos, ou funções dos padrões. O que acabei de lhes mostrar é como a luz, o som e as harmonias da música estão inter-relacionados por intermédio de um campo da estrela tetraédrica inscrito dentro de uma esfera que sai diretamente do Fruto da Vida, o terceiro padrão rotacional do Gênesis (Ilustração 8-34).

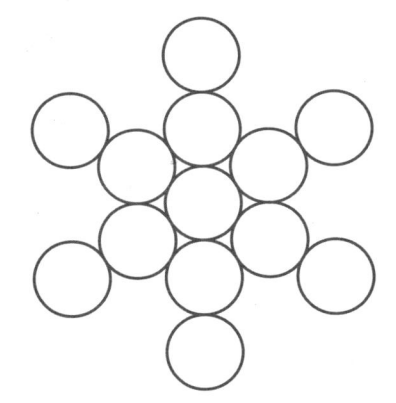

Ilustração 8-34. O Fruto da Vida.

Palavras Finais

Está se tornando claro que a geometria — e desse modo as proporções — constitui a lei oculta da natureza. Ela é ainda mais fundamental do que a matemática, pois todas as leis da natureza podem ser encontradas diretamente na geometria sagrada.

Na segunda parte desta obra, mostraremos a vocês mais segredos da natureza. Acreditamos que isso começará a mudar a maneira como veem o mundo em que vivem. Ficará claro que o seu corpo é o padrão de medida ou a imagem holográfica do universo, e que vocês, o espírito, desempenham um papel mais importante na vida do que a sociedade nos ensinou.

Finalmente (e isso é da maior importância nesta obra), vocês começarão a ver como as geometrias estão localizadas nos campos eletromagnéticos ao redor do seu corpo que têm cerca de 16,50 metros de diâmetro. Lembrando que esses campos são o começo do despertar humano, como um filhote de pássaro surgindo para a luz e saindo do interior escuro da casca do ovo. O sacrossanto corpo de luz humano, chamado Mer-Ka-Ba pelos antigos, torna-se uma realidade. Esse Mer-Ka-Ba representa as "rodas dentro das rodas" de Ezequiel, na Bíblia. O caminho de volta para casa através das estrelas torna-se evidente à medida que se apresenta o plano da criação.

Estamos intimamente ligados à Fonte de toda a vida. Na lembrança dessas informações acontecerá um despertar que irá dissipar o mito da separação e levar todos vocês à verdadeira presença de Deus. Essa é a minha prece.

Até nos reencontrarmos no volume dois,

Em amor e serviço, Drunvalo

Fontes de Consulta

Capítulo 1

Liberman, Jacob, *Light, the Medicine of the Future,* Bear & Co., Santa Fé, NM, 1992.
Temple, Robert K.G., *The Sirius Mystery,* Destiny Books, Rochester, VT(www.gotoit.com).
Satinover, Jeffrey, M.D., *Cracking the Bible Code,* William Morrow, Nova York, 1997. [*A Verdade por trás do Código da Bíblia,* publicado pela Editora Pensamento, SP, 1998.]
West, John Anthony, *Serpent in the Sky,* Julian Press, Nova York, 1979, 1987. [*Serpente Cósmica,* publicado pela Editora Pensamento, SP, 2009.]
Cayce, Edgar: muitos livros foram escritos sobre ele; a Association for Research and Enlightenment, de Virginia Beach, VA, é uma fonte de consulta para uma enorme quantidade de textos e outros materiais. Talvez o livro mais conhecido a respeito dele seja *The Sleeping Prophet,* de Jess Stearn.

Capítulo 2

Lawlor, Robert, *Sacred Geometry: Philosophy and Practice,* Thames & Hudson, Londres, 1982.
Hoagland, Richard C.; ver www.enterprisemission.com/.
White, John, *Pole Shift,* 3ª ed., ARE Press, Virginia Beach, VA, 1988.
Hapgood, Charles, *Earth's Shifting Crust* e *The Path of the Pole.*
Braden, Gregg, *Awakening to Zero Point: The Collective Initiation,* Sacred Spaces/Ancient Wisdom Pub., Questa, NM; disponível também em vídeo (Lee Productions, Bellevue, WA).

Capítulo 3

Hamaker, John e Donald A. Weaver, *The Survival of Civilization,* Hamaker-Weaver Pub., 1982.
Sitchin, Zecharia, *The 12th Planet* (1978), *The Lost Realms* (1996), *Genesis Revisited* (1990), Avon Books.
Begich, Nick e Jeanne Manning, *Angels Don't Play This HAARP,* Earthpulse Press, Anchorage, AK, 1995.

Capítulo 4

Keyes, Ken, Jr., *The Hundredth Monkey* (esgotado) [*O Centésimo Macaco*, publicado pela Editora Pensamento, SP, 1990].
Watson, Lyall, *Lifetide,* Simon and Schuster, Nova York, 1979.
Strecker, Robert, M.D., "The Strecker Memorandum" (vídeo), The Strecker Group, 1501 Colorado Blvd., Eagle Rock, CA 90041 (203) 344-8039.
The Emerald Tablets of Thoth the Atlantean, tradução inglesa de Doreal, Brotherhood of the White Temple, Castle Rock, CO, 1939. Pode ser obtido pela Light Technology Publishing.

Capítulo 6

Anderson, Richard Feather (labirintos); *ver* richardfeatheranderson.com.
Winter, Dan, *Heartmath;* ver www.heartmath.org.
Sorrell, Charles A., *Rocks and Minerals: A Guide to Field Identification,* Golden Press, 1973.
Vector Flexor (brinquedo), disponível em Source Books.
Langham, Derald, *Circle Gardening: Producing Food by Genesa Principles,* Devin-Adair Pub., 1978.

Capítulo 7

Charkovsky, Igor; ver www.earthportals.com.
Doczi, György, *The Power of Limits: Proportional Harmonies in Nature, Art and Architecture,* Shambhala, Boston, MA, 1981, 1994.

Capítulo 8

Pai, Anna C. e Helen Marcus Roberts, *Genetics, Its Concepts and Implications,* Prentice Hall, 1981.
Critchlow, Keith, *Order in Space: A Design Source Book,* Viking Press, 1965, 1969, e outros livros estão esgotados.